D1050279

Germinal
Tomo I

Emilio Zola

Germinal
Tomo I

El Cid Editor

Colección Clásicos de la Literatura Europea
Carrascalejo de la Jara

17555 Atlantic Blvd., #804
Miami - Florida - 33160
U.S.A.
PH : 1-305-466-0155

ISBN versión digital 978-1-4492-1127-1
ISBN versión impresa 978-1-4135-1681-4

ÍNDICE

I Parte 9
I 9
II 26
III 42
IV 66
V 86
II Parte 123
I 123
II 142
III 162
IV 184
V 199
VI 221
III parte 223
I 223
II 245
III 270

IV 289
V 308
Parte IV 329
I 329
II 357
III 373
IV 392
V 420
VI 442
VII 466

I PARTE

I

Por en medio del llano, en la oscuridad profundísima de una noche sin estrellas, un hombre completamente solo seguía a pie la carretera de Marchiennes a Montsou; un trayecto de diez kilómetros, a través de los campos de remolachas en que abundan aquellas regiones. Tan densa era la oscuridad, que no podía ver el suelo que pisaba, y no sentía, por lo tanto, la sensación del inmenso horizonte sino por los silbidos del viento de marzo, ráfagas inmensas que llegaban, como si cruzaran el mar, heladas de haber barrido leguas y leguas de tierra desprovistas de toda vegetación.

Nuestro hombre había salido de Marchiennes a eso de las dos de la tarde. Caminaba a paso ligero, dando diente con diente, mal abrigado por el raído algodón de su chaqueta y la pana vieja de sus pantalones. Un paquetito, envuelto en un pañuelo a cuadros, le molestaba mucho; y el infeliz lo apretaba contra las caderas, ya con un brazo, ya con otro, para meterse en los bolsillos las dos manos a la vez, manos grandes y bastas, de las que en aquel momento casi brotaba la sangre, a causa del frío. Una sola idea bullía en su cerebro vacío, de obrero sin trabajo y sin albergue; una sola: la esperanza de que haría menos frío cuando amaneciese. Hora y media hacía ya que caminaba, cuando allá a la izquierda, a dos kilómetros de Montsou, advirtió unas hogueras vivísimas que parecían suspendidas en el aire, y no pudo resistir a la dolorosa necesidad de calentarse un poco las manos.

Se internó en un camino accidentado. El caminante tenía a su derecha una empalizada, una especie de pared hecha con tablas, que servía de valla a una vía férrea; mientras a su izquierda se levantaba un matorral, por encima del cual se veía confusa la silueta de un pueblecillo de casitas bajas y tan regulares, que parecían estar hechas por el mismo molde. Anduvo otros doscientos pasos. Bruscamente, al salir del recodo de un camino, volvió a ver las luces y las hogueras ante sí, más cerca, pero sin que pudiera todavía comprender cómo brillaban en el aire, en medio de aquel cielo oscuro, semejantes a lunas veladas por el humo de un incendio. Pero acababa de llamarle la atención otro espectáculo a raíz del suelo. Era una gran masa, un montón de construcciones, en el centro de las cuales se erguía la chimenea de una fábrica; algunos destellos de luz salían de las ennegrecidas ventanas; cinco o seis faroles tristones y sucios se veían en el exterior, colocados en postes de madera; y de en medio de aquella aparición fantástica envuelta en humo y en la oscuridad, salía un fuerte ruido: la respiración gigantesca del escape de una máquina de vapor que no se veía.

Entonces el hombre comprendió que aquello era una mina. Pero le dio vergüenza acercarse. ¡Así como así, no iba a encontrar trabajo! En vez de dirigirse hacia el edificio, decidió acercarse hacia la plataforma, donde ardían tres hogueras de carbón de piedra, en canastillos de hierro, para alumbrar y calentar a los que trabajaban. Los obreros empleados en el corte debían de haber trabajado hasta muy tarde, porque aún estaban sacando tierra y piedra. Desde allí vio a los mineros empujando los trenes, y distinguió sombras vivientes volcando las carretillas y haciendo montones de hulla alrededor de las hogueras.

—Buenas noches —dijo, acercándose a una de ellas.

El carretero, que era un anciano vestido con un capote de lana morada, y abrigada la cabeza con una gorra de piel de conejo, estaba en pie, de espaldas a la lumbre, mientras el caballo, un penco tordo, esperaba, con la inmovilidad de una estatua, a que desocuparan las seis carretillas que arrastraba. El obrero empleado en esta faena, un mozo pelirrojo, no se daba prisa, tomando con calma la operación de ir aumentando el montón de hulla.

—Buenas noches —respondió el viejo.

Hubo un momento de silencio. El hombre, al advertir que le miraba con desconfianza, se apresuró a decir su nombre.

—Me llamo Esteban Lantier y soy maquinista. ¿No habría trabajo por aquí?

Las llamas de la hoguera le iluminaban, y gracias a ellas se veía que representaba veinte o veintiún años que era moreno, bien parecido y de aspecto fuerte, a pesar de sus facciones delicadas y sus miembros menudos.

—¿Trabajo para un maquinista? No, no... Ayer mismo se presentaron otros dos. No lo hay.

Una ráfaga de viento les cortó la palabra. Luego Esteban, señalando el montón sombrío de los edificios que había al pie de la plataforma, preguntó:

—Es una mina, ¿verdad?

El viejo no pudo contestar. Un violento acceso de tos se lo impidió. Al fin escupió, y su saliva dejó una mancha negra en el suelo, enrojecido por la brasa.

—Sí, una mina; la Voreux.. ¡Ése es el barrio de los obreros!

Y señalaba, con el brazo extendido, el pueblecillo. Pero las seis carretillas–vagones estaban vacías, y el viejo hizo crujir la tralla que llevaba en la mano, andando con trabajo a causa de los dolores reumáticos que atormentaban sus piernas. El caballo echó a andar, arrastrando las carretillas por los rieles, en medio de un nuevo vendaval que le erizaba las crines.

La Voreux iba saliendo como de un sueño ante la vista de Esteban, que mientras se calentaba en la hoguera sus ensangrentadas manos, miraba y distinguía cada una de las partes de la mina, el taller de cerner, la entrada del pozo, la espaciosa estancia para la máquina de extracción y la torrecilla cuadrada de la válvula de seguridad y de las bombas de trabajo. Aquella mina, abierta en el fondo de un precipicio, con sus construcciones monótonas de ladrillos, elevando su chimenea de aspecto amenazador, le parecía un animal extraño, dispuesto a tragarse hombres y más hombres. Mientras la examinaba con la vista, pensaba en sí mismo, en su vida de vagabundo durante los ocho días que llevaba sin trabajo y buscando inútilmente dónde colocarse; recordaba lo ocurrido en su taller del ferrocarril, donde había abofeteado a su jefe, siendo despedido a causa de ello, de allí, y de todas partes después; el sábado había llegado a Marchiennes, donde decían que había trabajo; pero nada; se había visto obligado a pasar el domingo escondido en la caseta de una cantera, de donde acababa de expulsarle el vigilante nocturno a las dos de la madrugada. No tenía un céntimo, ni un pedazo de pan: ¿qué iba a hacer en semejante situación, sin saber en dónde buscar un albergue que le resguardara del frío?

El obrero que descargaba las carretillas ni siquiera había mirado a Esteban, y ya iba éste a recoger del suelo el paquetito que llevaba, para continuar su camino, cuando un golpe de tos seco, anunció el regreso del carretero.

Luego se le vio salir lentamente de la oscuridad, seguido del caballo tordo, que arrastraba otras seis carretillas cargadas de mineral.

—¿Hay fábricas en Montsou? —le preguntó el joven.

—¡Oh! Fábricas no faltan —respondió—. Tendría que haber visto esto hace cuatro o cinco años. Por todas partes se trabajaba, hacían falta obreros, jamás se había ganado tanto... Pero ahora... ahora se muere uno de hambre. Es una desolación; de todos lados despiden trabajadores, y los talleres y las fábricas van cerrándose unos tras otros... No digo yo que tenga la culpa el Emperador; pero, ¿a qué demonios se va a guerrear en América? Todo esto sin contar los animales y personas que se están muriendo del cólera.

Entonces los dos continuaron lamentándose con frases entrecortadas y acento de desesperación. Esteban relataba sus gestiones inútiles desde hacia una semana: ¿tendrían que morirse de hambre? Pronto los caminos se verían llenos de gente pidiendo limosna.

—Sí —decía el viejo—, y esto acabará mal; porque Dios no tiene el derecho de dejar morir así a sus hijos.

—No todos los días se come carne.

—¡Toma! ¡Si al menos se pudiera comer pan!

—¡Es verdad; si hubiera siempre pan!

—¡Mire! —dijo el carretero, volviéndose hacia el mediodía—; allí está Montsou...

Y con la mano extendida de nuevo, iba señalando en la oscuridad puntos invisibles a medida que los nombraba: allí, en Montsou, la fábrica de Fauvelle trabajaba todavía, aunque mal; la de Hoton acababa de disminuir el personal, y solamente las de Dutilleul y Bleuze, que hacen cables para minas, siguen trabajando. Luego, en un ademán elocuente, señaló al horizonte por la parte

Norte: los talleres de construcción de Someville no han recibido ni la tercera parte de sus pedidos acostumbrados; en las fundiciones de Marchiennes se han apagado multitud de hornos, mientras en la fábrica de vidrio de Gagebois hay conatos de huelga, porque se habla de disminuir los jornales.

—Ya lo sé, ya lo sé —repetía el joven a cada indicación—; ya lo sé; vengo de allí.

—Aquí vamos bien hasta ahora —añadió el carretero—. Estas minas no han disminuido mucho la extracción; pero, allí enfrente, en La Victoria, ha aflojado mucho el trabajo.

Escupió y volvió a echar a andar detrás de un soñoliento caballo, después de haberlo uncido al tren de carretillas vacías.

En aquel momento Esteban dominaba toda la región. Las profundas tinieblas no habían desaparecido, pero la mano del anciano le había hecho ver a través de ellas multitud de miserias, que el joven, inconscientemente, sentía en aquel instante a su alrededor, rodeándole en la extensión sin limites, por todas partes. ¿No eran gritos de hambre los que llevaban consigo aquellas ráfagas de viento frío de marzo, a través de aquellos áridos campos? Y el vendaval continuaba arreciando, y parecía llevar consigo la muerte del trabajo, una epidemia que había de causar muchas víctimas. Esteban se esforzaba por sondear las tinieblas, atormentado por el deseo, y a la vez por el temor de ver. Todo continuaba, sin embargo, oculto en el fondo de las sombras de aquella noche oscura, y no conseguía distinguir sino allá, a lo lejos, los resplandores de las hogueras de otras minas. Era de una tristeza de incendio, y no se veían más astros en el amenazador horizonte que estos fuegos nocturnos de las regiones de la hulla y del hierro.

—¿Es usted belga, quizás?—, preguntó a espaldas de Esteban el carretero, que acababa de hacer otro viaje.

Esta vez no llevaba más que tres carretillas, que había tiempo sobrado de descargar, porque acababa de ocurrir en la mina un accidente, la rotura de un cable del ascensor, que interrumpía el trabajo de extracción durante media hora. Al pie de la plataforma reinaba entonces el más profundo silencio, pues los obreros habían interrumpido su tarea, y sólo se oía allá abajo el golpear de los martillos sobre el hierro para reparar la avería.

—No; soy del Midi —respondió el joven.

El que descargaba las carretillas, después de vaciar aquellas tres, se sentó en el suelo a descansar, contento de que hubiese ocurrido el accidente, pero no por ello más locuaz que antes. Silencioso y arisco, fijaba en el carretero sus ojos opacos, como extrañado de tanta conversación. Y es que, en efecto, el viejo no hablaba tanto de ordinario.

Evidentemente la fisonomía del desconocido le había sido simpática, o se hallaba en uno de esos raros momentos de expansión, que a veces hacen hablar a los viejos en voz alta, aunque estén solos.

—Pues yo soy de Montsou, y me llamo Buenamuerte.

—¿Será un apodo? —preguntó Esteban admirado.

El viejo hizo un movimiento de satisfacción, y señalando la mina, contestó:

—Sí, sí por cierto... Me han sacado de allí dentro, tres veces medio muerto; una vez, con la piel de la espalda destrozada; otra, de entre los escombros de un hundimiento, y la tercera medio ahogado... Al ver que no reventaba nunca, me llamaron en broma Buenamuerte.

Y redobló su jovialidad, un chirrido de polea mal engrasada, que acabó degenerando en un violentísimo acceso de tos. El reflejo del brasero de carbón alumbraba en aquel instante su cabeza enorme, cubierta por escaso cabello completamente blanco, y su cara achatada, pálida, casi lívida y salpicada de algunas manchas moradas. Era de baja estatura, tenía un cuello enorme como el de un toro, las pantorrillas salientes, y los brazos tan largos, que sus manazas caían hasta más abajo de las rodillas. Además, pareciéndose en esto a su caballo, guardaba tal inmovilidad, a pesar del viento, que cualquiera hubiera creído que era de piedra al ver que no le hacia mella ni el frío intenso, ni las terribles rachas del vendaval.

Esteban le miraba.

—¿Hace mucho tiempo —le preguntó— que trabaja usted en las minas?

Buenamuerte abrió los brazos, exclamando:

—¿Mucho tiempo?... ¡Ya lo creo!... Mire, no había cumplido ocho años, cuando bajé por primera vez precisamente a ésa, a la Voreux; y tengo ahora cincuenta y ocho. Conque, eche un cálculo... Ahí dentro he hecho de todo: fui aprendiz, después arrastrador, cuando tuve fuerzas para ello; luego, cortador de arcilla durante dieciocho años; más tarde, a causa de estas pícaras piernas, que se empeñaron en no funcionar como es debido, me pusieron en la brigada de barrenos; después fui barrendero; me dedicaron también a las composturas del material, hasta que se vieron precisados a sacarme de abajo, porque el médico decía que me quedaría allí. Entonces, hace cinco años de esto, me dedicaron a carretero... Conque, ¿qué tal? ¡No es poco cincuenta años de mina, y de ellos cuarenta abajo, en el fondo!

Y mientras hablaba, algunos pedazos de hulla inflamada que caían del brasero iluminaban de vez en cuando su pálido semblante con un reflejo sangriento.

—Me dicen que descanse —continuó—. Pero yo no les hago caso; no soy tan idiota como ellos se figuran. Sea como sea, he de aguantar los dos años que me faltan para llegar a sesenta, a fin de atrapar la pensión de ciento ochenta francos. Si me despidiese hoy, se apresurarían a concederme la de ciento cincuenta. ¡Si serán bribones!... Además, estoy todavía fuerte, excepción hecha de las piernas, y eso a causa de tanta agua como me entró en el pellejo cuando trabajaba en las galerías. Hay días que no puedo mover una pata sin dar gritos.

Otro golpe de tos le interrumpió de nuevo.

—¿Tose por eso también? —dijo Esteban.

Pero el viejo dijo que no con la cabeza, violentamente, y luego, cuando pudo hablar, añadió:

—No, no; es que me resfrié el mes pasado. Nunca había tosido, y ahora no sé cómo librarme de esta maldita tos... Lo más raro es que escupo, y escupo sin parar..

Volvió, en efecto, a escupir una sustancia negruzca.

—¿Escupe sangre? —dijo Esteban, atreviéndose al cabo a preguntarle.

Buenamuerte se enjugó los labios con el revés de su mano velluda. —El carbón. Tengo en el cuerpo más del que necesitaría para calentarme hasta que me muera. Y eso que hace cinco años que no bajo a las galerías. Parece como si lo hubiera tenido almacenado, sin sospecharlo siquiera. ¡Bah! ¡Esto conserva!

Hubo un momento de silencio. Los martillazos continuaban allá en el fondo de la mina, y el viento pasaba con su quejumbre, como un grito de hambre y de cansancio que brotara de las profundidades de la noche. Calentándose a la lumbre, el viejo seguía rumiando sus recuerdos. ¡No era un día ni dos los que llevaba arrancando mineral! Su familia trabajaba para la Compañía Minera de Montsou desde la fundación de ésta, y databa de antiguo, ¡de ciento seis años! Su abuelo, Guiliermo Maheu, que entonces era un mozo de quince años, había sacado carbón de Réquillard, la primera mina de la Compañía, un pozo antiguo que ya estaba abandonado, cerca de la fábrica de Fauvelle, habiendo descubierto un filón nuevo, que por cierto se llamó el Filón Guillermo, del nombre de su abuelo. Él no lo había conocido. Era, según decían, un buen mozo, fuerte y robusto, que se murió de viejo a los sesenta años. Luego su padre, Nicolás Maheu, a quien llamaban El Rojo, sucumbió a los cuarenta años escasos, en el fondo de la Voreux, que estaban abriendo entonces; murió enterrado a causa de un desprendimiento; la arcilla de carbón se sorbió su sangre, y las rocas trituraron sus huesos. Más tarde, dos tíos suyos, y después tres hermanos, se habían dejado allí el pellejo también, y él, Vicente Maheu, que había sabido escapar menos mal, aunque con las piernas destrozadas, pasaba por muy hábil. ¡Y qué había de hacer, si era necesario trabajar! Eso venían haciendo de padres a hijos, como hubieran podido dedicarse a cualquier otra cosa. Su hijo, Manuel Maheu, se reventaba ya trabajando allí, lo mismo que sus nietos y que toda su familia, que vivían enfrente, en uno de los barrios para obreros hechos por la Compañía. Ciento seis años de cavar de padre a hijos para el mismo dueño: ¡eh!, ¿qué tal? Muchos burgueses no podrían contar tan bien su propia historia.

—¡En fin, si se saca para comer!... —murmuró de nuevo Esteban. —Eso es lo que yo digo; mientras se come, se puede vivir.

Nuevamente guardó silencio, dirigiendo la vista al barrio de los obreros de que había hablado, y en el cual empezaban a verse algunas luces. Dieron las cuatro en el reloj de la torre de Montsou; el frío era cada vez más intenso.

—¿Y es muy rica la Compañía? —replicó Esteban.

El viejo levantó los hombros, y luego los dejó caer lentamente, como anonadado bajo el peso del dinero.

—¡Que si es ... ! Quizás no lo sea tanto como su vecina la Compañía de Anzin. Pero, así y todo, tiene millones y millones. Ni siquiera sabe cuántos. Posee diecinueve minas, de las cuales trece están dedicadas a la explotación: la Voreux, la Victoria, Crevecoeur, Mirou, Santo Tomás, la Magdalena, Feutry–Cantel y otras cuantas más... Diez mil obreros, concesiones que se extienden por sesenta y siete distritos diferentes, cinco mil toneladas de hierro diarias, un ferrocarril, que pone en comunicación unas minas con otras, y talleres, y fábricas... ¡Oh! ¡Ya lo creo que tiene dinero!

El rodar de unas carretillas por los rieles hizo enderezar las orejas al caballo tordo. Sin duda habrían compuesto el ascensor ya, porque los obreros trabajaban de nuevo.

El carretero empezó a enganchar el caballo para seguir sus viajes a la boca de la mina, mientras le decía por lo bajo y lentamente:

—No hay que acostumbrarse a gandulear, como ahora, bribón... ¡Si el señor Hennebeau supiera!...

Esteban, pensativo, contemplaba la oscuridad. De pronto preguntó:

—¿De modo que la mina es del señor Hennebeau?

—No —replicó el viejo—. El señor Hennebeau no es más que el director general. Le pagan como a nosotros.

El joven indicó con un gesto la inmensidad de las tinieblas, mientras preguntaba:

—¿Pues de quién es todo eso?

Pero Buenamuerte era víctima de un nuevo golpe de tos, y apenas si podía ni respirar. Al fin, cuando pudo escupir, y se hubo limpiado la espuma negruzca de los labios, contestó gritando para poder ser oído a pesar del estruendo del viento, que cada vez era más fuerte:

—¡Eh! ¿Que de quién es todo eso?... ¡Vaya usted a saber!... De los accionistas...

Y con la mano señalaba en la oscuridad un punto vago, un sitio ignorado y lejano en que habitaban aquéllos para quienes estaban trabajando Maheu y los suyos desde hacía más de un siglo. Su voz había tomado un acento de temor religioso, como si hubiera hablado de un tabernáculo inaccesible, donde se adorara el ídolo al que todos aquellos hombres sacrificaban su vida, sin haberlo visto jamás.

—Pero, en fin, si se tiene el pan que se necesita... —repitió Esteban por tercera vez, y sin transición aparente.

—¡Esa es la cuestión! ¡Si se tuviera siempre el pan! Lo malo es que muchas veces no se tiene...

El caballo había echado a andar, y el carretero desapareció tras de él arrastrando los pies como un inválido. Junto al montón donde se vaciaban las carretillas, el obrero ocupado en aquella faena se acurrucó otra vez con la barba entre las rodillas, y fijando en el vacío sus ojos sin expresión, como si no hubiera advertido siquiera la presencia de un extraño.

Esteban recogió su paquete, que había dejado en el suelo; pero no se marchó aún. Las ráfagas de viento le helaban la espalda, mientras el calor de la hoguera le achicharraba el pecho. Quizás, de todos modos, haría bien en dirigirse a la mina: tal vez el viejo no sabía lo que pasaba: además, se resignaría y aceptaría cualquier faena. ¿Adónde iría, qué iba a hacer en aquella tierra donde no había más que hambre y miseria? ¿Había de dejarse morir como un perro callejero? Sin embargo, le turbaba cierta vacilación, cierto temor que sentía al pensar en la Voreux, casi oculta en las tinieblas, en medio de aquel inmenso llano. El viento era cada vez más fuerte. En el azul del cielo no se veía brillar ninguna luz; solamente los hornos se distinguían en medio de la oscuridad, pero sin iluminar el llano. Y la Voreux, entre tanto, sumido en aquel precipicio, respiraba cada vez con más fuerza, jadeando fatigosamente, como si le costara trabajo la digestión de aquella carne humana que engullía todos los días.

II

El barrio de que hemos hablado, y que se llamaba de los Doscientos cuarenta, dormía en medio de la oscuridad.

Se distinguían vagamente los cuatro inmensos cuerpos de edificio que formaban las casitas, presentando el aspecto de un cuartel o un hospital, geométrico, paralelamente colocados, y divididos por tres calles muy anchas, flanqueadas de unos jardinillos iguales. Y en la desierta planicie que se extendía delante del barrio, no se oía más que el silbar desesperado del viento y el crujir de puertas y ventanas.

En la casa de los Maheu, en el número 16 del segundo cuerpo, no se había movido nadie. Espesas tinieblas envolvían la única habitación del primer piso, como abrumando bajo su peso el sueño de los seres que se adivinaban allí, amontonados, con la boca abierta, destrozados por el cansancio. A pesar del frío intenso del exterior, el aire enrarecido tenía un calor vivo, ese aliento caluroso de los cuartos que huelen a ganado humano.

Las cuatro sonaron en el cu–cu de la sala del entresuelo. Pero nadie se movió; continuaba oyéndose la respiración de los que dormían, acompañada de sonoros ronquidos, hasta que de pronto se levantó Catalina. Tan cansada estaba, que había contado, por la fuerza de la costumbre, las cuatro campanadas del reloj que oyera a través del suelo de tablas, sin tener ánimo para levantarse, ni aun para despertarse completamente. Luego, con las piernas fuera de las sábanas, tentó, y acabando por encontrar los fósforos, frotó uno y encendió la vela. Pero siguió sentada en el borde del colchón, con la cabeza tan pesada, que se le iba para uno y otro lado, cediendo a la invencible necesidad de volver a dormir.

La vela alumbraba ya la habitación, que era cuadrada, con dos ventanas, y estaba ocupada con tres camas. Había también un armario, una mesa y dos sillas viejas de nogal, cuyo oscuro color se destacaba fuertemente del fondo de la pared, pintada de amarillo claro. En la pared se veían ropas colgadas de clavos, y en el suelo un cántaro junto a un cuenco de barro que servía de palangana. En la cama de la izquierda, Zacarías, el hijo mayor, mozo de veintiún años, estaba acostado con su hermano Juan, que acababa de cumplir once; en la de la derecha, dos pequeñuelos, Leonor y Enrique, la primera de seis años y el segundo de cuatro, dormían uno en los brazos de otro, mientras que Catalina compartía la otra cama con su hermana Alicia, tan pequeña y endeble para tener nueve años, que ni siquiera la hubiera sentido, si no fuese porque se le clavaba a menudo en las costillas la joroba de la enferma. La puerta vidriera estaba abierta, y por ella se veía el corredor y una especie de antesala, donde el padre y la madre ocupaban otra cama, junto a la cual había sido necesario instalar la cuna de la más pequeña, Estrella, que tenía tres meses no cumplidos.

Al fin, Catalina, hizo un esfuerzo desesperado. Se estiraba, crispaba las manos y se tiraba de los cabellos rojizos, y tan enmarañados, que se le venían a la cara. Era muy delgada para los dieciséis años que tenía; no enseñaba, fuera de la especie de funda que le servía de camisa, más que unos pies azulados, como tatuados por el carbón, y unos brazos delicados, de una blancura de leche, que contrastaban grandemente con el color de la cara, cuyo cutis estaba ya estropeado por el continuo lavarse con jabón negro. Otro bostezo le abrió la boca, un poco grande, con unos dientes magníficos en medio de la palidez clorótica de las encías, mientras que los ojos le lloraban a fuerza de quererse abrir, dándole una expresión dolorosa, que parecía hinchar de fatiga su desnudez entera.

En aquel momento se oyó una especie de gruñido; la voz de Malhumorado decía:

—¡Vamos! ¡Que ya es hora!... ¿Eres tú quien enciende, Catalina?

—Padre... Ya ha dado la hora en el reloj de abajo.

—¡Pues date prisa, holgazana! Si no hubieras bailado tanto ayer, nos hubieses despertado antes... ¡Vaya una pereza!

Y siguió gruñendo; pero el sueño le dominó a él también; sus reproches se apagaron en un nuevo ronquido.

La joven, en camisa, con los pies descalzos, iba y venía de una parte a otra del cuarto. Al pasar junto a la cama de Leonor y Enrique, los arropó con la colcha que se había caído al suelo, y ellos, dormidos como duermen los chicos a esa edad, no se despertaron. Alicia, con los ojos abiertos, había dado una vuelta en la cama para colocarse en el lado caliente que acababa de dejar su hermana, sin decir una palabra.

—¡Eh, Zacaríasi, y ¡tú, Juan! —repetía Catalina en pie, delante de sus dos hermanos, que seguían durmiendo a pierna suelta con la cara hundida en la almohada.

Al fin, tuvo que coger al mayor por un brazo y zarandearlo con toda su fuerza; luego, mientras el muchacho le prodigaba todo género de injurias, ella optó por quitarles la ropa de la cama,. No pudo menos de echarse a reír con todas sus fuerzas cuando vio el cuadro que presentaban los dos muchachos, con las piernas al aire.

—¡Qué bestia eres!, ¡déjame! —gruñó Zacarías con mal humor cuando se hubo sentado en la cama—. No me gustan las bromas... y pensar que no tiene uno más remedio que levantarse... ¡Maldita sea mí suerte!

Era delgaducho, mal formado, con la cara larga, manchada por una barbilla clara, con el pelo rojizo, y tenía la palidez anémica de toda la familia. Se le había subido la camisa hasta más arriba de la cintura; la bajó, no por pudor, sino porque tenía frío.

—Ya ha dado la hora —repetía Catalina—. ¡Vamos, arriba, que padre se va a enfadar!

Juan, que se había acurrucado de nuevo, cerró los ojos, diciendo: —¡Vete al demonio! ¡Voy a dormir!

Ella se sonrió bondadosamente. Era el pobrecillo tan pequeño, y tenía los músculos tan débiles, a pesar de sus articulaciones enormes, deformadas por la escrófula, que su hermana lo cogió en brazos sin ningún trabajo. Pero él rabiaba; su cara, que parecía la de un mono con aquellos ojillos verdes y aquellas orejas colosales, palideció de ira al verse tan débil. No dijo nada; pero le dio, un mordisco en el pecho.

—¡Condenado! —murmuró Catalina, conteniendo un grito de dolor, y dejándolo en tierra.

Alicia, que seguía silenciosa, tapada hasta la boca con la colcha, no se había vuelto a dormir. Miraba con ojos inteligentes de enferma a sus hermanos que se estaban vistiendo, y seguía curiosamente todos sus movimientos.

Junto al cuenco que les servía para lavarse surgió otra disputa; los muchachos empujaban a su hermana, porque decían que tardaba mucho en lavarse. Las camisas volaban por el aire, mientras que, —dormitando todavía, se desperezaban con la mayor desvergüenza y con la inconsciente tranquilidad de perrillos criados juntos. Catalina fue la primera que estuvo arreglada. Se calzó sus pantalones de minero, se puso la blusa, y se ató un pañuelo azul al pelo, tasándoselo todo; con aquel traje limpio, como el que se ponía todos los lunes, parecía un muchacho; no le quedaba nada de su sexo más que el movimiento acompasado de las caderas.

—Cuando venga el viejo se va a poner contento al ver la cama deshecha... Mira, le diré que has sido tú —dijo Zacarías.

Hablaba del abuelo, del viejo Buenamuerte, que, como trabajaba de noche, dormía de día, y se acostaba al amanecer. La cama no se enfriaba; siempre había alguien dentro de ella.

Catalina, sin contestar, se había puesto a colocar. las sábanas y la colcha en su sitio. Hacía un momento que se oía ruido al otro lado del tabique, en la habitación de los vecinos. Aquellas casas de ladrillos, hechas con gran economía por la sociedad minera, tenían unos tabiques tan endebles, que todo se oía. Vivían apiñados; no había medio de ocultar ni el más, pequeño pormenor de la vida íntima, ni siquiera a los pequeños. Unos pesados pasos habían hecho crujir la escalera; luego se oyó como el ruido de una caída en blando, seguida de un suspiro de satisfacción.

—¡Bueno! —dijo Catalina—, ¡Levaque se ha ido, y Bouteloup se acuesta con su mujer!

Juan se echó a reír, y hasta los ojos de Alicia brillaron maliciosamente.

Todas las mañanas bromeaban acerca de aquella casa de los vecinos, donde vivía de huésped un trabajador nocturno, en casa de otro que trabajaba de día, y la mujer de éste, lo cual daba a la mujer dos maridos, uno de día y otro de noche.

—Filomena tose —añadió Catalina, después de haber arrimado el oído al tabique.

Hablaba de la hija mayor de los Levaque, una muchacha de diecinueve años, amante de Zacarías, de quien tenía ya dos hijos, y tan delicada del pecho, que cernía mineral en la boca de la mina, porque no había podido nunca trabajar abajo.

—¡Ah, sí! Filomena se ríe del mundo. Duerme como un lirón... es una porquería eso de dormir hasta las seis.

Se estaba poniendo el pantalón, cuando de repente, y como a impulsos de una idea repentina, abrió la ventana.

Todo el barrio iba despertándose poco a poco, a juzgar por los rayos de luz que se veían ya a través de las persianas.

Zacarías empezó una disputa con su hermana; se asomaba a ver si veía salir de casa de los Pierron, que vivían en frente, al capataz mayor, a quien se acusaba de dormir con la mujer de Pierron, mientras que su hermana le decía que el marido trabajaba de día en las minas desde la víspera, y que, por lo tanto, aquella noche no había podido dormir allí Dansaert. El aire frío penetraba por la ventana abierta, en tanto que los dos se acaloraban, sosteniendo cada cual la exactitud de sus noticias. De pronto se oyó el llanto de Estrella, que estaba en la cuna, y a quien el frío había despertado.

Maheu despertó hecho una furia contra sí mismo. ¿Qué demonio le pasaba para dormirse de aquel modo, como un haragán? Y rabiaba tanto, y juraba con tal fiereza, que los muchachos guardaron silencio. Zacarías y Juan acabaron de lavarse perezosamente; Alicia, con ojos como platos, seguía mirándolos. Los dos pequeños, Leonor y Enrique, uno en brazos de otro, no habían despertado, y seguían respirando tranquilamente, a pesar del ruido.

—¡Catalina, dame la vela! —gritó Maheu.

La joven, que acababa de abrocharse la blusa, llevó la luz al cuarto de su padre, dejando a oscuras a sus hermanos, que siguieron buscando su ropa poco menos que a tientas, sin más claridad que la que llegaba por la puerta abierta. Su padre saltó de la cama. Catalina no se detuvo; bajó sin calzarse y a tientas para encender otra luz y poder calentar el café. Encima de la mesa de la sala estaban los zuecos de toda la familia.

—¡Callarás, condenada! —replicó Maheu, exasperado por el llanto de Estrella, que iba en aumento.

Era de pequeña estatura, como el viejo Buenamuerte, y se parecía a él en lo grande de la cabeza, en lo achatado y pálido de la cara y en lo rojo de los cabellos, que llevaba cortados a punto de tijera. La niña lloraba, cada vez más asustada al ver aquellos brazos agitándose sobre su cabecita.

—Déjala: ya sabes que no quiere callar —dijo la mujer de Maheu, acomodándose en la cama.

También ella acababa de despertarse, y se quejaba de que no la dejaban nunca dormir tranquila. ¿No podían marcharse sin hacer ruido? Acurrucada entre las sábanas, no enseñaba más que una cara larga, de facciones muy marcadas, de una belleza bastante ordinaria, y ajada ya, a los treinta y nueve años, a causa de su vida de miseria y de los siete hijos que había tenido.

Mientras su marido se vestía, ella empezó a hablar lentamente, mirando al techo. La niña seguía llorando; pero ni uno ni otro le hacían caso.

—¡Eh! Ya te lo he dicho; no tengo ni un céntimo, y es lunes hoy; todavía faltan seis días para que cobremos la quincena... No hay manera de hacer que el dinero dure más. Entre todos traéis nueve francos diarios a casa, ¿cómo queréis que me las componga, si somos diez!

—¡Oh! Nueve francos —gruñó Maheu—. Tres yo y Zacarías tres, seis... Catalina y mi padre dos, son cuatro... Cuatro y seis, diez... Y Juan uno, once.

—Sí, once; pero hay domingos, días de descanso... Nunca, nunca se cobran más de nueve.

Él no contestó, y siguió buscando por el suelo su cinturón de cuero. Luego dijo, levantándose:

—No hay que quejarse, pues, después de todo, estoy todavía fuerte. Más de uno, a los cuarenta y dos años, se tiene que retirar.

—Tienes razón, hijo; pero eso no nos da de comer.. ¿Qué demonios quieres que haga? Di... ¿no tienes tú nada?

—Yo, veinte céntimos.

—Guárdalos para un vaso de cerveza... ¡Dios mío!... ¿Qué voy a hacer? Seis días no se acaban nunca. Debemos sesenta francos a Maigrat, que me plantó en la calle anteayer. No por eso dejaré de volver hoy otra vez. Pero si se empeña en decir que no...

Y la mujer de Maheu continuó hablando con voz triste, con la cabeza inmóvil, cerrando los ojos poco a poco a la tristona claridad de la vela de sebo. Decía que la despensa estaba vacía; que los chicos le pedían tostadas de manteca; que no había ni siquiera café; que el agua producía cólicos, y que no había más remedio que pasarse los días engañando el hambre con hojas de col cocidas. Poco a poco había tenido que ir levantando la voz, porque los gritos de Estrella la apagaban. Aquel griterío se hacía insoportable. Maheu, fuera de sí, cogió a la pequeña de la cuna, y la tiró encima de la cama de su madre, gritando furioso:

—¡Toma, tómala!... ¡la ahogaría!... ¡Maldita niña! ¡No carece de nada, Porque al menos ella mama, y chilla más que todos los otros reunidos!

Estrella se había puesto a mamar, en efecto. Tapada con la ropa de la cama y calmada por el calor, ya no se oía más que el chupar de sus labios.

—¿No te habían dicho las señoras de la Piolaine que fueses a verlas? —replicó el padre, después de un momento de silencio.

La madre torció la boca con aires de duda y desaliento.

—Sí; me encontraron el otro día, y me dijeron que repartían ropa a los niños pobres... En fin, luego iré a su casa con Leonor y Enrique. ¡Si al menos me dieran un par de francos!

De nuevo se hizo el silencio. Maheu estaba listo ya. Se quedó un momento inmóvil, y después dijo con voz sorda:

—¿Qué quieres? Las cosas están así; arréglate como puedas... Con hablar no se adelanta nada; más vale irse a trabajar.

—Así es —contestó su mujer—. Apaga la vela, que no necesito ver el color de mis ideas.

Maheu dio un soplo a la luz: Zacarías y Juan bajaban ya; él les siguió, y la escalerilla de madera empezó a crujir bajo el peso de sus pies. Al salir, la sala y la alcoba se habían quedado de nuevo en tinieblas. Los chiquillos dormían, y hasta los párpados de Alicia se habían vuelto a cerrar. Pero la madre estaba con los ojos abiertos en la oscuridad, mientras que, tirando de su escuálido pezón de mujer hambrienta, Estrella dejaba oír de cuando en cuando un gruñido de placer.

En la sala de abajo, Catalina se había ocupado, ante todo, de reavivar la lumbre en una estufa redonda con el carbón que la Compañía regalaba a sus obreros todos los meses, a razón de un tanto por familia.

Como era malo, se encendía con dificultad, y la joven no lo apagaba; todas las noches cubría la lumbre con ceniza; no tenía más que avivarla por las mañanas, y añadirle unos carboncillos buenos, rebuscados expresamente.

Después colocó en la hornilla una cafetera llena de agua, y se, sentó en el suelo.

Era aquélla una habitación bastante grande, que ocupaba todo el entresuelo, pintada de verde manzana, muy limpia, con sus grandes baldosas muy restregadas. Además del aparador de pino pintado, el mobiliario se componía de una mesa y de sillas de la misma madera. Colgadas en las paredes, se veían algunas estampas pintarrajeadas, retratos del Emperador y la Emperatriz que les había regalado la Compañía, e imágenes de santos; en cuanto a adornos, no se veían más que una caja de cartón de color rosa colocada en una tabla del aparador, y un reloj de los llamados cu—cu, con un péndulo muy recargado, cuyo incesante tic—tac parecía llenar el vacío de la sala.

Junto a la puerta de la escalera había otra que conducía al sótano. A pesar de la extraordinaria limpieza que reinaba allí, un olor de cebolla cocida conservada desde el día anterior emponzoñaba el aire caliente, aquel aire pesado y enrarecido siempre, cargado del olor acre de la hulla.

Catalina, en pie delante del aparador abierto, reflexionaba. No había más que un pedazo de pan, algo de queso fresco y una pizca de manteca, y era necesario hacer tostadas para cuatro personas. Al fin se decidió, cortó las rebanadas lo más gruesas posible, cogió una, que untó de queso, y, untando otra de manteca, las pegó una con otra; aquello era la merienda, la tostada doble que se llevaban todos los días para almorzar en la mina. Pronto estuvieron las cuatro meriendas alineadas encima de la mesa, confeccionadas con severa justicia para todos, desde la más gorda, que era para el padre, hasta la más pequeña, destinada a Juan.

Ya empezaba el agua a hervir en la cafetera, cuando Catalina, que parecía entregada por completo a sus faenas domésticas, debió de pensar en lo que había dicho Zacarías del capataz mayor y la mujer de Pierron, porque abrió la puerta de la calle y dirigió una mirada al exterior. El viento seguía soplando de lo lindo, y se iban viendo luces cada vez más numerosas a lo largo de todas las fachadas de las casas del barrio, anunciando el despertar de sus habitantes. Ya se abrían las puertas, y grandes grupos de obreros se alejaban rápidamente en medio de la oscuridad.

¡Pero qué estupidez estar así pasando frío tontamente cuando Pierron dormía aún aguardando a que fuesen las seis para irse a trabajar! Y, sin embargo, seguía observando la casa que había en frente de la suya; la casa de los jardines. La puerta se abrió de pronto y aumentó la curiosidad de Catalina. No podía ser nadie más que Lidia, la hija de los Pierron, que se iría a las minas también.

De pronto el ruido del agua hirviendo que se salía de la cafetera hizo estremecer a Catalina, de miedo de que se le apagase la lumbre. No había café, y tuvo que contentarse volviendo a pasar por el agua el del día antes. Precisamente en aquel momento bajaban su padre y sus hermanos.

—¡Diablo! —exclamó Zacarías acercándose el tazón a las narices—. Lo que es esto no nos hará daño a buen seguro.

Maheu se encogió de hombros con aire resignado.

—¡Bah! Está caliente —dijo—; y eso es lo principal.

Juan había recogido las migajas hechas por su hermana al cortar las tostadas, y las echaba en su taza. Catalina, después de servirse su parte, acababa de tirar el agua que quedaba en la cafetera. Los cuatro estaban de pie, mal alumbrados por la luz tristona de la vela, y bebiendo de prisa.

—¡Acabáis o no! —dijo el padre—. Cualquiera creería que vivimos de nuestras rentas.

Se oyó una voz que llegaba por la puerta de la escalera que había quedado abierta. Era la de la mujer de Maheu, que gritaba:

—¡Comeos todo el pan, que para los niños tengo guardados unos pocos fideos!

—¡Bueno, bueno! —contestó Catalina.

Había vuelto a cubrir la lumbre, teniendo cuidado de poner entre la ceniza un puchero de sopa, que encontraría caliente el abuelo cuando fuese a acostarse a las seis. Cada cual cogió su par de zuecos, se echó al hombro la cuerda del morralillo, y se colocó su merienda a la espalda, entre la camisa y el chaquetón. Y salieron los hombres delante y detrás de la muchacha, después de apagar la luz y de echar la llave. La casa volvió a quedar a oscuras y en silencio.

—¡Hola! Vamos juntos —dijo un hombre que estaba cerrando la puerta de la casa contigua.

Era Levaque, que salía con su hijo Braulio, un muchacho de doce años, muy amigo de Juan. Catalina, asombrada, contuvo una carcajada, murmurando al oído de Zacarías.

—¿Cómo? ¡Bouteloup no aguarda siquiera a que se vaya el marido!

Las luces empezaban a apagarse en el barrio, y todo quedó en silencio. Las mujeres y los chiquillos continuaban su interrumpido sueño en las camas que se habían quedado más desocupadas. Y desde el tranquilo pueblecillo hasta la Voreux, cada vez más animada, se producía un lento y apiñado desfile de hombres, el desfile de los carboneros que se encaminaban al trabajo, encorvando las espaldas, sin saber dónde abrigarse las manos, cruzando los brazos sobre el pecho, mientras la merienda, puesta en la espalda, les hacía parecer jorobados. Vestidos con ropa ligera, tiritaban de frío, sin apresurarse más por eso, andando diseminados por la carretera.

III

Esteban se había arriesgado a entrar en la Voreux, y todos los hombres a quienes se dirigía, preguntándoles si había trabajo, meneaban la cabeza, y acababan por decirle que esperase al capataz mayor. Le dejaban andar libremente por los departamentos, mal alumbrados, negros y verdaderamente imponentes, por la complicación de sus habitaciones y sus pisos. Acababa de subir una escalera oscura y medio derruida, y se había encontrado en un pasadizo que temblaba bajo su peso; luego había atravesado el departamento donde se cernía el mineral, y que estaba tan oscuro, que tenía que andar con los brazos extendidos para no tropezar.

De pronto aparecieron bruscamente ante él dos enormes hornos. Se hallaba en la sala de entrada a la boca misma del pozo.

Un capataz, el tío Richomme, muy gordo, con cara de gendarme bondadoso, adornada de bigotes grises, cruzaba en aquel momento por allí, dirigiéndose a la oficina de recepción.

—¿Hace falta un obrero para trabajar? —preguntó Esteban otra vez.

Richomme iba a decir que no; pero se arrepintió y alejándose, contestó como los demás:

—Espere al señor Dansaert, el capataz mayor.

Allí había cuatro faroles, cuyos reflectores, que lanzaban toda la luz sobre la boca del pozo, alumbraban vivamente las rampas de hierro, los cables y las maderas del aparato por donde subían y bajaban las dos jaulas ascensores. El resto de la estancia, que era muy grande, semejaba a la nave de una iglesia a medio alumbrar sumido en una vaga oscuridad, por donde cruzaban sin cesar sombras confusas. Solamente la lampistería brillaba allá en el fondo, mientras un quinqué, colocado en el despacho del encargado de recibir el mineral, parecía una estrella en el cielo cubierto nubes. Había empezado de nuevo la extracción, y sobre las losas de la estancia sonaba incesantemente el rodar de las carretillas cargadas de carbón, y se veía el ajetreo de los obreros, moviéndose de acá para allá, en silencio, por entre todas aquellas cosas negras y ruidosas que se agitaban incesantemente.

Esteban permaneció un momento inmóvil, ensordecido y como ciego. Se sentía helado, porque por todas partes entraban corrientes de aire. Dio luego unos cuantos pasos para salir de allí, encaminándose hacia la máquina, cuyo brillante acero y bruñido bronce le atraían. Estaba la máquina poco más allá de la boca de la mina, y tan sólidamente asentada sobre su basamento de ladrillo, que trabajaba a todo vapor, con todo el poder de sus cuatrocientos caballos de fuerza, sin que el movimiento de sus piezas colosales, que, untadas de aceite, se movían suavemente, produjeran ni la menor trepidación. El maquinista, de pie en su sitio, ponía atento oído a los timbres de señales, sin separar la vista del indicador, un cuadro donde se hallaban señalados los diferentes pozos y galerías con sus distintos pisos, por medio de unas ranuras verticales, por las cuales pasaban unos plomos colgados de unas cuerdas, que representaban las diferentes jaulas.

Y cada vez que había una bajada, cuando la máquina empezaba a funcionar, las bobinas, dos inmensas ruedas de un radio de cinco metros, por medio de las cuales los cables de acero se enroscaban y desenroscaban en sentido contrario, daban vueltas con tal velocidad, que no había medio de verlas trabajar.

—¡Eh, cuidado! —gritaron dos obreros que arrastraban una escalera gigantesca.

Había faltado poco para que Esteban fuese aplastado. Se le iba acostumbrando la vista, y ya podía contemplar el movimiento de los cables; más de treinta metros de cinta de acero, que, pasando por las ranuras de los montantes, descendían hasta el fondo del pozo, para que subieran las jaulas de extracción. Aquella operación se verificaba con un silencio admirable, sin un tropezón, rápida, vertiginosamente, yendo y viniendo aquel alambre, de un peso enorme que podía levantar hasta doce mil kilogramos, con una velocidad de diez metros por segundo.

—¡Eh, cuidado! ¡Caramba! —gritaron los trabajadores que arrastraban la escala al otro lado para examinar el funcionamiento del aparato.

Esteban volvió lentamente a la puerta de las oficinas. Aquel movimiento de gigantes que se producía por encima de su cabeza, le atolondraba. Y tiritando de frío, por entre las corrientes de aire, contempló la maniobra de los ascensores, sintiéndose ensordecido por el estrepitoso rodar de carretillas y vagones. Junto a la boca de la mina funcionaba el martillo de señales, un martillo enorme, puesto en movimiento por medio de una cuerda que se manejaba desde abajo, y que golpeaba en un yunque.

Daba un golpe para parar, dos para bajar, tres para subir: y los tres golpes no cesaban ni un momento, dominando con su estruendoso tap, tap, el extraordinario tumulto que había arriba, aumentado por el obrero que dirigía la maniobra, gritando órdenes al maquinista por medio de una bocina. En medio de aquella algazara infernal, los ascensores subían y bajaban, se llenaban y se vaciaban como por encanto, y sin que Esteban comprendiese nada de aquellas complicadas tareas.

Lo único que entendía era que la mina se tragaba los hombres, por grupos de veinte o treinta, y se quedaban como si tal cosa. La bajada de los obreros empezaba a las cuatro. Iban llegando a la boca de la mina, descalzos, con su linterna en la mano, y así esperaban a reunirse suficiente número para un viaje del ascensor. Sin hacer el más ligero ruido, la jaula de hierro salía de las profundidades oscuras de la mina y se colocaba sobre los muelles para detenerse, llevando llenos sus cuatro departamentos de carretillas cargadas de carbón. Los obreros sacaban las carretillas, reemplazándolas por otras, o vacías o cargadas de madera, para las faenas de abajo. Y en carretillas vacías se colocaban los mineros, de cinco en cinco, para bajar hasta cuarenta de una vez en algunas ocasiones. Se oía una voz dada por la bocina, mientras que tiraban cuatro veces de la cuerda de señales, para avisar abajo que iba un cargamento de carne humana. Luego, la jaula experimentaba un ligero estremecimiento, se hundía silenciosamente, y caía como una piedra, no dejando tras de sí más que la vibración del cable.

—¿Está muy hondo? —preguntó Esteban a un minero que esperaba a su lado que le llegase el turno.

—Quinientos cincuenta y cuatro metros —respondió el otro con aire soñoliento—. Pero hay cuatro pisos. El primero está a trescientos veinte.

Los dos se callaron, con la mirada fija en el cable que volvía a subir. Esteban replicó:

—¿Y si se rompe la cadena?

—¡Ah! Si se rompe...

El minero acabó la frase con un gesto. Le había llegado el turno, Porque la jaula había vuelto a aparecer en su acostumbrado silencio. Se hizo un sitio entre otros compañeros; la jaula volvió a bajar, subiendo nuevamente al cabo de cuatro minutos, para seguir tragándose hombres.

Durante medía hora, la mina siguió devorando de aquel modo. El fondo se llenaba, se llenaba sin cesar, y las tinieblas continuaban, y la jaula subía vacía, sin alterar en nada el profundo silencio de aquella imponente operación.

Esteban se sintió presa del malestar que ya había experimentado poco antes. ¿A qué empeñarse en un imposible? El capataz mayor le despediría como los demás. De pronto un temor repentino le decidió bruscamente; se marchó de allí, y no se detuvo hasta llegar a la habitación donde estaban instalados los generadores. La inmensa puerta de aquel departamento, abierta de par en par, permitía ver siete calderas de dos hornos. En medio de aquella atmósfera pesada, y del imponente silbido continuo de los escapes de vapor, se veía a un fogonero ocupado en llenar los hornos, que enviaban un calor de infierno hasta más allá de la puerta; y Esteban, satisfecho de sentirse con calor iba acercándose a las calderas, cuando tropezó con un nuevo grupo de carboneros, que se dirigían a la boca de la mina. Eran los Maheu y los Levaque. Al ver a la cabeza del grupo a Catalina, que parecía un muchacho, tuvo la idea supersticiosa de hacer una última intentona.

—Oye, camarada, ¿no se necesitará aquí un obrero para cualquier clase de trabajo?

Ella le miró sorprendida, algo asustada de aquella voz brusca que salía inesperadamente de la oscuridad. Pero Maheu, que iba detrás, le había oído, y contestó, deteniéndose un momento para hablar:

—No, no se necesita a nadie.

Pero aquel obrero, aquel pobre diablo perdido por los caminos en busca de trabajo, le interesó, y al separarse de él dijo a sus compañeros:

—¿Eh, qué tal? Podría uno muy bien verse así... No podemos quejarnos, puesto que al menos nosotros tenemos trabajo.

El grupo entró, y se dirigió a la barraca, una habitación muy grande rodeada de armarios, que estaban cerrados con cadenas. En el centro de ella, una enorme chimenea de hierro, una especie de estufa sin portezuela, se veía enrojecida, y tan atestada de hulla incandescente, que saltaban los pedazos sobre la tierra apisonada del suelo. La habitación no estaba alumbrada más que por la claridad que aquello despedía.

Al llegar los Maheu, se oían grandes carcajadas. Había allí unos treinta mineros en pie, de espaldas a la lumbre, tostándose las espaldas con aire satisfecho. Antes de bajar a la mina, todos iban a recoger y llevarse en la piel un poco de calor para desafiar la humedad terrible del fondo. Pero aquella mañana se entretenían un rato más, solazándose, haciendo bromas a la Mouquette, una trabajadora de dieciocho años, robusta muchacha, cuyos pechos y nalgas enormes le hacían saltar las costuras de la blusa y del pantalón. Vivía en Requillart con su padre, el viejo Mouque, mozo de cuadra, y con su hermano, que trabajaba, como los demás, en las minas; pero como no lo hacían a las mismas horas, ella iba sola a la mina, y entre los trigos en verano, y en invierno detrás de una tapia, se daba un rato de placer con su amante de la semana. Hacían turno todos los de la mina, verdadero turno de buenos compañeros, que jamás traía malas consecuencias. Un día que le echaron en cara haberse entregado a un herrero de Marchiennes, se puso tan furiosa, que por poco estalla de rabia, gritando que se respetaba demasiado y que sería capaz de cortarse un brazo si alguien pudiera alabarse de haberla visto con un hombre que no fuese minero.

—¿De modo que ya no es el buen mozo de Chaval? —decía un obrero en tono de broma—. Ahora te ha dado por ese enano. ¡Pero hija, vas a necesitar una escalera! ¡Mal te vas a ver!

Y aquellas chanzas y crudezas redoblaban las carcajadas de los hombres, que encorvaban sus espaldas, medio cocidas por la lumbre de la chimenea; mientras que ella, contagiada por la risa, exhibía la indecencia de su traje descosido, luciendo sus masas de carne, que, de tan exageradas, parecían producto de una enfermedad.

Pero de pronto se acabó la alegría, porque la Mouquette dijo a Maheu, que Florencia, la buena de Florencia, no podía volver a la mina; se la habían encontrado el día antes tiesa en su cama; según unos, porque se le había roto un aneurisma; según otros, porque había agarrado una borrachera de ginebra. Y Maheu se desesperaba: otra contrariedad. ¡Perder una de las obreras de su cuadrilla sin poder reemplazarla enseguida! Maheu trabajaba por contrata; tenía en su cuadrilla otros tres cortadores de arcilla asociados a él, Zacarías, Levaque y Chaval, y si se quedaba solamente con Catalina para el arrastre de las carretillas, cundiría menos la faena. De pronto se le ocurrió una idea.

—¡Oye! ¿Y ese hombre que buscaba trabajo?

Precisamente en aquel momento pasaba Dansaert por la puerta de la barraca. Maheu le contó lo que le sucedía, y pidió permiso para contratar al hombre, insistiendo en el deseo demostrado por la Compañía, de que poco a poco se fueran reemplazando con hombres las muchachas que trabajaban en el arrastre, como habían hecho en Anzin.

El capataz mayor se sonrió, porque el proyecto de que no trabajasen mujeres disgustaba generalmente a los mineros, que se preocupaban de la colocación de sus hijas, poco cuidadosos de la cuestión de moralidad y de higiene. En fin, después de haber titubeado un poco, dio el permiso que solicitaban, si bien reservándose el pedir que lo ratificara el señor Negrel, el ingeniero.

—¡Venga, venga! —dijo Zacarías—. Sabe Dios donde estará el hombre, si sigue corriendo como cuando lo encontramos.

—No —dijo Catalina—; le vi pararse en el cuarto de las calderas.

—Pues ve a buscarlo, holgazana —exclamó Maheu.

La joven echó a correr, mientras que una tanda de mineros se dirigía al ascensor, dejando a otros su sitio delante de la estufa para calentarse. Juan no esperó a su padre, sino que se fue en busca de su linterna, acompañado de Braulio, un muchachote crédulo y bonachón, y de Lidia, una chiquilla de doce años. La Mouquette, que bajaba delante de ellos, daba voces en la escalera, tratándolos de granujas y de pilletes, y amenazándolos con arrancarles las orejas si le pellizcaban las piernas.

Esteban se hallaba, en efecto, en el departamento de las calderas, charlando con el fogonero, que echaba carbón sin cesar. Sentía muchísimo frío, que aumentaba pensando en la noche que le esperaba al salir de allí. Y, sin embargo, se decidía a marcharse ya, cuando notó que una mano se apoyaba en su hombro.

—Venga —dijo Catalina—; hay trabajo para usted.

Al principio no comprendió. Luego, en un acceso de inmensa alegría, estrechó frenéticamente las manos de la joven.

—¡Gracias, amigo!... ¡Ah, qué gran favor me haces!

Ella se echó a reír, mirándole atentamente a la rojiza claridad de los hornos. Le divertía pensar que la tomaba por hombre al verla tan delgadita y con el pelo tapado completamente con el pañuelo del trabajo. Él se reía también de alegría, y así permanecieron, con las manos enlazadas y mirándose, un momento.

Maheu, en la barraca, sentado en el suelo delante de su armario, se quitaba los zuecos y las gruesas medias de lana. Cuando Esteban llegó, quedó hecho el trato en pocas palabras; treinta sueldos diarios por un trabajo que era difícil al principio, y sobre todo penoso, pero que él aprendería pronto.

El obrero le aconsejó que no se quitase los zapatos, y le prestó una chaqueta vieja y un sombrero de cuero para resguardarse la cabeza, precaución que él y sus hijos desdeñaban ya. Sacaron del armario las herramientas, entre las cuales estaba la pala de Florencia.

Luego Maheu, cuando hubo guardado los zuecos y las medias de todos, así como el paquete de ropa que tenía Esteban, empezó a impacientarse.

—¿Qué demonios hace ese jamelgo de Chaval? Sin duda se estará revolcando con alguna pécora detrás de algún montón de piedras... Hoy nos hemos retrasado al menos media hora.

Zacarías y Levaque estaban calentándose tranquilamente. El primero dijo al fin:

—¿Estás esperando a Chaval?... Ha llegado antes que nosotros, y bajó enseguida.

—¡Cómo! ¡Lo sabías y no me has dicho nada!... Vamos, vamos de prisa.

Catalina, que estaba calentándose las manos, siguió al resto de la cuadrilla. Esteban la dejó pasar, y subió detrás de ella. Nuevamente se encontró en un dédalo de escaleras y corredores oscuros, donde los descalzos pies producían un ruido de calzado viejo. Pero de pronto se vio brillar la lampistería, una habitación formada de cristales, llena de estantes, donde se veían alineadas centenares de linternas sistema Davy, reconocidas cuidadosamente, limpias el día anterior, y encendidas como cirios en el fondo de una capilla ardiente. Cada minero iba tomando la suya por un ventanilla; la linterna tenía su número correspondiente, y luego de reconocerlo, la cerraba el mismo interesado, mientras que el marcador, sentado en su mesa, apuntaba en el registro la hora de bajada.

Fue necesario que interviniese Maheu para que dieran linterna al nuevo trabajador. Había, por precaución, otro requisito que cumplir: los obreros iban desfilando todos por delante de un aparato a propósito, a fin de asegurarse de que todas las linternas estaban bien cerradas.

—¡Demonio! ¡No hace calor aquí! —dijo Catalina tiritando.

Esteban se contentó con mover la cabeza. Se hallaba en aquel momento otra vez junto a la boca de la mina, en aquella habitación enorme, barrida por las corrientes de aire. Aun cuando se tenía por valiente, en aquel instante le apretaba la garganta una emoción desagradable, entre el rodar de los vagones, los golpes sordos del martillo de señales, los gritos ahogados de la bocina, y frente al movimiento continuo de aquellos cables que desenvolvían y arrollaban con velocidad vertiginosa las bobinas de la máquina. Y las jaulas subían y bajaban silenciosamente, tragando hombres y más hombres, que desaparecían en la oscuridad del pozo. Había llegado su turno; tenía frío, y guardaba un silencio nervioso, del cual se burlaban Zacarías y Levaque, porque ninguno de los dos, y especialmente el segundo, ofendido de que no le hubieran consultado, aprobaba la admisión de aquel desconocido. Catalina, en cambio, se sentía satisfecha al ver que su padre iba explicando al joven cada una de las cosas que había que hacer.

—Mire: debajo de la jaula hay unos paracaídas, unas especies de ganchos de hierro que se clavan en las guías en caso de rotura. Los ganchos no funcionan muy a menudo, afortunadamente... Sí; el pozo está dividido en tres compartimentos cerrados con tablas de arriba abajo; por el de en medio van las jaulas, y en los de los lados están las escalas de salvamento...

El minero se interrumpió para refunfuñar, aunque procurando no levantar mucho la voz.

—¿Qué demonios estamos haciendo aquí? ¡Maldita sea!... ¿Es justo tenernos aquí muertos de frío?

El capataz Richomme, que iba a bajar también, con la linterna sujeta con un gancho al cuero de su chaqueta de trabajo, le oyó quejarse.

—¡Ten cuidado, que las paredes oyen! —murmuró paternalmente, como buen minero viejo, que no ha dejado de ser compañero de los trabajadores—. De algún modo se ha de hacer la maniobra... Vamos, ya está; embarca a tu gente.

En efecto; la jaula, guarnecida con tiras de lona y con una red de pequeñas mallas, les esperaba. Maheu, Levaque, Zacarías y Catalina, se colocaron en una de las carretillas del fondo; y como debían ir cinco personas, Esteban entró también; pero los sitios mejores estaban cogidos, y tuvo que embutirse al lado de la joven, la cual le clavaba uno de los codos en el vientre. La linterna le estorbaba, y le aconsejaron que la colgara de un ojal de la chaqueta; pero como no lo entendió, tuvo la torpeza de seguir con ella en la mano. El embarque continuaba encima y debajo de ellos, como si la jaula fuese un vagón para conducir ganado.

Pero, ¿por qué no se ponían en movimiento? ¿Qué pasaba? Estaba impaciente desde hacía largo rato.

De pronto se sintió una gran sacudida, y bruscamente todo quedó sumido en tinieblas, mientras que él experimentaba ese vértigo lleno de ansiedad de las caídas, que parecía arrancarle las entrañas.

Esto duró mientras veía alguna claridad; pero cuando la oscuridad fue completa al internarse en el pozo, quedó aturdido y sin la percepción clara de sus sensaciones.

—Ya echamos a andar —dijo tranquilamente Maheu.

Todos estaban como en su casa. Él, en cambio, ignoraba por momentos si subía o bajaba. Creía estar inmóvil, cuando la jaula bajaba derecha, sin tocar a las guías; otras veces se producían bruscas trepidaciones; los maderos crujían de un modo que le hacían temer una catástrofe. Además, no podía distinguir las paredes del pozo, a través de la rejilla de la jaula, a pesar de que pegaba la cara a ella. Las linternas iluminaban apenas el montón de personas que iban con él. únicamente en el departamento contiguo brillaba como una estrella la luz del farol del capataz.

—Éste tiene cuatro metros de diámetro —decía Maheu para instruirle—. Buena falta hacía que arreglaran de nuevo el revestimiento, porque se filtra el agua por todas partes... Mire, ahora llegamos al nivel; ¿lo oye?

Precisamente Esteban se preguntaba en aquel instante qué ruido sería aquel que parecía el de un torrente. Primero habían sonado unas cuantas gotas al caer en el techo de la jaula, como cuando empieza a caer un aguacero; enseguida, la lluvia fue aumentando hasta convertirse en un verdadero diluvio. Sin duda el techo tendría alguna gotera, porque por la espalda del joven caía un chorro de agua que le mojaba hasta la carne. El frío iba haciéndose insoportable, empezaban a entrar en una humedad terrible, cuando de pronto atravesaron rápidamente por una gran claridad, Y Esteban tuvo como la visión de una caverna donde se agitaban una porción de hombres a la luz de sus linternas. Enseguida volvieron a estar entre tinieblas.

Maheu le dijo:

—Es el primer piso. Estamos a trescientos veinte metros... Fíjese en la velocidad.

Y levantando su linterna, dirigió la luz a uno de los maderos de las guías, que corría como un rail debajo de un tren lanzado a toda velocidad, y aparte de eso, no se veía nada. Pasaron otros tres pisos. La lluvia atronadora no cesaba, ni la oscuridad tampoco.

—¡Qué hondo está! —murmuró Esteban.

Aquella bajada le parecía que duraba dos horas. El joven sufría por efecto de la incómoda posición que había tomado, y que no se atrevía a variar, atormentado sobre todo por el codo de Catalina. Ella no hablaba ni una palabra; él la sentía allí junto a sí dándole calor. Cuando al fin la jaula, se detuvo en el fondo, a quinientos cincuenta y cuatro metros de profundidad, quedó admirado al saber que la bajada había durado un minuto justo. El ruido del aparato, al tocar en el suelo, le tranquilizó de pronto, y le puso de buen humor; así es que dijo a Catalina en tono de broma y tuteándola ya:

—Muchacho, ¿qué demonios traes en la piel que calienta tanto?... Traigo el codo tuyo clavado en...

La joven se echó a reír. ¡Sería tonto, seguir todavía creyéndola un muchacho! ¿No tenía ojos?

—Donde tienes el codo clavado es en los ojos —contestó ella, entre alegres carcajadas, que el joven, sorprendido, no sabía explicarse.

La jaula iba quedando desocupada; los obreros atravesaban la sala de entrada a las galerías: una habitación tallada en la roca viva, con techo de ladrillos y alumbrada por tres grandes faroles. Por encima de las losas, los cargadores arrastraban violentamente las carretillas llenas de mineral. De las paredes salía un olor a cueva, una frescura agradable, a la cual se mezclaban calientes bocanadas de aire que llegaban de la cuadra. En aquella sala empezaban cuatro galerías oscuras como boca de lobo.

—Por aquí —dijo Maheu a Esteban—. Todavía no hemos llegado; tenemos que andar dos kilómetros aún.

Los obreros se separaban, perdiéndose por grupos en el fondo de aquellos oscuros agujeros. Diez o doce acababan de penetrar por el de la izquierda, y Esteban iba el último, detrás de Maheu, a quien precedían Catalina, Levaque y Zacarías. Era una magnífica galería de arrastre, hecha de un modo admirable, y tallada en una roca tan dura, que sólo de trecho en trecho había habido necesidad de revestirla de mampostería; uno detrás de otro caminaba sin parar, sin hablar una palabra, y alumbrándose apenas con la escasa claridad de las linternas. El joven tropezaba a cada paso, porque se le enredaban los pies en los rieles.

Hacía un rato que le tenía escamado un ruido sordo, como el ruido lejano de una tormenta, cuya violencia parecía aumentar a cada paso y salir de las entrañas de la tierra. ¿Sería el estrépito de un hundimiento que les aplastaría, dejando caer sobre sus cabezas la masa enorme que les separaba de la superficie?

De pronto vio una luz, y sintió que temblaban las rocas; y cuando, como sus compañeros, se hubo echado a un lado pegándose a la pared, vio pasar, casi rozándole la cara, un caballo blanco muy grande enganchado a un tren de carretillas. Sentado en la primera de las carretillas, con las bridas en la mano y guiando, iba Braulio; mientras que Juan, con los puños apoyados en el borde de la última, corría con los pies descalzos.

Continuaron su camino. Poco más allá se presentó una plazoleta, donde se abrían otras dos galerías, y el grupo volvió a dividirse, repartiéndose los obreros poco a poco por todas las canteras de la mina. Esta nueva galería de arrastre estaba sostenida con andamios de madera, cubriendo la roca una especie de camisa de tablones. Trenes de carretillas, unas llenas, otras vacías, pasaban y se cruzaban continuamente, produciendo un ruido infernal, arrastradas en la sombra por un animal que apenas se distinguía, y que parecía un fantasma. En una de las vías de cruce, se hallaba parada una larga serpiente negra, un tren detenido, cuyo caballo, medio oculto entre las sombras, parecía un pedazo de roca desprendido del techo. Las Puertas de ventilación se abrían y se cerraban lentamente. Y a medida que avanzaban, la galería iba siendo más estrecha, más baja, más desigual de techo, obligándolos a encogerse y agacharse continuamente.

Esteban se dio un golpe terrible en la cabeza. A no ser por el sombrero de cuero, de seguro se rompe el cráneo. Y, sin embargo, seguía con atención los menores gestos de Maheu, que iba delante de él, y cuya silueta se destacaba a la escasa claridad de las linternas. Ninguno de los obreros tropezaba: debían de conocer aquel camino como los dedos de la mano.

También hacía padecer al joven el piso resbaladizo, que cada vez estaba más mojado. De cuando en cuando tenía que atravesar verdaderas lagunas, que sólo notaba al meter los pies en el agua.

Pero lo que más le admiraba eran los cambios bruscos de temperatura. Al llegar al fondo hacía fresco, y en la galería de arrastre, por donde pasaba todo el aire de la mina, soplaba un viento helado, cuya violencia era extraordinaria; luego, a medida que iban entrando en las otras vías, que solamente recibían una parte escasa y disputada de ventilación, disminuía el viento, crecía el calor, un calor sofocante, de una pesadez de plomo. Ya hacía un cuarto de hora que caminaban por aquellas conejeras abiertas en la tierra; y entonces entraban en un horno, cada vez más profundo, más oscuro y más caluroso.

Maheu no había vuelto a abrir la boca. De pronto torció a la derecha por una nueva galería, diciendo simplemente a Esteban, sin volverse:

—Estamos en el filón.

Era la veta en que se encontraba el trozo donde ellos trabajaban. Esteban, al entrar, tropezó con la cabeza y con los dedos en las paredes. El techo, que estaba en cuesta, bajaba tanto, que a trechos de veinte y treinta metros era necesario andar agachado. El agua les llegaba a los tobillos. Se sofocaba, porque el calor iba aumentando cada vez más. Así anduvieron doscientos metros; y de repente vio que Levaque, Zacarías y Catalina desaparecían, como si hubieran huido por una estrecha abertura que veía delante de él.

—Hay que subir —le dijo Maheu—. Cuélguese la linterna de un ojal de la chaqueta, y cójase a los maderos.

Él desapareció también. Esteban tuvo que seguirle. Aquella chimenea, practicada en la veta, estaba reservada a los mineros, y servía de paso para todas las vías secundarias. Tenía el espesor de la capa de carbón, es decir, sesenta centímetros cuando más. El joven, que era delgado, se izaba torpemente, embebiendo las espaldas y las caderas, avanzando a fuerza de puños, con las manos agarradas a las maderas. A unos quince metros de distancia, encontraron la primera vía secundaria; pero era necesario continuar, porque la hulla de Maheu y su cuadrilla estaba en la sexta vía, es decir, en el infierno, como decía él; y de quince en quince metros las vías se sobreponían unas a otras; la subida no acababa nunca por aquella conejera, cuyas paredes arañaban la espalda y el pecho. Esteban estaba como si el peso de las rocas le hubiera roto los miembros, con las manos echando sangre, con las piernas arañadas, falto de aire que respirar, hasta el punto de parecerle que le iba a saltar la sangre.

En una galería vio vagamente dos bultos acurrucados, uno grande y otro pequeño, empujando carretillas de mineral: eran la Mouquette y Lidia, que habían empezado a trabajar ya. ¡Y todavía tenía que subir dos tallas más! El sudor le inundaba; ya desconfiaba de poder alcanzar a los demás, cuyos miembros oía rozar contra las rocas de la galería.

—¡Ánimo, que ya estamos! —dijo la voz de Catalina.

Pero, al llegar, otra voz gritó desde el fondo de la galería.

—¿Qué es esto? ¿Está uno aquí para que se burlen de él? ¡Tengo yo que andar dos kilómetros desde Montsou, y llego el primero!

Era Chaval, un mozo alto y flaco de veinticinco años, de facciones acusadas. Al ver a Esteban preguntó con acento de sorpresa y de desdén:

—¿Quién es ése?

Y cuando Maheu se lo dijo, añadió entre dientes:

—¡Es decir, que vienen los hombres a comerse el pan de las muchachas!

Los dos hombres cruzaron una mirada ardiente, el calor de esos odios instintivos que nacen de súbito. Esteban había sentido la injuria, sin comprenderla bien todavía. Hubo un momento de silencio; todos se pusieron a trabajar. Poco a poco las venas se habían ido llenando de obreros, y en todos los pisos, en todas las galerías, en todas las tallas de la mina, reinaba la mayor actividad. El pozo devorador se había tragado su cotidiana ración de hombres, unos setecientos obreros, que trabajaban en aquel gigantesco hormiguero, agujereando la tierra por todas partes, como si fuera un pedazo de madera roído por los gusanos. Y en medio de aquel silencio abrumador, del hundimiento de las capas más profundas de mineral, se habría podido oír, pegando el oído a la roca, el ruido de los insectos humanos que se agitaban en todos sentidos, desde el estruendo del cable que subía y bajaba los ascensores de extracción, hasta el morder lento y sordo de las herramientas en la hulla, en el fondo de las canteras.

Esteban, al volverse, se encontró nuevamente apretado contra Catalina. Pero esta vez adivinó las redondeces del naciente seno, y comprendió de pronto aquel extraño calor que le había invadido al contacto con ella en la jaula.

—¿Eres una chica? —murmuró estupefacto.

Ella contestó con su alegre acento habitual, y sin ruborizarse lo más mínimo:

—¡Pues ya lo creo!... ¡No has tardado poco en darte cuenta!...

IV

Los cuatro cortadores de arcilla acababan de tenderse unos encima de otros, y trabajaban con ardor. Separados por los tablones de andamio que sujetaban el carbón, cada uno ocupaba unos cuatro metros de la veta, y ésta era tan delgada (apenas tendría en aquel sitio cincuenta centímetros de espesor), que estaban allí como aplastados entre el techo y la pared, arrastrándose sobre las rodillas y los codos, y no pudiéndose volver sin lastimarse la espalda y los hombros. Para arrancar la hulla, tenían que estar tendidos de costado, con el cuello torcido y los brazos levantados, a fin de poder manejar el pico y el berbiquí.

Junto a la entrada de la vía estaba Zacarías, luego Levaque y Chaval encima de él; y allá en lo más alto, Maheu. Todos atacaban la veta a fuerza de pico; luego, cuando de ese modo habían desprendido por abajo la capa de mineral, practicaban dos hendiduras verticales y desprendían el pedazo, formando palanca por la parte superior. La hulla estaba blanda, y los pedazos se desmoronaban, cayendo por su vientre y sus piernas. Cuando aquellos pedazos, contenidos por los tablones, se amontonaban debajo de ellos, los obreros casi desaparecían, quedando como emparedados en la estrecha hendidura.

Maheu era el que más sufría. En la parte de arriba, la temperatura subía hasta treinta y cinco grados, el aire no circulaba, y a la larga, el ahogo y la sofocación se hacían mortales. Para ver bien, había tenido que fijar la linterna en un clavo cerca de su cabeza; y aquella linterna, que le calentaba el cráneo, acababa de hacerle arder la sangre. Pero su suplicio aumentaba principalmente a causa de la humedad. La roca, por encima de él, a pocos centímetros de su cara, chorreaba agua, gotas gruesas, continuas y rápidas, que corrían, produciendo una cadencia acompasado al caer siempre en el mismo sitio. Por más que torcía el cuello y volvía la cara, las gotas le caían en la frente, en los ojos, en la boca, sin interrumpirse ni un momento. Al cabo de un cuarto de hora estaba mojado y cubierto de sudor al mismo tiempo. Aquella mañana, una gota que le había caído en un ojo le hacía jurar. No quería dejar el trabajo; golpeaba incesantemente con el pico, que hacía chocar contra las dos rocas, como una pulga cogida entre dos hojas de un libro y amenazada de que la aprieten para estrujarla.

No habían cruzado ni una sola palabra. Todos golpeaban con los picos, y no se oía más que aquellos golpes irregulares, que parecían proceder de algún lugar lejano. Sonaban roncamente y sin producir eco alguno en aquella atmósfera enrarecida y pesada.

Y parecía que la oscuridad tenía una negrura desconocida, compacta a causa del polvillo que se escapaba del carbón, y más pesada aun por el gas que abrumaba los párpados. Las mechas de las linternas, por encima de sus casquetes de tela metálica, no proyectaban más que alguno que otro puntito rojo. No distinguía nada; el pozo se abría, subiendo como el caño de una chimenea achatado y oblicuo. Sombras espectrales se agitaban en la oscuridad, y los escasos reflejos de las linternas dejaban entrever aquí y allá la redondez de una cadera, la sombra de un brazo, o una cabeza despeinada y sucia.

Zacarías, con los brazos cansados del abuso de los placeres de la víspera, dejó pronto el trabajo, con el pretexto de beber, lo cual le permitía descansar un poco, silbando entre dientes, y entornando los ojos perezosamente. Detrás de los cortadores de arcilla quedaban desocupados unos tres metros de veta, sin que hubieran tomado todavía la precaución de revestirla de madera, preocupándoles poco el peligro, y deseosos de ganar tiempo.

—¡Eh, tú, señorito! —gritó el joven a Esteban— dame un poco de madera.

Esteban, a quien Catalina enseñaba a manejar la pala, tuvo que subir madera al pozo. Había allí una pequeña provisión que quedara el día antes. De ordinario, todas las mañanas se llevaba la que hacía falta.

—¡Date prisa, pelmazo! —añadió Zacarías, viendo que el obrero novato subía torpemente por entre los montones de carbón, con los brazos ocupados con cuatro tablones de encina.

Con el pico hacía un agujero en el techo y otro en la pared, y colocaba en cada uno una punta del tablón, que de aquel modo sostenía la roca. Por la tarde, las brigadas correspondientes recogían los pedazos que los cortadores abandonaban por las mañanas en las galerías, dejando el sitio necesario para el arrastre por donde iban los rieles de las carretillas.

Maheu dejó de gruñir. Al fin había arrancado el pedazo de carbón. Se enjugó el rostro con la manga, empapado de sudor sucio, y se enteró de lo que había subido a hacer Zacarías detrás de él.

—Deja eso —le dijo—. Ya veremos después de almorzar.. Mejor es arrancar, si hemos de sacar el número de carretillas que nos hacen falta para nuestra cuenta.

—Es que esto va bajando. Mira, hay una grieta tremenda. Me temo que se hunda.

Pero su padre se encogió de hombros. ¡Sí, sí, caerse! Por otra parte no sería la primera vez, y siempre habían salido del paso. Acabó por enfadarse y por mandar a su hijo que siguiera arrancando hulla.

Todos estaban cansados. Levaque, tendido boca arriba, juraba y blasfemaba, mirándose un dedo que la caída de un pedazo de carbón le había lastimado, haciéndole brotar la sangre. Chaval, furioso, se quitaba la camisa, quedándose con el torso desnudo, para tener menos calor. Estaba completamente tiznado de carbón, y chorreando de sudor, que le corría como si fuera agua sucia que le echaran por la cabeza. Maheu fue el primero que empezó a trabajar de nuevo, golpeando un poco más abajo. Ahora las gotas de agua le caían en la frente, de una manera tan obstinada, que parecía como si le estuvieran agujereando los huesos del cráneo.

—No hay que hacer caso —decía Catalina a Esteban—; siempre está refunfuñando.

Y continuó dándole su lección amablemente. Cada carretilla llegaba a la boca de la mina, tal como salía de la cantera, marcada con una señal especial para que el empleado que las recibía arriba pudiera apuntarlas en la cuenta de la cantera correspondiente. Debía tenerse un cuidado especial al llenarla, para no meter más que buen carbón; porque si no la rechazaban en la oficina receptora.

El joven cuyos ojos iban acostumbrándose a la oscuridad, miraba a la muchacha, y la veía blanca todavía, con aquel color de clorótica que le era característico; no habría podido decir la edad que tenía; le calculaba doce años, a juzgar por lo endeble que le parecía.

Y, sin embargo, la hubiera creído mujer más hecha, a causa de aquellas libertades propias de hombre, y aquel descaro, que no dejaban de turbarle un poco; sin saber por qué, no le gustaba, le parecía hombruna aquella cabeza, envuelta en un pañuelo. Pero lo que le asombraba era la fuerza de aquella niña; una fuerza nerviosa, en la cual había mucha habilidad. Llenaba las carretillas más deprisa que él, a paladas regulares y rápidas; luego las empujaba hasta el plano inclinado, pero de una manera lenta y seguida, sin sacudidas de ningún género, y pasando fácilmente por debajo de las rocas más bajas. Él, en cambio, se magullaba, tropezando en todas partes, y haciendo descarrilar la carretilla.

En verdad, no era aquél un camino cómodo. Había unos sesenta metros desde la talla al plano inclinado; y la vía, que la brigada de por la tarde no había abierto bien aún, era una conejera de techo muy desigual; en aquellos sitios la carretilla cargada pasaba rozando con las paredes y con el techo, y el trabajador tenía que agacharse y empujar con las rodillas para no destrozarse el cráneo. Por otra parte, los tablones de andamiaje se estaban rompiendo ya. Se les veía a lo largo de las paredes rotos por en medio, como si no pudieran resistir tan tremendo peso. Había que tener mucho cuidado para no engancharse en aquellas roturas, y era preciso bajarse con mucha precaución y con cierto temor de que aquello se hundiese de repente aplastándole a uno debajo.

—¡Otra vez! —dijo Catalina riendo.

La carretilla de Esteban acababa de descarrilar en el sitio más peligroso. No conseguía mantenerla derecha por aquellos rieles que se hundían en el barro; y juraba, y se enfadaba, y se desesperaba, destrozándose las piernas y los brazos contra las ruedas, que, a pesar de sus esfuerzos extraordinarios, no entraban en su sitio.

—¡Espera un poco, hombre! —replicó la joven—. Como te enfades, no lo harás nunca bien.

Ella se había agachado hábilmente, había encajado su parte posterior contra la carretilla, y con un ligero y vigoroso movimiento de caderas la había levantado, colocándola en su sitio. Pesaba setecientos kilogramos. Él, sorprendido, avergonzado, balbuceaba excusas.

Hubo necesidad de que ella le enseñase a separar las piernas, a encorvarse al pasar por debajo de los tablones, y a apoyarse con las rodillas para darse un sólido punto de apoyo. El cuerpo tenía que estar inclinado, los brazos estirados, de modo que todos los músculos pudieran hacer fuerza, así como los hombros y las caderas. La siguió con la vista y la vio empujar, como le había dicho, tan agachada, que parecía ir trotando a cuatro pies, como uno de esos caballitos enanos que trabajan en los circos. Catalina sudaba, respiraba con dificultad, le crujían los huesos, pero no se quejaba; hacía todo aquello con la indiferencia de la costumbre, como si la común miseria fuera para todos ellos vivir enterrados de aquel modo. Y Esteban no conseguía hacer lo mismo; los zapatos le estorbaban mucho, y no podía resistir aquel andar agachado y con la cabeza tan baja.

A la larga, postura tan incómoda se convertía en un suplicio, en una angustia intolerable, tan penosa, que de cuando en cuando se ponía de rodillas para descansar y respirar.

Luego, al llegar al plano inclinado, había otro suplicio. Ella le enseñó a cargar deprisa la carretilla. En la parte alta y en la baja del plano, que servía para todas las galerías contiguas, había un muchacho para enviar y otro para recibir. Aquellos chiquillos, de doce a quince años, se dirigían mutuamente palabras abominables; y para avisarles que llegaba una carretilla, era necesario gritarles otras más crudas aún, para que hicieran caso. Cuando había que subir una carretilla vacía, el que estaba abajo daba la señal, la cargadora empujaba su carretilla llena, el peso de la cual hacía subir la otra, cuando el muchacho que estaba arriba soltaba el freno. Abajo, en la galería del fondo, se formaban los trenes, que los caballos arrastraban hasta la entrada del pozo, donde se hallaban las jaulas ascensores.

—¡Eh, malditos haraganes! —gritaba Catalina a la entrada del plano inclinado, que tenía un centenar de metros de longitud, y donde retumbaba la voz como en una bocina gigantesca.

Los chiquillos debían estar descansando, porque ni uno ni otro contestaba. En todos los pisos se hallaba detenido el arrastre. Al fin, una vocecilla de muchacha, dijo:

—¡Alguno está encima de la Mouquette, seguro!

Se oyeron enormes risotadas. Las cargadoras de todas las vetas reían a más no poder.

—¿Quién es esa? —preguntó Esteban a Catalina.

Ésta le nombró a Lidia, una chicuela muy despierta, y que arrastraba las carretillas lo mismo que una mujer hecha y derecha, a pesar de sus brazos de muñeca. En cuanto a la Mouquette, era muy capaz de estarse entreteniendo con los dos muchachos a la vez.

Pero de pronto se oyó la voz del guardafreno, reclamando a gritos más carretillas. Indudablemente debía de pasar por arriba algún capataz. El arrastre comenzó de nuevo en los nueve pisos, y ya no se oyó más que las voces de los muchachos y el respirar de las cargadoras, que llegaban al borde del plano, sudando y sin aliento, como borricos demasiado cargados. En la mina se despertaban deseos brutales cada vez que un minero tropezaba con una de aquellas muchachas, andando a cuatro pies, con las caderas en alto y haciendo estallar las costuras de su pantalón de hombre.

Y a cada nuevo viaje, Esteban volvía a encontrar el calor sofocante del fondo de la cantera, la cadencia sorda de las herramientas y los suspiros dolorosos de los cortadores de arcilla, trabajando contra la hulla con verdadero encarnizamiento. Los cuatro se habían puesto desnudos completamente, confundidos entre los montones de carbón y llenos de barro negro hasta la cabeza. Una vez que hubo que sacar a Maheu de entre los montones de carbón que lo rodeaban en el andamio para que aquéllos cayeran al suelo, Zacarías y Levaque se irritaban contra la veta, que cada vez iba siendo más dura, según decían, lo cual haría insoportables las condiciones del destajo que habían negociado con Maheu. Chaval, de cuando en cuando, se volvía, tendiéndose boca arriba para injuriar a Esteban, cuya presencia decididamente le exasperaba.

—¡Vaya fiera! ¡Tiene menos fuerza que una mujer!... ¿Y quieres cargar tú solo la carretilla? ¡Eh! ¿Temes lastimarte los brazos?... ¡Maldita sea! Te descuento los diez sueldos, como tengas la culpa de que nos rechacen alguna.

El joven no contestaba, satisfecho de haber hallado aquel trabajo propio de un presidio, y aceptando la brutal jerarquía que existe entre los obreros. Pero ya no podía sufrir más; tenía los pies ensangrentados, los miembros doloridos por los calambres y el cuerpo como comprimido por un corsé de hierro. Afortunadamente eran las diez, y la cuadrilla se decidió a almorzar.

Maheu tenía un reloj que ni siquiera consultó. En medio de aquella continua noche sin estrellas, no se equivocaba jamás en cinco minutos. Todos se volvieron a poner la camisa y la blusa. Luego descendieron de los andamios, se acurrucaron con los codos metidos en los costados y las nalgas descansando en los talones, en esa postura tan usual para los mineros, que suelen tenerla hasta cuando están fuera de la mina, sin necesitar asiento alguno. Cada cual sacó su merienda, y empezó a comer, cruzando alguna que otra palabra acerca del trabajo de aquella mañana. Catalina, que permanecía en pie, acabó por reunirse con Esteban, que se había echado en el suelo un poco más allá, encima de los rieles, apoyando los hombros y la espalda en las traviesas. Había allí un sitio casi seco.

—¿No comes? —le preguntó ella con la boca llena, y su tostada de manteca y queso en la mano.

Luego se acordó de que el joven había pasado la noche anterior por esos campos de Dios en busca de trabajo, sin un céntimo, y acaso sin un pedazo de pan.

—¿Quieres de lo mío? Nos lo repartiremos.

Y al ver que él rehusaba, jurando que no tenía ganas, con voz temblorosa a causa del hambre, ella replicó alegremente:

—¡Ah! ¡Si te da asco!... Pero, mira, no he mordido más que por este lado; te daré del otro.

Ya había hecho dos pedazos de la tostada. El joven cogió uno de ellos, y se retuvo para no devorarlo de una vez. Catalina acababa de tenderse a su lado, con el aire tranquilo de un buen compañero, boca abajo, con la barbilla en la mano y comiendo lentamente. Las linternas, que habían dejado en el suelo entre los dos, los alumbraban.

Catalina le miró un momento en silencio. Debía encontrarle guapo, con aquellas facciones finas y aquel bigote negro. La joven sonreía de placer.

—¿Con que tú eres maquinista, y te han despedido del ferrocarril?... ¿Por qué?

—Porque le pegué una bofetada al jefe.

Ella se quedó estupefacta al oír aquello, que pugnaba con sus ideas hereditarias de subordinación y de obediencia pasiva.

—Debo confesar que había bebido —continuó él—; y cuando bebo me vuelvo loco; me comería a mí mismo y a los demás... Sí, no puedo tomar ni siquiera dos copas sin sentir la necesidad de comerme a alguien... Luego estoy malo tres o cuatro días.

—Pues es necesario no beber —dijo ella con seriedad. —¡Ah! No te preocupes; me conozco.

Y meneaba la cabeza: sentía odio hacia el aguardiente, el odio del último hijo de una raza de borrachos que sufre las consecuencias de toda una ascendencia saturada de alcohol, hasta el punto de que una gota era para él un veneno.

—Siento por mi madre que me hayan plantado en la calle —dijo, después de mascar un bocado de pan—. La pobre no es feliz, y de cuando en cuando le mandaba algún dinerillo.

—¿Dónde esta tu madre?

—En París... Es lavandera en la calle de la Gota de Oro.

Hubo un momento de silencio. Cuando pensaba en esas cosas se entristecía. Por espacio de un rato permaneció con la mirada fija en la oscuridad de la mina; y, a aquella profundidad, bajo las capas de tierra que le separaban del aire libre, recordaba su infancia, a su madre, joven y bonita todavía, abandonada por su padre, y reclamada, después de haberse unido a otro, viviendo entre aquellos dos hombres que comían a su costa y rodando con ellos entre el fango. Era allí... recordaba la calle y una multitud de pormenores; veía la ropa sucia desparramada por la sala, y borracheras, y escándalos, y bofetadas.

—Ahora —replicó él hablando con lentitud—, con estos treinta sueldos de jornal, no sé si podré mandarle dinero... Va a morirse de hambre seguramente.

Y encogiéndose de hombros con ademán desesperado, pegó otro mordisco a la tostada que tenía en la mano.

—¿Quieres beber? —preguntó Catalina destapando su cantimplora— ¡Oh!, es café. Esto no te hará daño...

Pero él rehusó; ya era bastante haberle quitado la mitad de su pan con manteca. Ella insistió cariñosamente, y acabó por decir:

—Bueno, beberé antes que tú, ya que eres tan educado. Pero ahora ya no puedes decir que no, porque sería hacerme un feo.

Y le alargó la cantimplora. Catalina se había puesto de rodillas, y él la tenía junto a sí, iluminada por las dos linternas. ¿Por qué la había encontrado fea? Ahora que estaba negra de carbón, parecía casi bonita; tenía un encanto singular. En aquella cara invadida por la oscuridad, los dientes de aquella boca grande y fresca estallaban de blancura, y los ojos se agrandaban y brillaban como los de un gato con un reflejo verdoso. Un mechón de cabello rojo, que se había escapado del pañuelo, le hacia cosquillas detrás de la oreja, y la obligaba a sonreír. Ya no parecía tan niña; bien podría tener catorce años.

—Por darte gusto... —dijo él devolviéndole la cantimplora, después de haber bebido un trago.

Ella bebió otra vez, y le obligó a hacer lo mismo, porque decía que deseaba que se lo repartieran; y los dos se divertían haciendo ir y venir de una boca a otra el cuello del frasco. Él se preguntaba para sus adentros si no debía estrecharla entre sus brazos y darle un beso en la boca. Catalina tenía los labios gruesos, color de rosa pálido, y llenos en aquel momento de carbón, lo cual aumentaba sus deseos, sin saber por qué. Pero no se atrevía, intimidado delante de ella, porque en Lille no había tratado más que con mujeres perdidas de la más baja estofa, e ignoraba cómo componérselas para conquistar a una obrera que vivía en casa de sus padres todavía.

—¿Tú tendrás unos catorce años? — preguntó, después de haber vuelto a recoger el pan con manteca.

Ella se admiró, casi ofendida.

—¡Cómo catorce! Tengo ya dieciséis... Es cierto que aún no tengo muchas formas, porque las muchachas aquí no nos desarrollamos pronto.

Él siguió haciéndole preguntas, a las que contestaba claramente, sin descaro, pero sin darle vergüenza.

Por otra parte, la joven no ignoraba ninguna de las cosas del hombre ni de la mujer, por más que él comprendía que era virgen y casi niña, porque su desarrollo natural estaba retrasado a consecuencia del aire malsano y de la fatiga constante en medio de los cuales vivía. Cuando él sacó de nuevo la conversación de la Mouquette para ponerla en un apuro, ella le contó historias estupendas, con la voz tranquila, y con la mayor naturalidad del mundo. ¡Ah! ¡Lo que es aquélla hacía cada cosa!... Y como él quería saber si Catalina tenía también amantes, la joven contestó, bromeando, que no quería dar disgustos a su madre; pero que la cosa sucedería al fin el día menos pensado. Tenía la espalda encorvada y tiritaba un poco, por habérsele enfriado el sudor, presentando un aspecto resignado y dulce, como si estuviera dispuesta a sufrir las consecuencias de las cosas y de los hombres.

—Cuando se vive así de juntos, no faltarán amantes, ¿no es verdad?

—¡Ya lo creo!

—Como, además, no se hace daño a nadie, con no decirle nada al cura...

—¡Oh, el cura! ¡Valiente cosa me importa a mí!... Pero está el Hombre negro.

—¿Cómo el Hombre negro?

—Un minero viejo, que se murió hace años; pero que resucita y viene a la mina para retorcer el cuello a las chicas malas.

Él la miraba, creyendo que se estaba burlando de su credulidad.

—¿Crees tú en esas tonterías? ¿Es que no sabes nada del mundo?

—Sí, por cierto; sé leer y escribir.. Vamos adelantando, porque en tiempo de mi madre y mi padre no aprendían.

Decididamente era bonita. Cuando acabara de comerse el pan y la manteca, la cogería y le daría un beso en los labios. Era una resolución de hombre tímido, un pensamiento de violencia que le turbaba un poco. Aquel traje de muchacho, aquella blusa y aquellos pantalones tapando carnes de mujer, le excitaban y le desazonaban al mismo tiempo.

Se había comido ya el último bocado; bebió un trago de café, y le alargó la cantimplora para que acabara de bebérselo ella. Había llegado el momento de hacerlo, y ya dirigía una mirada inquieta hacia los mineros que estaban allí cerca, cuando una sombra desembocó por la galería. Desde hacía un instante, Chaval, en pie, les miraba desde lejos. Se acercó, se aseguró de que Maheu no podía verles, y como Catalina seguía sentada en el suelo, le cogió por los hombros, le echó la cabeza hacia atrás, y le plantó en la boca un beso brutal, con la mayor tranquilidad y fingiendo no hacer caso de Esteban. En aquel beso había algo de toma de posesión, una especie de resolución celosa.

Sin embargo, la muchacha se había sublevado.

—¡Déjame! ¿Oyes?

Él no le soltaba la cabeza, y la miraba a los ojos. Su bigote y su barbilla roja se destacaban en aquella cara negra, con una nariz como el pico e un águila. Al fin la soltó, y se alejó de allí sin pronunciar una palabra.

Un estremecimiento nervioso había dejado a Esteban helado. Era una estupidez haber aguardado tanto. Pero lo que es ya, ciertamente, no la besaría, no fuera ella a creer que trataba de imitar al otro. En el fondo, en su herida vanidad, experimentaba una verdadera desesperación. —¿Por qué has mentido? —dijo en voz baja—. ¿Es tu amante? —No, te juro que no —replicó ella—. No hay nada entre nosotros. Algunas veces quiere bromear.. Ni siquiera es de por aquí, sino que hace seis eses llegó de Pas–de–Calais.

Los dos se habían levantado, porque iban a empezar de nuevo a trabajar. Cuando Catalina observó la frialdad de Esteban, pareció disgustada. Indudablemente le encontraba más guapo que al otro, y quizás le hubiera preferido. El joven, por hacer algo, contemplaba la azulada luz de la linterna, rodeada de un cerco pálido; y ella, para distraerle:

—Ven, que te voy a enseñar una cosa —le dijo con acento cariñoso.

Cuando se lo hubo llevado al fondo de la cantera, le señaló una grieta que se veía en la hulla. Escapábase de allí un ruido parecido al que hace el agua cuando rompe a hervir, semejante también al silbido de un pájaro.

—Pon ahí la mano. ¿Sientes el aire?... Pues es el grisú.

Esteban quedó sorprendido. ¿No era más que aquello esa cosa terrible y misteriosa que producía hundimientos y voladuras? Catalina se reía, añadiendo que aquella mañana debía haber mucho, cuando tan azuladas estaban las luces.

—¡A ver si acabáis de charlar, holgazanes! —gritó la voz ruda de Maheu.

Catalina y Esteban se apresuraron a cargar las carretillas y a empujarlas hasta el plano inclinado, arrastrándose a gatas por el estrecho corredor. Al segundo viaje, estaban inundados de sudor, y les crujían los huesos como antes.

En la cantera, los obreros habían empezado a trabajar también. A menudo almorzaban deprisa para no enfriarse demasiado, y aquellas tostadas que se comían, lejos de la luz del sol, con silenciosa voracidad, les pesaban en el estómago como si fueran de plomo. Tendidos de costado, golpeaban con más ahínco, sin más idea que la de ganar un buen jornal, puesto que trabajaban a destajo. Todo desaparecía ante aquel furor de un salario disputado tan rudamente. Dejaban de sentir el agua que les calaba los huesos, los calambres producidos por las posturas violentas, y la oscuridad abrumadora de aquellos lugares, donde crecían enclenques y descoloridos como plantas encerradas en una cueva. Pero, a medida que avanzaba el día, el aire se emponzoñaba más y más, se cargaba de humo de las linternas, de la pestilencia del aliento y de la asfixia del grisú, que les cerraba los ojos como telas de araña, y que sólo había de barrer el aire libre de la noche cuando salieran de allí. Y ellos, en el fondo de aquella galería, bajo el peso de la tierra, a semejante profundidad, sin poder casi respirar, seguían trabaja que trabaja con los picos, para arrancar un poco más de carbón a las entrañas de la tierra.

V

Maheu, sin mirar el reloj que había dejado en el bolsillo de la chaqueta, se detuvo y dijo:

—Pronto será la una... ¿Está eso ya, Zacarías?

El joven dormitaba hacía un momento, sin dejar de trabajar. En medio de su faena, tendido boca arriba, con la mirada vaga, revivía en imaginación las partidas jugadas el día antes. Saliendo de su letargo, contestó: —Sí, creo que basta por hoy... Mañana veremos.

Y se volvió a su sitio en el andamio. Levaque y Chaval dejaron también los picos. Hubo un momento de descanso. Todos se enjugaban el sudor con los ennegrecidos brazos, y contemplaban la roca del techo, hablando del trabajo.

—Otra probabilidad —murmuró Chaval— de morir aplastado por los desprendimientos... No se ha tenido en cuenta esto al hacer la subasta.

—¡Canallas! —murmuró Levaque—. Eso es lo que ellos quieren. Enterrarnos aquí.

Zacarías se echó a reír. Se burlaba él del trabajo y de todo lo demás; pero le divertía oír que hablaban mal de la Compañía. Maheu, con su tranquilidad y su calma acostumbrada, explicó que la naturaleza del terreno variaba cada treinta metros, lo cual hacía imposible tener eso en cuenta. Era necesario ser justos, y no exigir imposibles... Luego, como los otros dos echaban improperios contra sus jefes él, inquieto, empezó a mirar en todas direcciones con cierto temor.

—¡Chist! ¡Basta, hombre!

—Tienes razón —contestó Levaque, bajando también la voz—. Hacemos mal.

Sentían siempre el miedo de los polizontes, aun a aquella profundidad, como si la hulla de los accionistas tuviese oídos en todas partes.

—Lo cual no impedirá —añadió Chaval, gritando mucho y con ademán amenazador— que si ese canalla de Dansaert me vuelve a hablar en el tono del otro día, le peguaré un ladrillazo en la barriga... ¿Acaso me meto yo en que él se permita gozar a las rubias que tienen el cutis fino?

Zacarías soltó una carcajada. Los amores del capataz mayor con la mujer de Pierron eran objeto de constante chacota en la mina. Catalina también, al pie del andamio, apoyada en su pala, se reía con toda su alma, y puso a Esteban al corriente del asunto en cuatro palabras, mientras Maheu se enfadaba, poseído de un miedo que ya no se tomaba el trabajo de disimular.

—¡Eh! ¿Callarás?... Si quieres que te suceda algo espera por lo menos a estar solo, y no comprometas a nadie.

Todavía estaba hablando, cuando se sintieron pasos en lo alto de la galería. Casi enseguida, el ingeniero de la mina, Negrelito, como le llamaban los obreros, apareció en lo alto de la galería acompañado de Dansaert, el capataz mayor.

—¡No lo dije! —murmuró Maheu—. Siempre hay quien oiga; parece como si salieran de las entrañas de la tierra.

Pablo Négrel, sobrino del señor Hennebeau, era un muchacho de veintiséis años, guapo y esbelto, con el pelo rizado y el bigote negro. Su nariz puntiaguda y sus ojos animados y brillantes le daban un aspecto picaresco y simpático; era inteligente y de ideas escépticas, que se trocaban en serenidad autoritaria en sus relaciones con los obreros. Iba vestido como ellos, y como ellos tiznado de carbón; y para hacerse respetar, daba ejemplo de valor y de resistencia, pasando por los sitios más peligrosos siempre el primero, despreciando los hundimientos y el grisú.

—¿Estamos ya, Dansaert? —preguntó.

El capataz mayor, un belga de robusta y colorada faz, y nariz gorda y sensual, le contestó con exagerada cortesía:

—Sí, señor.. Éste es el hombre que han admitido esta mañana.

Los dos se habían arrastrado hasta el interior de la cantera. Llamaron a Esteban. El ingeniero levantó la linterna, y le miró sin hacerle ninguna pregunta.

—Está bien —dijo al fin—. No me gusta que se admita así a cualquier desconocido que ande por los caminos... Que no se repita.

Y no quiso prestar atención a las excusas que se le daban: las necesidades del trabajo, y el deseo de reemplazar a las chicas con hombres para el arrastre. El ingeniero se había puesto a estudiar el techo, mientras los mineros volvían a coger las herramientas. De pronto exclamó:

—Oiga, Maheu: ¿qué quiere decir esto? ¿Se burla de la gente, o le tiene sin cuidado lo que se le manda?... Aquí vais a quedar todos enterrados cuando menos se piense.

—¡Oh, está fuerte! —contestó el obrero— tranquilamente.

—¡Cómo fuerte!... ¡Pues si está ya agrietada la roca, y no hacéis más que poner algún madero que otro, a dos metros de las grietas, y eso como a la fuerza y de mala gana! ¡Ah! ¡Sois todos lo mismo! Os dejáis matar de buen grado por no tomaros la molestia de trabajar en el revestimiento de madera el tiempo necesario... Haced el favor de que no tenga que volverlo a decir. Ahora mismo, poned ahí por lo menos doble número de tablones.

Y al ver la mala voluntad de los mineros, que discutían, diciendo que nadie mejor juez de su seguridad que ellos mismos, el señor Négrel se enfadó del todo.

—¡Eso es! Si os rompéis la cabeza, ¿seréis vosotros quienes sufráis las consecuencias? ¡No, por cierto! La Compañía será la que tenga que señalaros pensiones, a vosotros y a vuestras familias... Os repito que sabemos lo que sois; por tener apuntadas dos carretillas más en un día, sois capaces de soltar la piel.

Maheu, a pesar de la rabia, que le había ido ganando, tuvo paciencia suficiente para añadir con tranquilidad:

—Si nos pagaran como Dios manda, revestiríamos mejor.

El ingeniero se encogió de hombros sin contestar. Ya había salido arrastrándose de la cantera, y no hizo más que decir desde abajo:

—No os falta más que una hora; conque trabajad con alma, porque os advierto que la cuadrilla tiene tres francos de multa.

Un sordo murmullo acogió estas palabras. Solamente la fuerza de la disciplina contuvo a los mineros; esa disciplina militar, que hacía que, desde el aprendiz hasta el capataz mayor, todos se doblegaran ante el señor Négrel. Chaval y Levaque, sin embargo, rabiaron de lo lindo; Maheu les aconsejaba la calma, mientras Zacarías se encogía de hombros alegremente. Pero acaso Esteban era el más conmovido e indignado. Desde que e hallaba en el fondo de aquel infierno, sentía en sí el deseo de una sublevación. En aquel momento miró a Catalina, y la vio resignada con su pala en la mano. ¿Era posible que se sufriera aquel trabajo mortal, en aquella oscuridad profundísima sin ganar siquiera los pocos cuartos precisos para comer?

Négrel se había marchado con Dansaert, que se había contentado con aprobar por señas todo lo que decía su jefe. De pronto se les oyó hablar e nuevo.

Habían vuelto a detenerse, y examinaban el revestimiento de la galería que estaba a cargo de la cuadrilla Maheu.

—¡Cuando os digo que lo mismo les da reventar que vivir! —exclamaba el ingeniero—. Y usted, ¡rayos y truenos!, ¿no sirve para nada aquí?

—Sí, es que... sí, es que... —balbuceaba el capataz mayor—. Está uno cansado de repetirles las cosas.

Négrel llamó con rabia.

—¡Maheu! ¡Maheu!

Todos bajaron del andamio. El ingeniero continuó:

—Mirad esto. ¿Está como Dios manda? El día menos pensado se viene abajo... Economizáis las maderas por economizar tiempo. Ya veis cómo se está cayendo allí mismo ese tablón, por haberlo puesto deprisa y corriendo. A la Compañía le cuesta muy caro la reparación de averías, y vosotros no lo tenéis en cuenta, ni hacéis más que revestir de mala manera y... que dure mientras dura vuestra responsabilidad... Esto no puede seguir así.

Chaval quiso hablar; pero él no lo dejó.

—¡No! Si sé lo que vais a decir. ¿Que se os pague mejor, eh? Pues os advierto que obligaréis al director a hacer una cosa: a pagaros el revestimiento aparte, y a reducir proporcionalmente el precio de cada carretilla. Veremos si eso os trae mejor cuenta. Entre tanto, rehaced todo esto, y mañana pasaré yo otra vez por aquí.

Y antes de que pasara la dolorosa sorpresa producida por su amenaza, se alejó. Dansaert, que tan humilde estaba en su presencia, se quedó un poco atrás para decirles brutalmente:

—¡Todos los días hacéis que me riña! ¡No serán sólo tres francos de multa lo que os cargue! ¡Tened mucho ojo conmigo!

Cuando él se fue, Maheu estalló a su vez:

—¡Maldita sea!... Lo que no es justo, no lo es, y se acabó. A mí me gusta que haya calma, porque es el único medio de entenderse; pero por mucho que uno haga, acaba por rabiar.. ¿Habéis oído? ¡Disminuir el precio de la carretilla, y pagar aparte el revestimiento de madera! Una manera como otra cualquiera de pagarnos menos... ¡Maldita sea nuestra suerte y la hora en que nacimos!

Buscaba alguien con quien descargarse, cuando su mirada tropezó con Catalina y Esteban, que estaban mano sobre mano.

—¿Queréis alargarme unos tablones? ¿Qué os importa a vosotros eso?... Os voy a dar un puntapié...

Esteban fue a recoger tablones, sin enfadarse por aquella rudeza, porque se hallaba tan furioso contra los jefes, que le parecían los mineros demasiado buenos todavía.

Por otra parte, Levaque y Chaval se desahogaban con palabrotas soeces. Todos, hasta el mismo Zacarías, se habían puesto a revestir con verdadero encarnizamiento. Durante media hora no se oyó más que el crujir de los maderos empotrados en la hulla a fuerza de martillazos. Los pobres no hablaban una palabra. no hacían más que exasperarse contra la roca, que hubieran roto, de haber podido, de un puñetazo.

—¡Basta, basta ya! —dijo al fin Maheu, rendido de rabia y de cansancio—. La una y media... ¡Ah!, ¡valiente día! ¡No vamos a coger ni cincuenta sueldos siquiera!... Me voy, porque me da ira ver esto.

Y aun cuando faltaba todavía media hora de trabajo, empezó a vestirse. Los demás le imitaron. Sólo mirar a la cantera les sacaba de sus casillas. Catalina seguía trabajando en el arrastre; pero ellos, encolerizados, le dijeron que lo dejase todo y que saliese el carbón solo, si quería. Y los seis, cada cual con sus herramientas debajo del brazo, emprendieron de nuevo a caminata de dos kilómetros por las galerías, para volver al fondo del pozo por el mismo sitio que habían recorrido por la mañana.

En la chimenea, Catalina y Esteban se entretuvieron un poco, mientras los demás se arrastraban hasta abajo. Era que se habían encontrado a Lidia, que se detuvo para dejarles pasar, y se puso a contarles que la Mouquette había desaparecido echando sangre por la nariz, y que desde hacía una hora estaba lavándose sin que nadie supiera dónde.

Cuando siguieron su camino, la niña continuó empujando su carretilla, destrozada, llena de barro, estirando sus brazos y sus piernas de insecto, semejante a una hormiga negra luchando con un bulto muy pesado que no pudiera arrastrar. Los otros dos seguían andando agachándose por miedo de destrozarse la cabeza contra aquellas piedras, y se dejaban ir con tal violencia por la roca, pulimentada con el roce de tanta gente como se arrastraba, que, según decían ellos bromeando, tenían que detenerse de cuando en cuando para que no les echasen chispas las nalgas.

Al salir de la chimenea se encontraron solos. Por un recodo de la galería, allá a lo lejos, desaparecían unas cuantas estrellas rojas. Volvieron a ponerse serios, y continuaron andando, ella delante y él detrás. Las linternas alumbraban muy poco; él la veía apenas envuelta en una especie de niebla, y la idea de que era una mujer le molestaba, porque comprendía que era una estupidez no darle un beso, y le impedía hacerlo el recuerdo del otro.

Mientras andaba, agachándose a veces hasta tocarla, para evitar la inclinación del techo, se persuadía cada vez más de que le había engañado: aquel hombre era su amante. Sin duda la gozaba encima de cualquier montón de mineral, como la cosa más natural del mundo, porque evidentemente ella tenía todo el descoco de una mujer perdida.

Y Esteban, allá en sus adentros, sentía un vago rencor contra ella, como si realmente le hubiese engañado. Ella, sin embargo, se volvía a cada instante, le advertía los obstáculos con que tropezaba, y se esforzaba por complacerle, como si deseara verle amable con ella. ¡Estaban tan solos, y hubieran podido divertirse tan fácilmente, como buenos amigos! Al fin desembocaron en la galería de arrastre. Para él fue un alivio; ella en cambio, al salir de aquellas soledades, le dirigió una mirada triste, como si lamentase la pérdida de aquella buena ocasión, que probablemente no volvería a presentárselas.

Por los sitios donde entraban, renacía la animación de la vida subterránea, el ir y venir de los capataces y el estruendo de los trenes tirados por caballos. Multitud de linternas se movían, brillando como estrellas en un cielo oscurísimo.

A menudo tenían que hacerse a un lado, y pegarse a las paredes de granito carbonífero, para dejar pasar a sombras de hombres y de animales, cuyo cálido aliento sentían en el rostro. Juan, que corría descalzo detrás de un tren, les gritó, al pasar, una desvergüenza, que no pudieron oír a causa del estrépito producido por las carretillas. Seguían caminando, ella ahora silenciosa, él como extraviado, sin recordar ni los corredores, ni las encrucijadas por donde pasara aquella misma mañana, creyendo que se iba alejando cada vez más de la salida, y sintiendo un frío insoportable, frío que se había apoderado de él al abandonar la cantera, y que le hacía tiritar más y más a medida que se iba acercando al pozo de salida. Por entre aquellos estrechos corredores, el aire silbaba como si procediese de una tempestad deshecha. Ya desesperaba de llegar, cuando bruscamente desembocaron en la sala de enganche.

Chaval les dirigió una mirada oblicua, cargada de desconfianza. Los otros estaban allí, sudando, a pesar de las fortísimas corrientes de aire, silenciosos como él y murmurando de rabia. Habían llegado demasiado pronto, y se negaban a subirlos hasta que pasara media hora, porque Se estaban haciendo complicadas maniobras para la bajada de un caballo. Los cargadores seguían llenando las carretillas entre el ruido ensordecedor de la faena y bajo el polvo negruzco y espeso que se desprendía del oscuro agujero. Multitud de hombres se agitaban de una parte a otra, tirando de las cuerdas de señales, sin hacer caso del polvillo húmedo que les empapaba las ropas. La rojiza y escasa claridad de las linternas iluminaba de una manera fantástica aquella sala subterránea, especie de caverna infernal, que parecía habitada por feroces bandidos.

Maheu intentó un esfuerzo supremo. Se acercó a Pierron, que había entrado de servicio a las seis.

—Hombre, tú podrías dejarnos subir.

Pero el cargador, guapo mozo, de miembros fuertes y facciones dulces, se negó, con un gesto de temor.

—Imposible... Pídele permiso al capataz... Me soplarían una multa.

Catalina se acercó al oído de Esteban.

—Ven a ver la cuadra —le dijo—. Aquello está caliente.

Tuvieron que esconderse para ir, pues les estaba prohibido entrar. La cuadra se hallaba a la izquierda, al final de una galería corta. Tenía veinticinco metros de longitud y cuatro de altura; estaba abierta en la roca viva, y podía alojar veinte caballos. La temperatura era allí agradable, en efecto; se sentía ese calor suave que dan los animales, y notábase un olor a cuadra limpia, que les pareció delicioso. El único farol que la alumbraba despedía una luz tranquila, de lamparilla de noche. Los caballos que estaban de descanso ladeaban la cabeza, mirándolos con sus inocentes ojazos, y volvían luego a su pesebre, sin apresurarse y tranquilos, como buenos trabajadores, bien cuidados y queridos de todo el mundo.

Catalina, que se entretenía en leer los nombres de los caballos en las placas de zinc colocadas encima de los pesebres, dio un grito al ver levantarse delante de ella el cuerpo de una persona. Era la Mouquette, asustada, que salía de un montón de paja, donde estaba durmiendo. Los lunes, cuando se sentía muy cansada de los excesos del domingo, se pegaba un violento puñetazo en la nariz, dejaba el trabajo con el pretexto de ir en busca de agua para lavarse, y se iba a acostar allí entre la paja, con los caballos. Su padre, que tenía debilidad por ella, se lo toleraba, a riesgo de que le acarrease un disgusto.

Precisamente en aquel momento entraba el tío Mouque, hombre de baja estatura, calvo, arrugado, pero gordo, lo cual era raro en un minero de cincuenta años. Desde que lo habían hecho mozo de cuadra, la mascada de tabaco no se le caía de la boca y las encías le sangraban de continuo. Cuando vio a los otros dos con su hija, se enfadó.

—¿Qué demonio estáis haciendo ahí, bribones? ¡Vamos, fuera! ¡Tunantas, que os traéis aquí a los hombres!... ¡Está bueno esto de venir a hacer porquerías encima de la paja!

La Mouquette, a quien hacía gracia la cosa, se reía con toda su alma. Pero Esteban, turbado, se marchó de allí, mientras Catalina le sonreía. Cuando los tres llegaban a la sala de enganche, desembocaban en ella Braulio y Juan con un tren de carretillas. Hubo un momento de descanso, para dejar maniobrar el ascensor, y la joven se acercó al caballo, acariciándole y hablándole de él a su compañero. Era Batallador, el decano de la mina, un caballo blanco, que llevaba diez años de trabajar en el fondo. Desde hacía diez años vivía en aquel pueblo subterráneo, ocupaba el mismo rincón en la cuadra, hacía el mismo servicio a lo largo de las estrechas galerías y no había vuelto a ver la luz del sol. Estaba muy gordo, con el pelo muy reluciente, mansote y como resignado con aquella vida tranquila, al abrigo de las desgracias de allá arriba.

Además, a fuerza de vivir en tinieblas, había adquirido un instinto admirable. La vía por donde trabajaba le era tan familiar, que empujaba con la cabeza las puertas de ventilación, y la bajaba al pasar por los sitios peligrosos, a fin de no tropezar. Sin duda contaba también las vueltas que daba, porque cuando había hecho el número de viajes reglamentarios, se negaba a hacer ni uno más, y no había otro remedio que llevarle a su pesebre. Según se iba haciendo viejo, sus ojos de gato se veían velados a veces por cierta melancolía. Quizá entreveía vagamente, en el fondo de sus sueños oscuros, el alegre molino de Marchiennes, donde había nacido, un molino situado a orillas del río Scarpe, rodeado de extensas praderas verdes siempre combatidas por el viento. Sin duda veía brillar alguna cosa en el aire, una linterna enorme, el recuerdo exacto de la cual escapaba a su imperfecta memoria de bestia. Y permanecía con la cabeza baja, agitado por un temblor convulsivo, y haciendo esfuerzos inútiles por acordarse del sol.

Entre tanto, las maniobras continuaban en el pozo de descenso. El martillo de señales había dado cuatro golpes; estaban bajando un caballo, lo cual era siempre emocionante, porque a veces sucedía que el animal, aterrado, llegaba muerto al fondo de la mina. Allá en lo alto, envuelto en una red a propósito, se agitaba como loco, procurando escaparse; luego, cuando advertía que le faltaba tierra que pisar, se quedaba como petrificado, temblando, azoradísimo, con los ojos fijos en el espacio. El que bajaban aquel día era muy grande, y había sido necesario, al engancharlo en la polea, doblarle el cuello, volviéndoselo hacia un costado. El descenso duró cerca de cuatro minutos, porque se había disminuido la velocidad de la máquina por precaución. Por lo mismo, entre la gente que había abajo aumentaba la emoción. ¿Qué sucedía? ¿Irían a dejarlo en el aire, colgado en medio de las tinieblas? Al fin apareció, inmóvil como una estatua, con los ojos dilatados por el espanto. Era un caballo bayo, de unos tres años apenas, que se llamaba Trompeta.

—¡Cuidado! —gritó el tío Mouque, encargado de recibirlo—. Traedlo más hacia acá, sin desatarlo todavía.

Pronto estuvo Trompeta acostado en el suelo como una masa informe. Seguía sin movimiento, y en medio de la pesadilla que producía aquella sala oscura y fantástica, parecía enormemente grande. Empezaban a desatarlo, cuando Batallador, desuncido hacía un momento, se acercó a él, y alargó el cuello para oler al compañero que bajaba de la tierra. Los obreros hicieron corro, y empezaron a bromear. ¡Cáscaras! ¿Qué olor le encontraría, que no cesaba de olfatear? Pero Batallador se animaba cada vez más, y se hacía el sordo a las burlas. Sin duda le encontraba el olor agradable del aire libre, el olor del olvidado sol. Y de pronto rompió en un relincho sonoro, en un relincho alegre, que tenía tanto de gozoso saludo como de gemido de compasión. Era la bienvenida, la alegría de aquellas cosas antiguas que recordaba vagamente, la expresión de melancolía que le inspiraba aquel pobre prisionero, que no saldría ya de allí hasta después de muerto.

—¡Ah! ¡Qué animal este Batallador! —gritaban los obreros, al ver los cariñosos extremos de su caballo favorito—. Ahí está hablando con su compañero, como si fuera una persona.

Trompeta, desatado ya por completo, seguía inmóvil, echado de costado, como si continuara envuelto en la red y agarrotado por el miedo. Al fin le obligaron a levantarse, y el tío Mouque se llevó a las dos bestias que tanto habían simpatizado.

—¡Vamos a ver! ¿Podemos irnos ya?

Era preciso desocupar las jaulas, y además, faltaban diez minutos para la hora de la subida. Poco a poco se iban desocupando las canteras, y llegaban mineros de todas partes. Ya había allí cincuenta o sesenta hombres mojados y tiritando, con cara de tísicos, que era la enfermedad predominante entre ellos.

Pierron, a pesar de su aspecto bonachón, dio una bofetada a su hija Lidia, por haber dejado el trabajo demasiado pronto. Zacarías se entretenía en dar pellizcas a la Mouquette, por divertirse y entrar en calor. Pero el disgusto general iba en aumento, porque Chaval y Levaque contaban a los demás la amenaza del ingeniero: que se iba a bajar el precio de las carretillas; que se iba a pagar aparte el trabajo de revestimiento; y por todas partes eran acogidas tales noticias con exclamaciones de indignación y de amenaza. En aquel rincón estrecho y subterráneo se iniciaba una sublevación. Pronto dejaron de contenerse, y aquellos infelices, ennegrecidos por el calor, traspasados por la humedad, comenzaron a acusar a la Compañía de matar en el fondo de la mina a la mitad de sus obreros, y dejar morir de hambre a la otra mitad. Esteban, conmovido, escuchaba atentamente.

—¡Daos prisa! ¡Vamos, rápido! —repetía el capataz Richomme, dirigiéndose a los cargadores.

Y apresuraba la maniobra, haciendo como que no oía las amenazas de los descontentos. Al fin, los rumores crecieron tanto, que tuvo que mezclarse en la cuestión. A espaldas suyas decían que aquello no podía continuar y que el día menos pensado se armaría una tremenda.

—Tú, que eres razonable —dijo, dirigiéndose a Maheu—. Haz que se callen. Cuando no se cuenta con la fuerza, es necesario tener paciencia y ser prudentes.

Pero Maheu, que iba ya estando asustado, y que miraba recelosamente en torno suyo, no tuvo que intervenir, porque de pronto callaron todos; Négrel y Dansaert, que volvían de su visita de inspección, desembocaron por una galería, sudando también los dos, y los dos negros y con la ropa mojada. El hábito de la disciplina hizo formar en fila a los mineros, mientras el ingeniero pasaba por delante sin hablar una palabra. Hizo una seña indicando que quería subir, y Pierron, que se había quitado prudentemente de en medio, mientras duraba el tumulto, se precipitó a obedecer. Négrel se colocó en un departamento de la jaula, Dansaert en otro; tiraron cuatro veces de la cuerda de señales, y la jaula se elevó en el aire, en medio de un silencio profundo.

En la jaula en que subía, hacinado con otros cuatro, Esteban resolvió volver a corretear por los caminos, reanudando su vagar de hambriento. Lo mismo daba reventar de una vez que volver a bajar al fondo de aquel infierno, si de todos modos no había de ganar ni para pan. Catalina, que había entrado en otro departamento, no estaba como a la bajada, pegada a él y comunicándole el agradable calor de su cuerpo. Esteban prefería dejarse de tonterías y marcharse; porque con su superior instrucción no se sentía tan resignado como aquel rebaño humano, y acabaría por matar a algún jefe.

De pronto se quedó como ciego. La subida había sido tan rápida, que se vio deslumbrado por la claridad del sol, y sin poder abrir los párpados, habituados ya a la oscuridad. No por eso dejó de experimentar un gran consuelo al sentir la jaula descansando sobre sus goznes. Un obrero de los de arriba abrió las puertas, por donde se precipitaron los mineros.

—Oye, Mouque —le dijo Zacarías al oído—; hasta la noche, en el Volcán, ¿eh?

El Volcán era un café cantante de Montsou. Mouque guiñó el ojo izquierdo, sonriendo silenciosamente. Bajo de estatura y regordete como su padre y como su hermana, tenía la fisonomía desvergonzada de los granujas que viven al día sin preocuparse del mañana. Precisamente entonces salía también la Mouquette, a la cual dio un azotazo mayúsculo en prueba de ternura fraternal.

Esteban apenas reconocía aquellos lugares que había visto de noche. El vestíbulo era sucio y estaba ennegrecido: una claridad dudosa y polvorienta, por decirlo así, penetraba por las amplias ventanas. Solamente la máquina lucía allá abajo sus brillantes y cuidados cobres: los cables de acero, untados de aceite, corrían veloces, semejantes a cordones untados de tinta. El estrépito de las ruedas destrozaba los oídos sin cesar, mientras que de la hulla, paseada en las carretillas, se escapaba un polvillo de carbón, que lo ennegrecía todo: suelo, techo y paredes. Pero Chaval, que había ido a mirar la tablilla donde estaba apuntado el resumen de la extracción, Volvió hecho una furia. Había visto que les rechazaban dos carretillas, una porque no llevaba la cantidad reglamentaria, y la otra porque no estaba bien limpia la hulla.

—Día completo —gritó—. Otros veinte sueldos menos... Pero, ¡es claro!, lleva uno a trabajar consigo gandules que no saben hacer nada, que se sirven de sus brazos como un cerdo puede servirse de su rabo.

Y una mirada oblicua dirigida a Esteban completó su pensamiento. Éste estuvo a punto de contestar a puñetazos. Luego se dijo que para qué, puesto que pensaba marcharse. Las palabras de Chaval acabaron de decidirle.

—Hombre, no se pueden hacer bien las cosas el primer día —dijo Maheu, para poner paz entre ellos—: mañana lo hará mejor.

No por eso dejaban todos de sentirse menos poseídos del deseo de reñir. Cuando entraron en la lampistería para dejar las linternas, Levaque la emprendió con el farolero, a quien acusaba de haber limpiado mal la suya. No se tranquilizaron un poco hasta llegar a la barraca, donde seguía ardiendo una lumbre magnífica. Sin duda acababan de cargar la estufa, porque estaba enrojecida, y aquella espaciosa estancia, sin ventanas, parecía de fuego, por efecto del reflejo de la lumbre en las paredes. Todos empezaron a gruñir de gusto mientras se tostaban las espaldas, de donde se escapaba denso humo. Cuando no podían resistir más por detrás, se calentaban por delante.

La Mouquette, con la mayor tranquilidad del mundo, se bajaba el pantalón de trabajo para secarse bien. Los muchachos bromeaban con ella, y acabaron por prorrumpir en estrepitosa carcajada, al ver que de pronto les enseñaba el trasero, lo cual era en ella la señal extrema del desprecio.

—Me voy —dijo Chaval, que había guardado las herramientas en su armario, y que se había puesto los zuecos.

Nadie se movió. Solamente la Mouquette se apresuró a salir detrás de él, con el pretexto de que iban juntos hasta Montsou. Pero continuaron las chanzas, porque todos sabían ya que Chaval estaba harto de ella.

Catalina, preocupada, acababa de hablar en voz baja con su padre. Éste pareció sorprendido; pero dijo que sí con un movimiento de cabeza, y llamando a Esteban para entregarle el lío de su ropa:

—Escuche —le dijo—; si no tiene usted un céntimo, hasta que cobre la quincena va a tener tiempo de morirse de hambre. ¿Quiere que le busque casa y comida en cualquier parte, donde le fíen hasta que cobre?

El joven se quedó un momento turbado. Precisamente iba a pedir su jornal de aquel día, para marcharse. Pero tuvo vergüenza delante de la muchacha, y se contuvo, mirándola con fijeza. Acaso creyese que tenía miedo al trabajo.

—No le prometo nada —continuó Maheu —. Pero nada se pierde por buscar, ¿no le parece?

Esteban asintió a la propuesta. Maheu no conseguiría lo que deseaba, y, además, aquello a nada le comprometía. Siempre tendría en su mano el marcharse, después de charlar un rato y comer un bocado. Luego sintió no haberse negado desde el principio, al ver que Catalina sonreía alegremente, con la satisfacción de haberle sido útil. ¿Para qué todo aquello?

Uno a uno, los mineros, después de calentarse un poco y calzarse, iban abandonando la barraca. Los Maheu también cerraron su armario, y desfilaron seguidos de Levaque y del hijo de éste. Pero al atravesar el departamento de cerner, les detuvo una escena violenta.

Era el tal departamento un tinglado muy grande, sostenido por unas vigas ennegrecidas completamente por el polvo de carbón y resguardado a medias del aire por grandes persianas que se movían continuamente a impulsos del viento. Las carretillas llegaban directamente desde la oficina de recepción, y eran vaciadas por los trabajadores en los aparatos de cerner, especie de cribas enormes; y a un lado y otro de cada una de ellas, las operarias, subidas en banquetas y armadas de palas, recogían las piedras y echaban en las cribas el carbón bueno, que iba cayendo a los vagones de un ferrocarril que arrancaba desde allí mismo.

Entre los demás operarios estaba Filomena Levaque, delgaducho y pálida, con cara de tísica. Con la cabeza protegida por un trapo de tela azul, con los brazos negros hasta el codo, trabajaba junto a una vieja, una bruja: la madre de la mujer de Pierron, la Quemada, como se la llamaba en el barrio, horrible con aquellos ojos de murciélago y aquella boca apretada como la bolsa de un avaro. En aquel momento se peleaban las dos; la joven, acusando a la vieja de que le echaba piedras en su montón, y que no conseguía, por lo tanto, adelantar nada en la faena. Como les pagaban por montones, era un reñir incesante. Se arrancaban el pelo y a menudo las manos tiznadas se señalaban en las mejillas blancas.

—¡Arráncale el moño! —gritó desde arriba Zacarías, dirigiéndose a su querida.

Todas las obreras se echaron a reír; pero la Quemada la emprendí contra el joven.

—Oye tú, gran canalla, más valdría que reconocieras los dos hijos que le has hecho... Si es que eso está permitido, tratándose de una mocosa de dieciocho años que no levanta una cuarta del suelo.

Maheu tuvo que intervenir, para evitar que su hijo bajase a romperle el alma a aquella bruja, como él decía. En aquel momento acudió un capataz, y todas continuaron trabajando. Desde arriba ya no se distinguían más que las redondeces de un batallón de mujeres agachadas, recogiendo piedras y echándolas a un lado.

En el exterior, el viento había calmado bruscamente, y le sustituía una humedad finísima que caía del cielo encapotado. Los carboneros encorvaron la espalda, cruzaron los brazos sobre el pecho, y echaron a andar tiritando de frío debajo de la telilla endeble de su traje. A la luz del día parecían una banda de negros revolcados en el cieno.

—¡Hola! Ahí va Bouteloup —dijo Zacarías con sorna.

Levaque, sin detenerse, cruzó cuatro palabras con su huésped, un muchacho alto, moreno, de unos treinta y cinco años de edad, con aire de hombre apacible y honrado.

—¿Está ya la sopa, Luis?

—Creo que sí.

—Entonces la mujer está hoy de buen humor.

—¡Toma, ya lo creo!

Otros mineros, de los que trabajaban de noche, salían de los barrios, e iban entrando en la mina que los Maheu acababan de dejar. Eran los que bajaban a las tres; más hombres que el pozo se tragaba, y que, dedicados a otras faenas, iban a sustituir a los cortadores de arcilla en las profundidades de la tierra. En la mina no se descansaba nunca: siempre estaba llena de insectos humanos, que horadaban la roca a seiscientos metros por debajo de aquellos campos plantados de remolacha.

Los muchachos iban delante. Juan confiaba a Braulio un plan complicado para conseguir que les fiasen cuatro cuartos de tabaco, mientras Lidia caminaba un poco detrás, a respetuosa distancia. Luego seguía Catalina con Esteban y Zacarías. Ninguno hablaba. Al llegar a una taberna que se llamaba La Ventajosa, los alcanzaron Maheu y Levaque, que iban bastante detrás.

—Ya hemos llegado —dijo el primero a Esteban—. ¿Quiere usted entrar?

Allí se separaron. Catalina se había detenido un momento, dirigiendo una última mirada al joven, con sus picarescos ojos verdes que brillaban más que de costumbre, por lo tiznada que llevaba la cara. Sonrió, y desapareció con los otros por el camino en cuesta que conducía al barrio de los obreros.

La taberna se hallaba entre la mina y el pueblo, en el cruce de dos caminos. Era una casita de ladrillos, compuesta de dos pisos, blanqueada con cal de arriba abajo, con las ventanas adornadas con una cenefa de pintura azul; y en un cartel cuadrado, que había encima de la puerta, se leía con caracteres pintados de amarillo: La Ventajosa. Casa de huéspedes de Rasseneur. En la parte de atrás había un juego de bolos cercado por una valla de tablas. Y la Compañía, que había hecho gestiones activas para comprar aquel pedazo de terreno enclavado en sus vastas posesiones, estaba desesperada de ver que no podía acabar con una taberna establecida en medio del campo, a la salida misma de la Voreux.

—Entre —volvió a decir Maheu a Esteban.

La sala, que era pequeña, parecía grande por lo desamueblada y por la blancura de sus paredes. Todo el mobiliario se componía de tres mesas, una docena de sillas, y un mostrador de pino, que no era más grande que una mesa de cocina ordinaria.

Se veían allí una docena de jarros de cerveza, tres botellas de licor una garrafa y un recipiente de zinc con grifo dorado para la cerveza y nada más;

ni una imagen, ni un cuadro. En la chimenea, muy limpia y reluciente, ardía una buena lumbre de carbón, y una capa de arena fina, extendida por el suelo, absorbía la continua humedad de aquella región, en donde el agua brotaba por todas partes.

—Un jarro de cerveza —pidió Maheu, dirigiéndose a una sirvienta rubia, de abultado rostro, en el cual había dejado la viruela su indeleble huella.

—¿Está ahí Rasseneur? —añadió luego el minero.

La criada sirvió lo que le pedían, contestando afirmativamente con la cabeza. Lentamente y de un solo trago, el minero se echó al coleto la mitad del contenido del jarro, para barrer el polvillo de carbón que le obstruía la garganta, y sin ofrecer nada a su compañero. No había en la tienda más que otro parroquiano, otro minero, mojado y sucio también, sentado delante de otra mesa y tomando cerveza, en silencio, y en ademán de Profunda meditación. Entró otro, le sirvieron del mismo modo, y se marchó a la calle sin pronunciar una sola palabra.

En aquel momento apareció en la habitación un hombre gordo, como de treinta y cinco años de edad, completamente afeitado, de cara grande y sonrisa bonachona. Era Rasseneur, antiguo minero, a quien la Compañía había despedido tres años antes a consecuencia de una huelga. Era un buen obrero, hablaba bien, figuraba a la cabeza de todas las comisiones que iban a presentar quejas, a formular reclamaciones, y había concluido por ser el jefe de todos los descontentos. Su mujer tenía por entonces una taberna, como muchas mujeres de mineros; y cuando le plantaron en la calle, se hizo tabernero a su vez; buscó y encontró dinero y abrió su tienda a la entrada de la Voreux, como en son de reto a la Compañía. Prosperaron sus negocios: el establecimiento estaba casi convertido en un casino, y se iba haciendo rico poco a poco.

—Éste es un muchacho que he encontrado esta mañana —le dijo Maheu enseguida —. ¿Tienes desocupada alguna de las dos habitaciones, y puedes fiarle por unos días hasta que cobre la quincena?

En el achatado rostro de Rasseneur se retrató una súbita desconfianza. Examinó atentamente a Esteban con la vista, y contestó, sin tomarse el trabajo de decir lo que sentía:

—No puede ser, porque las dos habitaciones están ocupadas.

El joven esperaba aquella negativa; pero, a pesar de todo, le molestó y, sin saber por qué, sintió tenerse que marchar. No importaba; se marcharía cuando le pagasen los treinta sueldos de aquel día. El minero que estaba bebiendo solo en la otra mesa, se fue a la calle. Uno a uno iban entrando, otros se limpiaban el gaznate con cerveza, y se marchaban por el mismo camino. Aquello era simplemente un ritual de limpieza, sin pasión y sin alegría; la silenciosa satisfacción de una necesidad.

—¿Conque no ocurre nada? —preguntó Rasseneur a Maheu, con una entonación particular, mientras el minero acababa de beberse la cerveza a pequeños tragos.

Maheu se volvió, y vio que no había nadie más que Esteban.

—Sí: ocurre que nos vuelven a fastidiar.. con la cuestión del revestimiento de madera.

Y contó lo ocurrido. La fisonomía del tabernero se puso colorada, como si se le subiera la sangre a la cabeza. Al fin no pudo contenerse.

—¡Ah, pues bueno! —exclamó—. Como se les ocurra bajar los precios, peor para ellos.

Le molestaba la presencia de Esteban. Sin embargo, siguió hablando, dirigiéndole de vez en cuando una mirada oblicua. Hablaba con reticencias, empleando palabras convencionales al ocuparse del director Hennebeau, de su mujer, de su sobrino Négrel, pero sin nombrarlos, y diciendo que las cosas no podían continuar así, y que el día menos pensado reventaría la mina. La miseria era insoportable ya... Citó las fábricas y las minas que se cerraban... los obreros que estaban sin trabajo.

Desde hacía más de un mes estaba regalando seis libras de pan diariamente. Le habían dicho el día antes que el señor Deneulin, propietario de una mina cercana, no sabía cómo salir del paso. Además, acababa de recibir una carta de Lille, llena de detalles bien poco tranquilizadores.

—Me ha escrito... ya sabes... aquella persona que viste aquí una noche.

Pero en aquel momento fue interrumpido. Entraba su mujer, una jamona delgada y ardiente, de nariz larga y pómulos amoratados. Era en política mucho más radical que su marido.

—La carta de Pluchart, ¿eh? —dijo ella—. ¡Ah! Si fuera ése el amo, no tardarían las cosas en arreglarse bien.

Esteban ponía atención a lo que decían, y comprendiendo el significado de todo aquello se entusiasmaba con aquellas ideas de miseria y de venganza. Aquel nombre que acababa de oír le hizo estremecer, y, como a pesar suyo, dijo en alta voz:

—Yo conozco mucho a Pluchart.

Todos lo miraron, y tuvo que añadir:

—Sí: soy maquinista, y ha sido contramaestre mío... Un hombre muy capaz; he hablado muchas veces con él.

Rasseneur le miró con fijeza. De pronto en su fisonomía se notó un cambio radical, una expresión de súbita simpatía. Al fin dijo a su mujer:

—Maheu me ha presentado al señor, que es trabajador de su cuadrilla, para ver si estaba desocupado alguno de los cuartos de arriba, y si podíamos fiarle hasta que cobre la quincena.

Entonces el trato quedó terminado en un momento. Había un cuarto, porque aquella mañana se había marchado un huésped. Y el tabernero muy excitado, se fue entusiasmando gradualmente, repitiendo que él no pedía a los patrones más que lo posible y lo razonable, y que no lo podía conseguir. Su mujer se encogía de hombros, diciendo que ella no cedía, y exigiría siempre lo que le correspondía por derecho.

—Buenas tardes —interrumpió Maheu—. Todo eso no nos quitará que tengamos que bajar a la mina, y mientras haya que bajar, habrá gente que reviente... Mira, mira, si no, qué sano estás tú, porque hace tres años que no bajas.

—Sí, me he mejorado mucho —contestó Rasseneur con complacencia.

Esteban salió hasta la puerta para dar las gracias al minero que se marchaba; pero éste meneaba la cabeza sin contestar palabra, y el joven se quedó mirándole mientras emprendía el camino en cuesta que conducía al barrio de los obreros. La señora Rasseneur, que tenía que servir a unos parroquianos, le rogó que esperase un momento, y que iría enseguida a enseñarle su cuarto, donde podría lavarse.

¿Debía quedarse en la mina? Cierta vacilación se había vuelto a apoderar de él; cierto malestar, que le hacía sentir el deseo de la libertad por los caminos, y el goce del sol del aire libre. Le parecía que llevaba viviendo allí largos años desde su llegada a la mina, en medio de una tempestad, hasta las horas pasadas en el fondo de la Voreux, trabajando como un esclavo, arrastrándose por aquellas oscuras galerías. Y le repugnaba volver a empezar, porque aquel trabajo era demasiado duro, porque su orgullo de hombre se sublevaba ante la idea de convertirse en un animal, al cual se le tapan los ojos para aplastarlo.

Mientras Esteban pensaba en todo esto, sus ojos, que vagaban por el llano inmenso que tenía delante, empezaron a darse cuenta de lo que veían. Se quedó asombrado, porque no se había figurado un horizonte como aquél, al indicárselo el viejo Buenamuerte la noche antes, en medio de las profundas tinieblas. Delante de sí veía la Voreux, en un repliegue del terreno, con sus edificios de madera y de ladrillos, el departamento de cerner, con sus persianas, la entrada cubierta con un techo de pizarra, la sala de la máquina con su inmensa chimenea de un rojo pálido, todo ello amontonado, todo ello de aspecto malsano.

Pero en torno de aquellos edificios se extendían unos terrenos que él no había creído tan grandes, convertidos en un lago de tinta por el polvo del carbón, erizados de altos aparejos sosteniendo poleas que servían para la carga y descarga de los vagones de minera¡, y ocupados a grandes trechos por enormes provisiones de madera, que parecían la cosecha recogida de bosques inmensos. A la derecha, la plataforma exterior de la mina le cerraba el horizonte. Luego, más allá, se extendían campos sin fin de trigo y de remolacha, arrasados en aquella época del año. Más lejos, al fondo de aquel panorama, salpicado aquí y allá de alguna verde pradera, veía unas manchas blancas, que eran pueblos, Marchiennes al norte, Montsou al sur, mientras el bosque de Vandame, al este, bordeaba el horizonte con la oscura línea de sus árboles sin hojas. Y bajo el lívido color del cielo, a la escasa claridad de aquella tarde de invierno parecía que toda la negrura de la Voreux, todo el polvo del carbón, habían caído sobre el llano, pudriendo los árboles, oscureciendo los caminos, sembrando negrura por todas partes.

Esteban miraba; y lo que más le sorprendía era un canal, el río Scarpe canalizado, que no había visto la noche antes.

Desde la Voreux a Marchiennes, aquel canal se extendía recto, como una cinta de plata mate de dos leguas de longitud. Cerca de la mina había un embarcadero, donde se amarraban algunas embarcaciones, que se cargaban directamente desde las carretillas, que llegaban hasta ella por medio de una vía especial. Luego el canal formaba ángulos y más ángulos, y toda la vida de aquella llanura inmensa parecía concentrada en aquella vía de agua geométricamente trazada, y que la atravesaba en todas direcciones, llevando la hulla que se arrancaba de las entrañas de la tierra.

Las miradas de Esteban subían desde el canal al barrio de los obreros, construido en una colina, y del cual sólo podía distinguir los tejados, alineados con gran regularidad a los lados de la carretera. Luego dirigía de nuevo la vista a la Voreux, y la detenía en la parte baja de la pendiente arcillosa, en dos enormes montones de ladrillos, fabricados y cocidos allí mismos. Un ramal del ferrocarril de la Compañía pasaba por detrás de una empalizada para el servicio de la misma. Aquello no era ya, como la noche antes, lo desconocido de las tinieblas, los inexplicables estruendos misteriosos, el brillar de astros ignorados. Los altos hornos y los braseros de carbón se habían apagado al amanecer.

Lo único que no descansaba era el escape de la bomba de vapor, que seguía resoplando como cuando la vio por vez primera.

Esteban se decidió de pronto. Quizás había creído ver, allá en lo alto del camino que conducía al pueblecillo, los ojos claros de Catalina o acaso fuera un viento de rebelión, que se diría soplaba de la Voreux. No sabía lo que era; pero deseaba volver a bajar a la mina para sufrir y luchar, pensando con rabia en aquellas gentes de quienes hablara Buenamuerte, en aquel Dios misterioso, al cual daban toda su sangre, sin conocerle, diez mil hombres hambrientos.

II PARTE

I

La casa de los Grégoire, una posesión magnífica que se llamaba La Piolaine, se hallaba a unos dos kilómetros de Montsou, hacia el este, en el camino de Joiselle. Era un caserón grande y cuadrado, construido a principios del siglo anterior, y sin estilo arquitectónico definido.

De los grandes terrenos que le habían rodeado en otro tiempo, no quedaban más que unas treinta o treinta y cinco hectáreas, cerradas por una tapia. Había dentro de aquel muro una huerta y algunos árboles frutales muy estimados, porque decía la gente que daban las frutas y las legumbres más ricas de la comarca. No tenía parque; en su lugar se había conservado un pedazo de bosque. Una avenida de tilos bastante bien cuidados, conducía desde la verja de entrada a la puerta de la llanura estéril, donde apenas existía algún árbol que otro desde Marchiennes a Beaugnies.

Aquella mañana, los señores de Grégoire se habían levantado a eso de las ocho. Ordinariamente no se levantaban hasta una hora después, porque eran dormilones como ellos solos; pero la tempestad de la noche anterior les había desvelado. Y mientras el marido, al levantarse, salió a la huerta para ver si el viento les había hecho algún destrozo, la señora de Grégoire bajó a la cocina, en zapatillas y con una bata de franela. Aquella buena mujer, que pasaba ya de los cincuenta y ocho años, baja y regordeta, había conservado una cara sonrosado, de muñeca de porcelana, a pesar de la blancura mate de sus cabellos.

—Melania —dijo a la cocinera—; puesto que tiene usted masa, debería hacernos hoy un pastel. La señorita tardará aún media hora en levantarse, Y tomaría un poco con el chocolate... ¡Eh! ¡Qué sorpresa!

La cocinera, una vieja que los servía desde hacía treinta años, se echó a reír.

—Verdaderamente será una grata sorpresa —dijo—. Tengo el horno encendido, y además, Honorina puede ayudarme.

Honorina, muchacha de veinte años de edad, a quien la familia había recogido siendo niña, y que estaba educada en la casa, hacía en la actualidad las veces de doncella. Todo el personal de la servidumbre se componía de las dos mujeres y un cochero, Francisco, que además ayudaba a todo lo que era menester; un jardinero y su mujer cuidaban del jardín, de la huerta y del corral; y como en aquella casa había costumbres patriarcales, toda aquella gente, señores y criados, vivían en paz como buenos amigos.

La señora Grégoire, que había meditado en la cama lo de la sorpresa del pastel, se quedó en la cocina para ver meter la masa en el horno. Aquella habitación, la más importante de la casa, era muy grande, estaba muy limpia y atestada de cacerolas, sartenes, y todo género de utensilios culinarios. Olía bien por todas partes. Los armarios y las alacenas estaban llenos de toda clase de provisiones.

—¡Que esté muy doradito!, ¿eh? —dijo la señora, despidiéndose para entrar en el comedor.

A pesar de que una estufa templaba toda la casa, en la chimenea del comedor ardía un magnífico fuego de hulla. Por lo demás, no se veía lujo ninguno; una mesa grande, para comer, las sillas, un buen aparador de caoba, y solamente dos amplias poltronas de muelles daban fe del gusto por el bienestar y las largas digestiones reposadas.

Casi nunca iban a la sala; generalmente recibían allí, en familia.

El señor Grégoire entraba en aquel momento, vestido con un chaquetón de abrigo. Muy bien cuidado para sus sesenta años, y con facciones de hombre honrado a carta cabal. Había visto al cochero y al jardinero; ningún desperfecto importante: todo se reducía a una chimenea derribada. Por las mañanas le gustaba dar una vueltecita por La Piolaine, que ni era una posesión demasiado grande para proporcionarle quebraderos de cabeza, ni tan pequeña que le hiciera carecer de ninguna de las ventajas del propietario rural.

—¿Y Cecilia? ¿No se levanta hoy esa chiquilla? —preguntó— No sé cómo será eso. Me parecía haberla oído hace rato.

La mesa estaba puesta; había tres cubiertos encima del blanco mantel. Mandaron a Honorina fuese a ver qué le sucedía a la señorita. Pero la doncella bajó enseguida, conteniendo la risa, y hablando en voz baja, como si estuviera todavía en la alcoba de su ama.

—¡Oh! ¡Si los señores vieran a la señorita!... Duerme, duerme, como un lirón... Parece mentira... ¡Da gusto verla!

El padre y la madre cambiaron una mirada de ternura.

Él dijo sonriendo:

—¿Vienes a verla?

—¡Pobrecilla! —murmuró ella—. Claro está que voy.

Y subieron juntos. La alcoba de Cecilia era la única habitación verdaderamente lujosa que había en la casa; estaba tapizada de seda azul, ocupada con muebles de un gusto exquisito, de doradillo con filetes azules también; aquél era un capricho de niña mimada, satisfecho por sus padres. Entre la vaga blancura de la cama, gracias a la claridad que entraba por la entreabierta colgadura, dormía la joven con la mejilla apoyada en su brazo desnudo. No era bonita, pero tenía un aspecto muy saludable; estaba siempre sana, y se hallaba completamente desarrollada a los dieciocho años; tenía unas carnes magníficas, frescas, blancas, el pelo castaño y abundante, la cara redonda con una naricita voluntariosa, ligeramente respingada. La colcha se había caído al suelo, y la joven respiraba tan suavemente, que ni siquiera se agitaba lo más mínimo su ya abultado pecho.

—¡Este maldito viento no la habrá dejado dormir! —dijo la madre en voz baja—. ¡Pobrecita mía!

Pero el padre la hizo callar con un gesto. Uno y otro se quedaron un rato inclinados hacia el lecho, mirando con adoración, en su desnudez de virgen, a aquella hija por tanto tiempo deseada, y que había venido muy tarde, cuando ya desesperaban de que naciese. Y ella seguía durmiendo sin sentirlos, tan cerca de sí, que los semblantes de los dos casi rozaban con el suyo. De pronto, una sombra pasó rápida por su rostro inmóvil; y, temiendo despertarla, el padre y la madre se alejaron de puntillas, sin hacer el menor ruido.

—¡Chist! —dijo él, ya en la puerta—. Por si ha estado desvelada, hay que dejarla dormir ahora.

—¡Todo lo que quiera, pobrecita! —añadió la madre—. Esperaremos.

Y volvieron a bajar, y se instalaron en las poltronas del comedor, mientras las criadas, riendo del pesado sueño de la señorita, ponían, sin impacientarse, el almuerzo a la lumbre para que no se enfriara. Él había cogido un periódico, ella trabajaba en un cubrepié de ganchillo.

Estaba la habitación muy caliente, y en la casa no se oía ni el más ligero ruido.

La fortuna de los Grégoire, que sería de unos cuarenta mil francos de renta, estaba invertida por entero en acciones de las minas de Montsou. Ellos hablaban con complacencia del origen de su capital, que databa de la fundación de aquella Compañía minera.

Allá en los comienzos del siglo pasado se había desarrollado en el país una especie de locura minera desde Lille a Valenciennes. Los primeros éxitos de los concesionarios, que más tarde formaron la Compañía de Anzin, exaltaron los ánimos. En todos los distritos de la comarca se sondaba el suelo y se formaban sociedades, y surgían concesiones en una noche. Pero entre los maniáticos de aquella época, el barón Desrumaux había dejado recuerdo por su heroica inteligencia. Durante cuarenta años luchó sin cesar contra todo género de obstáculos: con lo infructuoso de los primeros trabajos, con los filones falsos, que había que dejar después de muchos meses de trabajo; con los desprendimientos que cegaban las minas y con las repentinas inundaciones que ahogaban a los obreros; en una palabra: cientos de miles de francos inútilmente enterrados; y enseguida el barullo de la Administración, el pánico de los accionistas y la codicia de los terratenientes, que se negaban a reconocer las concesiones si no se trataba antes con ellos... Al fin acababa de fundar la sociedad Desrumaux, Fauquenoix y Compañía, para explotar la concesión de Montsou; y las primeras minas empezaban a dar algunos, aunque escasos beneficios, cuando dos concesiones contiguas a la suya, la de Cougny, que pertenecía al conde de Cougny, y la de Joiselle, que era de la Sociedad Cornille y Jenard, estuvieron a punto de arruinarle, haciéndole la competencia. Felizmente, el 23 de agosto de 1760 se firmaba un contrato entre las tres sociedades, convirtiéndolas en una sola. La Compañía de las minas de Montsou quedó formada tal y como existe en la actualidad. Para el reparto, se había dividido, según el tipo de moneda de aquella época, la propiedad total en veinticuatro sueldos, cada uno de los cuales se subdividía en doce dineros, y como cada dinero era de diez mil francos, el capital total representaba una suma de cerca de tres millones. A Desrumaux, agonizando ya pero vencedor al cabo, le habían correspondido en este reparto seis sueldos y tres dineros.

Por aquella época, el Barón tenía La Piolaine, con trescientas hectáreas de tierra, y a su servicio, como gerente a Honorato Grégoire, mozo natural de Picardía, que era el bisabuelo de León Grégoire, padre de Cecilia. Cuando se celebró el contrato de Montsou, Honorato, que conservaba guardados en un calcetín unos cincuenta mil francos, producto de sus economías, se dejó ganar, aunque temblando, por la inquebrantable fe de su amo. Sacó diez mil libras en buenos escudos, y compró un dinero, con el miedo de cometer un robo en perjuicio de sus herederos. Su hijo Eugenio percibió, en efecto, beneficios muy pequeños; y como se había hecho burgués, y había cometido la tontería de comerse tranquilamente los otros cuarenta mil francos de la herencia paterna, vivió con bastante estrechez. Pero los intereses del dinero iban subiendo poco a poco, y la fortuna empezó a sonreír ya a Feliciano, el cual pudo realizar el sueño que, siendo niño, le había hecho concebir su abuelo, el antiguo gerente del Barón, esto es comprar La Piolaine, desprovista por entonces de gran parte de las tierras que le pertenecían, y adquirida como procedente de bienes nacionales, por una cantidad insignificante.

Sin embargo, los años siguientes fueron malos, porque hubo que aguardar el desenlace de las catástrofes revolucionarias, y luego la caída sangrienta de Napoleón. Y nadie más que León Gregoire pudo aprovecharse, en asombrosa progresión, del empleo medroso que había dado su bisabuelo a las economías que conservara en el calcetín. Aquellos miserables millares de francos crecían al compás de la prosperidad de la Compañía. Ya en 1820 producían el ciento por ciento, es decir, diez mil francos. En 1844 rentaban veinte mil, y cuarenta mil en 1850. Hasta hubo años en que los dividendos subieron a la cifra prodigiosa de cincuenta mil francos: el valor del dinero se cotizaba a un millón en la Bolsa de Lille; es decir, se había centuplicado en el transcurso de un siglo.

El señor Grégoire, a quien aconsejaron que vendiese cuando llegó a tan extraordinaria alza la cotización, se negó a ello con la sonrisa bonachona que le era habitual. Seis meses después se produjo una crisis industrial, y el dinero bajaba a seiscientos mil francos de un golpe. Pero él seguía sonriendo y sin arrepentirse, porque los Gregoire tenían una fe ciega en su mina. Ya subirían las acciones con la ayuda de Dios. Además, a esa creencia religiosa, se mezclaba una gratitud profunda hacia el papel que desde hacía más de un siglo daba de comer a la familia sin necesidad de trabajar. Era aquella acción de la sociedad minera algo así como una divinidad propia, a la cual ellos en su egoísmo, rodeaban de un verdadero culto, como el hada bienhechora del hogar, la que los mecía en su mullido lecho de pereza, la que los engordaba en su bien provista mesa de gastrónomos. Esto venía sucediendo de padres a hijos. ¿A qué arriesgarse a tentar a la suerte, dudando de ella? Así es que, en el fondo de su fidelidad, había un temor supersticioso: el miedo a que el millón de la acción que Poseían se derritiese enseguida, al convertirlo en metálico para encerrarlo en el fondo de un cajón. Lo creían mejor guardado en el fondo de la mina, de donde un pueblo entero de obreros, generaciones y más generaciones de seres hambrientos, sacaba para ellos un poquito cada día, según las necesidades.

Por otra parte, la felicidad derramaba sus dones sobre aquella casa. Siendo muy joven, el señor Grégoire se había casado con la hija de un boticario de Marchiennes, una señorita fea y sin un céntimo, a la cual adoraba y que le había hecho muy feliz. Ella se había dedicado exclusivamente al cuidado de la casa, en éxtasis delante de su marido y sin tener más voluntad que la de éste; jamás los había dividido una diferencia de gustos, y el mismo ideal de bienestar confundía sus deseos. Así vivían desde hacía cuarenta años, prodigándose todo género de ternezas y de cuidados recíprocos. Era una existencia perfectamente regulada: los cuarenta mil francos comidos sin ruido y las economías gastadas en Cecilia, cuya venida al mundo había trastornado por una temporada el presupuesto doméstico. Todavía hoy continuaban satisfaciendo todos sus caprichos; otro caballo, dos carruajes más y algunos trajes que le enviaban desde París. Pero aquello era para ellos un motivo de contento, pues nada les parecía demasiado para su hija, a pesar de que los dos tenían tal horror a las innovaciones, que seguían la moda de cuando eran jóvenes. Todo gasto al que no se le sacaba provecho, les parecía estúpido.

De pronto se abrió la puerta del comedor, y se oyó una voz fuerte, que gritaba:

—¿Qué es eso? ¿Almorzáis sin esperarme?

Era Cecilia, que acababa de saltar de la cama, y que llegaba con los ojos hinchados aún de tanto dormir. No había hecho más que recogerse el pelo y ponerse una bata de lanilla blanca.

—No por cierto, —dijo la madre—: ya ves que te esperábamos... ¿Eh, qué tal? Ese maldito viento te habrá tenido sin dormir toda la noche, ¿verdad, hijita?

La joven la miró muy sorprendida.

—¿Ha hecho viento?... Pues no lo he oído; he dormido toda la noche de in tirón.

Aquello les pareció gracioso, y los tres se echaron a reír, y las criadas, que entraban con el almuerzo, soltaron también la risa, como si el que la señorita hubiera dormido doce horas de un tirón fuera un motivo de alegría para todos los de la casa. La vista del pastel acabó de poner alegres todos los semblantes.

—¡Cómo! ¿Está ya hecho? —decía Cecilia—. Buena sorpresa me habéis preparado... ¡Qué rico va a estar, así calentito, con el chocolate!

Y se sentaron a la mesa, donde ya humeaba el chocolate, hablando largo rato del pastel. Melania y Honorina, en pie, daban pormenores sobre el dulce y la manera de hacerlo, y miraban a sus amos atracarse de lo lindo, asegurando que daba gusto hacer pasteles para que los señores les hicieran tan bien los honores.

De pronto los perros comenzaron a ladrar; creyeron que sería la maestra de piano que iba desde Marchiennes todos los lunes y todos los viernes. Cecilia recibía también las lecciones de un profesor de literatura. Toda la educación de la joven se había hecho en La Piolaine, en una feliz ignorancia, entre sus caprichos de niña mimada, que tiraba el libro por la ventana cuando le aburría una lección.

—Es el señor Deneulin —dijo Honorina, que había ido a ver quién era.

Y detrás de ella entró en el comedor, sin cumplidos, Deneulin, un primo de Grégoire, alto, apuesto, de fisonomía animada, y con todo el aire de un oficial de caballería. Aunque pasaba ya de los cincuenta años, sus cabellos, cortados a punta de tijera, y sus grandes y espesos bigotes, conservaban toda su negrura.

—Sí, yo soy. Buenos días... Que nadie se moleste. No hay que levantarse.

Y tomó asiento, mientras la familia le saludaba afectuosamente y acababa de tomar el chocolate.

—¿Qué te trae por aquí? —preguntó el señor Grégoire.

—Nada, absolutamente nada —se apresuró a decir Deneulin—. Salí a dar un paseo a caballo, y como pasaba por la puerta de vuestra casa, quise entrar a daros los buenos días.

Cecilia preguntó por Juana y Lucía, sus hijas. Estaban muy bien: la primera no soltaba los pinceles, mientras la otra, la mayor, no pensaba más que en cantar, acompañándose al piano todo el santo día. Y en su voz se notaba un ligero temblor, cierto malestar, que procuraba disimular fingiendo alegría.

El señor Grégoire replicó:

—¿Y en la mina, andan los negocios a tu gusto?

—¡Caramba! Me sucede lo que a todos; estoy fastidiado con esta maldita crisis que atravesamos... ¡Ah! Bien pagamos los años prósperos. Se han hecho demasiadas obras, demasiados ferrocarriles; se ha inmovilizado demasiado capital con la esperanza de una producción formidable. Y, es claro, hoy el dinero está muerto, y no hay medio de hacer funcionar todo eso... Afortunadamente, la situación no es desesperada, y se saldrá de este mal paso.

Lo mismo que su primo, había heredado una acción de las minas de Montsou. Pero como él era ingeniero, muy emprendedor, y deseaba poseer una fortuna real, se había apresurado a vender cuando las acciones se cotizaban a un millón. Hacía ya varios meses que estaba madurando un plan. Su mujer había aportado al matrimonio la pequeña concesión de Vandame, donde no había más que dos minas abiertas, Juan Bart y Gastón—María, en un estado de abandono tal, con un material tan antiguo y deficiente, que apenas cubrían gastos. Pues bien: ansiaba reparar Juan Bart, poniéndole maquinaria nueva, y ensanchando los pozos, a fin de extraer más y dejar Gastón—María nada más que para desahogo. Indudablemente, decía él, allí se va a sacar oro a paladas. La idea era buena. Pero el millón se había gastado en mejoras, y aquella maldita crisis industrial estallaba precisamente en el momento en que importantes beneficios le iban a dar la razón.

Por otra parte, mal administrador, de una bondad brusca, pero extremada, para sus obreros, se dejaba saquear desde la muerte de su mujer, abandonando la dirección administrativa de su casa a sus hijas, de las cuales la mayor estaba siempre hablando de dedicarse al teatro, y la más pequeña había enviado ya a las exposiciones varios cuadros que no le habían admitido; una y otra, sonrientes siempre, en medio de los apuros propios de los malos negocios, se preocupaban poco de la ruina que les amenazaba, porque pretendían ser muy mujeres de su casa y saber defenderse contra esa calamidad.

—Mira, León —replicó Deneulin, con la voz poco segura—, hiciste mal en no vender cuando yo... Y si me hubieras creído y me hubieras confiado tu dinero, sabe Dios cuantas cosas buenas habríamos hecho en nuestra mina de Vandame.

El señor Grégoire, que acababa de tomar el chocolate con la mayor calma, respondió tranquilamente:

—¡Jamás!... Bien sabes que yo no sé, ni quiero especular. Vivo tranquilo, y sería una estupidez buscarme quebraderos de cabeza con los negocios. Por lo que toca a las acciones de Montsou, por mucho que bajen, siempre nos darán para vivir. ¡No hay que tener tanta ambición! Además, ten presente que, como te he dicho muchas veces, te has de arrepentir, porque las Montsou han de volver a subir, y puedes tener la seguridad de que los hijos de los hijos de Cecilia han de tener mucho dinero.

Deneulin lo escuchaba sonriendo con cierta turbación.

—¿De modo que si te dijera que invirtieses cien mil francos en mi negocio, te negarías?

Pero al ver la turbación de los Grégoire, se arrepintió de haber caminado tan de prisa, y se propuso aplazar para más tarde sus planes de hacer un empréstito, reservándolos para un caso apuradísimo.

—¡Oh! ¡No es que lo necesite!; ¡Era una broma!... ¡Qué demonio! Tal vez tengas razón; el dinero que se gana sin trabajar es el que más engorda.

Cambiaron de conversación. Cecilia volvió a preguntar por sus primas, cuyas aficiones la preocupaban. La señora de Grégoire prometió que llevaría a Cecilia a casa de sus primas el primer día que hiciese sol. Pero el señor Grégoire, con aire distraído, no estaba en la conversación; y al cabo de un momento continuó hablando en voz alta:

—Yo, si estuviera en tu pellejo, no me empeñaría en hacer imposibles, y procuraría entrar en tratos con los de Montsou... Cree que lo desean mucho, y que recuperarías fácilmente el dinero.

Aludía al odio inmemorial que se profesaban los concesionarios de Montsou y de Vandame. A pesar de la poca importancia de esta última Sociedad, su poderosa vecina se moría de rabia viendo enclavado en sus vastísimas posesiones aquel trozo de terreno que no le pertenecía, y después de haber procurado inútilmente arruinarla, se hacía la ilusión de poderla comprar por poco dinero, cuando fuesen mal los negocios de Vandame. Mientras tanto, continuaban haciéndose una guerra sin cuartel, despiadada, por más que los directores e ingenieros de una y otra mantenían corteses relaciones.

Los ojos de Deneulin habían brillado furiosos.

—¡Jamás! —exclamó con énfasis—. Mientras yo viva, los de Montsou no serán dueños de Vandame... El jueves comí en casa de Hennebeau, y noté que trataba de conquistarme. Ya el otoño pasado, cuando estuvieron aquí los consejeros de Administración de la Compañía, me hicieron mil carantoñas... ¡Sí! ¡Buenos están! ¡Conozco yo a esos duques y marqueses, a esos generales y ministros, más que las madres que los parieron! Unos bandidos, capaces de quitarle a uno la camisa, si lo encontraran en un camino.

No transigiría por nada del mundo. Por otra parte, el señor Grégoire defendía al Consejo de Administración de Montsou, compuesto de los consejeros nombrados por el contrato de 1760, que gobernaban despóticamente la Compañía, y de los cuales vivían cinco, que a la muerte de cada uno elegían al nuevo consejero entre los accionistas más ricos e influyentes. La opinión del propietario de La Piolaine, cuyos modestos gustos hemos descrito, era que aquellos señores faltaban a menudo a las conveniencias, por su excesivo amor al dinero.

Melania había empezado a quitar la mesa. Los perros volvieron a ladrar, y ya Honorina se dirigía a la puerta, cuando Cecilia, a quien sofocaban el calor y lo mucho que había comido, se levantó de la mesa:

—No, deja; debe ser mi profesora.

También Deneulin se había levantado. Cuando vio que la joven no estaba allí, preguntó sonriendo:

—¿Y esa boda con Négrel?

—No hay nada decidido todavía —contestó la señora de Grégoire—, un proyecto en embrión... Es preciso pensarlo.

—Es verdad —contestó el pariente con su acostumbrada sonrisa—. Creo que la tía y el sobrino... Y lo que más me sorprende es que la señora Hennebeau, conociendo el proyecto, demuestre tanto entusiasmo por Cecilia.

Pero el señor Grégoire se indignó. ¡Una persona tan distinguida y que tenía catorce años más que su sobrino! Eso era monstruoso, y no le gustaba que se tuvieran aquellas bromas en su casa. Deneulin, sin dejar de sonreír, le estrechó la mano, y se fue.

—Pues no era la profesora tampoco —dijo Cecilia, volviendo a entrar en el comedor—. Es aquella mujer de un minero, que nos encontramos el otro día... aquella mujer de un minero, que viene con sus dos hijos... ¿Entran aquí?

Hubo un momento de duda. ¿Estarían muy sucios? No, no mucho; y además, dejarían los zuecos en la antesala.

El padre y la madre, que habían vuelto a repantigarse cómodamente en sus butacas, se acabaron de decidir por no variar de postura y tener que salir del comedor.

—Que entren, Honorina.

Entonces entraron la mujer de Maheu y sus dos pequeñuelos, los tres muertos de frío, hambrientos, asustados de verse en aquella sala donde hacía tanto calor y olía tan bien a pastel.

II

En el cuarto de Maheu, que, como hemos dicho, se había quedado todo en silencio y a oscuras, había ido luego entrando poco a poco la claridad por entre las rejillas de las persianas; el aire, sin renovar, se iba haciendo cada vez más pesado, y todos continuaban durmiendo a pierna suelta:

Leonor y Enrique, el uno en los brazos del otro, y Alicia con la cabeza echada atrás, apoyada en su joroba, mientras el abuelo Buenamuerte, que ocupaba la cama de Zacarías y de Juan, roncaba con la boca abierta. No se oía ni el menor ruido en el gabinete donde la mujer de Maheu se había quedado durmiendo y dando de mamar a Estrella, con la cabeza echada a un lado, su hija recostada sobre ella, y durmiendo a su vez después de harta de mamar.

El cu–cu de abajo dio las seis. Por todo el barrio se oyó ruido de puertas que se abrían y cerraban; después el de los zuecos pisando sobre las losas de las aceras: eran las cernedoras, que se iban a la mina. Y volvió a reinar el silencio hasta las siete.

A esa hora se descorrieron las persianas, y a través de las paredes se oyeron toses y bostezos. Pero en el cuarto de los Maheu nadie se despertaba.

De pronto, un ruido terrible de gritos y bofetadas que se oían a lo lejos hizo incorporarse a Alicia.

Tuvo conciencia de la hora que era, y, saltando de la cama, fue a despertar a su madre.

—¡Mamá, mamá!; es muy tarde, y tienes que salir!... Cuidado, que vas a aplastar a Estrella.

Y salvó a la niña, medio ahogada ya por la masa de carne de los pechos.

—¡Maldita suerte! —murmuraba la mujer de Maheu, restregándose los ojos—. Está una tan cansada, que no se levantaría en todo el día... Viste a Leonor y a Enrique, para que vengan conmigo, y tú cuidarás de Estrella, porque no quiero llevarla, no vaya a ponerse mala con este tiempo tan crudo.

Mientras tanto, se lavaba apresuradamente, y se ponía una faldilla azul, ya muy vieja, que era la mejor que tenía, y un gabán de lana gris, al cual había puesto dos o tres remiendos el día antes.

—¿Y la sopa? ¡Maldita suerte! —volvió a murmurar.

Mientras su madre bajaba al comedor, tropezando con todo, Alicia volvió a la alcoba con Estrella en brazos. Ésta se había puesto a llorar otra vez. Pero estaba acostumbrada a los berridos de su hermana, y a pesar de sus ocho años escasos tenía ya astucias de mujer para engañar y entretener a la pequeña. La echó en su cama, aún caliente, y la durmió, metiéndole el dedo en la boca para que chupase.

Ya era tiempo, porque en aquel momento estallaba otra disputa entre Leonor y Enrique, que habían despertado al fin y entre los cuales tuvo ella que poner paz. Aquellos dos muchachos no congeniaban, ni estaban en paz y abrazados más que cuando dormían. La niña, que tenía seis años, se enredaba a pescozones con su hermanito, más pequeño, desde que se levantaban, y el pobre Enrique los sufría sin devolverlos. Los dos tenían la cabeza muy grande y desproporcionado, cubierta de encrespados cabellos pelirrojos. Fue menester, para que se restableciese la paz, que Alicia tirase a su hermana de los pies, amenazándole con arrancarle la piel a fuerza de azotes. Luego hubo llantos y furias al irlos a lavar y a vestir. No querían abrir la ventana, para que no se despertase el abuelo Buenamuerte, que seguía roncando en el camastro de sus nietos.

—¡Vamos, ya está esto! ¿Habéis acabado? —gritó la mujer de Maheu.

Había abierto las ventanas y avivado la lumbre, echándole más carbón. Su esperanza consistía en que el viejo no se hubiera comido la sopa. Pero como encontró el pucherete completamente limpio, puso a cocer un poco de verdura que tenía escondida. Tendrían que resignarse a beber agua, porque no debía de quedar café, ni mucho menos manteca; así es que se quedó sorprendida al ver que Catalina había hecho el milagro de dejar un poco de cada cosa. En cambio, el armario estaba completamente vacío: nada, ni una corteza de pan, ni un hueso que roer. ¿Qué iba a ser de ellos, si Maigrat se empeñaba en no fiarles más, y si las señoras de La Piolaine no le daban siquiera un par de francos? Porque cuando su marido y sus hijos volviesen del trabajo, había que comer irremisiblemente.

—¿Bajáis, o no? —gritó de nuevo—. Ya debía haberme ido.

Cuando Alicia y los dos niños entraron en la sala, dividió la verdura en tres platos. Ella no quería, porque no tenía ganas, según dijo. Aunque Catalina había vuelto a pasar por el colador el café del día antes, volvió a hacer lo mismo, y se bebió dos tazas seguidas de aquel brebaje, que parecía agua sucia. Pero, en fin, bueno estaba; al menos le quitaría el hambre, y la haría entrar en calor.

—Oye —dijo, dirigiéndose a Alicia—, ten cuidado de que no se despierte tu abuelo y de que no se rompa Estrella la cabeza; si se despierta y llora mucho, aquí tienes un terrón de azúcar, lo deshaces en agua, y le das unas cucharadas... Ya sé que eres buena, y que no te lo comerás tú.

—¿Y la escuela, mamá?

—¿La escuela? Otro día irás, porque hoy te necesito.

—¿Quieres que haga yo la comida, si vienes tarde?

—La comida, la comida... No; espera a que yo vuelva.

Alicia, que tenía la precoz inteligencia de casi todos los niños enfermos, sabía guisar muy bien. Pero debió de comprender lo que significaba la negativa de su madre, y no insistió. Estaba ya en pie toda la gente del barrio; bandadas de muchachos se dirigían a la escuela, haciendo sonar estrepitosamente sus zuecos en las losas de la calle. Dieron las ocho; de la casa contigua, donde vivían los Levaque, salía el ruido de animadas conversaciones. Las mujeres empezaban a trabajar en sus casas, afanándose alrededor de sus cafeteras, con los brazos en jarras y meneando las lenguas como aspas de molino. Una cara ajada, de labios gruesos, de nariz chata, se acercó a la ventana de la sala de los Maheu, diciendo:

—¡Hola, vecina! ¿Sabes que hay novedades?

—Bueno, bueno; luego me las contarás —contestó la mujer de Maheu—, tengo que salir.

Y temiendo caer en la tentación de ponerse a chismorrear, agarró de la mano a Leonor y a Enrique, y salió con ellos. En el piso de encima, el viejo Buenamuerte seguía roncando como un bendito.

Al salir a la calle, la mujer de Maheu se quedó sorprendida, notando que el viento había cesado completamente. Estaba deshelando, pero hacía un frío intensísimo; el cielo tenía color de tierra, las paredes chorreaban a causa de la humedad, los caminos estaban intransitables por el mucho barro, un barro especial, que sólo se conoce en el país del carbón, negro y tan áspero, que se dejaba uno en él la suela de los zapatos. Al poco rato tuvo que dar una bofetada a Leonor, porque la chicuela se entretenía en recoger el barro con la punta de sus zuecos, como si fueran una pala.

—¡Verás, verás tú, grandísimo tunante, si te cojo y te rompo el alma, para que no hagas más bolitas!

Era que Enrique había recogido un puñado de barro, y se entretenía en hacer bolas con él. Los dos chiquillos, escarmentados por igual, entraron en orden, y ya muy formales, siguieron andando con trabajo porque los piececillos se les clavaban en el fango a cada paso.

Por el lado de Marchiennes, la carretera se extendía, bien cuidada, durante un par de leguas; pero por el de Montsou, el camino tenía mucha cuesta, y estaba lleno de baches; en cambio, estaba mucho más animado, porque a sus bordes comenzaba el pueblo. Multitud de casitas, pintadas unas de amarillo, otras de azul, otras con cal blanca, animaban el paisaje. Se veían también algunas casas más grandes, de dos pisos; estaban destinadas a vivienda de los jefes de taller. Una iglesia, también de ladrillos, que parecía un modelo de fábrica de nueva arquitectura, con su campanario cuadrado en forma de chimenea, y ennegrecido por el polvillo de carbón que invadía toda la campiña, era el edificio más saliente de todos. Ya dentro del pueblo, y aun en los caseríos de la carretera, predominaban las tiendas de bebidas, las tabernas, los despachos de cerveza, tan numerosos, que entre las mil casas del pueblo había quinientas tabernas lo menos.

Al aproximarse a las canteras de la Compañía, que eran una vasta serie de almacenes y talleres, la mujer de Maheu se decidió a coger un chico de cada mano. A la entrada de aquéllas se veía el palacio del director, señor Hennebeau; una especie de chalet enorme, separado del camino por una verja, y seguido de un jardín, donde crecían algunos árboles raquíticos. Precisamente a la puerta había un carruaje, del que se apearon un caballero y una señora envuelta en un abrigo de pieles: sin duda, alguna visita de París que había llegado aquella mañana a la estación de Marchiennes, porque la señora Hennebeau, que salió a recibirlos, lanzó una exclamación de sorpresa y alegría.

—¿Queréis andar, demonios? —gruñó la mujer de Maheu, tirando de sus dos hijos, que se atascaban en el fango.

Llegó a casa de Maigrat muy emocionada. Maigrat vivía al lado del palacio del director; una tapia separaba el hotel del señor Hennebeau de la estrecha vivienda que habitaba el comerciante, quien tenía un almacén y una tiendecilla, cuya puerta daba a la carretera. En ella vendía un poco de todo: especias, salchichería, frutas, pan, cerveza y objetos de fantasía. Había sido vigilante en la mina Voreux, y luego, al abrir tienda, empezó con una muy pequeña; pero después, gracias a la protección decidida de sus jefes, la había agrandado, aumentando su comercio, y acabando por matar la venta al por menor en Montsou. Acaparó las mercaderías, y su importante clientela de obreros le permitía vender a precios más baratos y abrir créditos mayores que todos los demás tenderos. Por otra parte, seguía siendo el protegido de la Compañía, que le había hecho de nueva planta la tienda y el almacén.

—Aquí estoy otra vez, señor Maigrat —dijo la mujer de Maheu con humildad, al verle en la puerta.

Él la miró sin contestarle. Era un hombre alto, grueso, fornido, que pretendía ser enérgico, y que cuando tomaba una resolución, ésta era siempre irrevocable.

—Vamos, no me despida como ayer. Necesitamos comer pan, de aquí al lunes... Es verdad que hace dos años le debemos sesenta francos; pero...

Y siguió hablando con frase entrecortado y voz poco segura. Aquélla era una deuda antigua, contraída durante una huelga. Veinte veces habían prometido pagarla; pero como no podían, apenas le daban cuarenta sueldos cada quincena. Además, les había sucedido una desgracia; habían tenido que pagar veinte francos a un zapatero que quería embargarles, y por eso no tenían ni un céntimo. Si no, hubieran podido tirar hasta el sábado, como los demás compañeros.

Pero Maigrat, sin abrir la boca, sin mirarla siquiera, recostado en el quicio de la puerta, y con los brazos cruzados sobre el pecho, contestaba que no con la cabeza a cada una de aquellas súplicas.

—Nada más que pan, señor Maigrat. Ya ve que soy razonable; no quiero café... sólo dos panes de tres libras todos los días.

—¡No! —exclamó él al fin con toda su fuerza.

Su mujer había aparecido en aquel momento; era una pobre criatura, endeblucha, que pasaba los días sobre su libro de cuentas sin atreverse siquiera a levantar la cabeza. Pero se marchó enseguida, compadecida de aquella infeliz, que le dirigía miradas suplicantes. Se decía de ella que prestaba de buen grado el lecho conyugal a las muchachas de los parroquianos. Era cosa sabida: cuando un minero deseaba una prórroga de crédito, no tenía más que mandar a su hija o a su mujer, fuesen guapas o feas, con tal de que se mostraran complacientes.

La mujer de Maheu, que seguía suplicando con la vista, se sintió turbada ante la insistencia de los ojillos de Maigrat, que la contemplaban de un modo extraño. Aquello la puso fuera de sí; lo hubiera comprendido antes de tener siete hijos, cuando era joven y guapa. Y se marchó de allí arrastrando a Leonor y a Enrique, que se entretenían en recoger las cáscaras de nuez que había en el suelo de la tienda.

—Acuérdese de lo que le digo, señor Maigrat; esto le traerá alguna desgracia.

No le quedaba ya más esperanza que los señores de La Piolaine. Si éstos no le daban siquiera un par de francos, se morirían todos de hambre en su casa.

Había tomado el camino de Joiselle. Allá, a la izquierda, en un recodo de la carretera, estaba el palacio del Consejo de Administración, magnífico edificio, donde todos los años se reunían señorones de París, y príncipes, y generales, a celebrar con grandes banquetes el aniversario del establecimiento de la Compañía. Mientras caminaba, iba gastando mentalmente los dos francos: primero pan, luego un poco de café, enseguida manteca y patatas para las sopas de por la mañana y el guisote de al mediodía, y tal vez pudiera permitirse también el lujo de un poco de carne de cerdo: su marido necesitaba tomar carne en alguna comida.

Se encontró con el cura de Montsou, el padre Joire, que pasaba por allí, remangándose la sotana con la delicadeza propia de un gato mimado y bien nutrido que teme mojarse la cola. Era un hombre de buen carácter, vivía en paz con todo el mundo, y procuraba ocuparse lo menos posible de las cosas de la vida.

—Buenos días, señor cura.

El padre Joire no se detuvo: dirigió una sonrisa a los niños, y la dejó plantada en medio del camino. La mujer de Maheu no tenía religión; pero, sin saber por qué, había supuesto que aquel cura iba a darle algo. Y continuó su camino por en medio del lodazal que produjeran las últimas lluvias.

Tenía que andar dos kilómetros más, y le era necesario tirar de los chicos, que ya no podían con su alma, y que, rendidos de cansancio, habían dejado de estar alegres y juguetones.

A un lado y otro del camino se veían casas iguales a las de antes: los mismos edificios de ladrillos con sus grandes chimeneas, ennegrecidas por el humo y el polvillo del carbón. Y más allá los campos áridos, inmensos, semejantes a un desierto negro, sin que la monotonía del paisaje se alterara en lo más mínimo hasta que la vista tropezaba en el horizonte con la línea verde oscuro del bosque de Vandame.

—Llévame en brazos, mamá.

Y ella los llevaba un rato a uno y otro a otro, por turno. El camino estaba lleno de charcos, y la pobre mujer se levantaba las faldas hasta la rodilla, temiendo llegar demasiado sucia. Dos o tres veces se vio a punto de caer, porque el suelo estaba muy resbaladizo, y cuando al fin llegaron a La Piolaine, tres perros enormes se abalanzaron hacia ellos, ladrando con tal furia, que los niños se asustaron. Hubo necesidad de que el cochero cogiese un látigo.

—Quitaos los zuecos y entrad —les dijo Honorina.

En el comedor, la madre y los chicos se quedaron inmóviles, aturdidos por la brusquedad del cambio de temperatura, y turbados ante las miradas de aquellos dos señores viejos, repantigados en sus sillones.

—Hija mía —dijo la señora Grégoire—, desempeña tu cometido.

Los señores Grégoire dejaban a Cecilia la tarea de dar sus limosnas. Aquello entraba en su plan de buena educación. Era necesario ser caritativo, y añadían ellos mismos que su casa era para los pobres la casa de Dios. Además, se alababan de hacer la caridad de un modo inteligente y cuidadoso, para no ser víctimas de engaños que pudieran alimentar el vicio. Así es que nunca daban dinero, ¡jamás!, ni dos céntimos, porque era cosa sabida que en cuanto un pobre cogía algunos cuartos, iba a gastarlos en vino o en cerveza. Sus limosnas se hacían siempre en especie, y principalmente en ropas de abrigo, que distribuían en invierno a los niños indigentes.

—¡Oh, pobrecillos! —decía Cecilia mirando a Leonor y a Enrique—. ¡Qué pálidos están de haber andado al frío!... Honorina, sube a mi cuarto, y tráeme un paquete que tengo allí.

Las criadas también miraban a aquellos miserables con la compasión poco profunda de gente que tiene la comida asegurada. Mientras la doncella subía al cuarto de la señorita, la cocinera, por curiosidad y haciéndose la distraída, continuaba de pie junto a la mesa, con las manos cruzadas y sin llevarse el pastel.

—Precisamente —continuó Cecilia— tengo todavía dos trajecitos de lana de mucho abrigo... ¡Ya verá qué bien les están a estos pobrecitos!

—Muchas gracias, señorita... Son ustedes muy bondadosos...

Las lágrimas le habían humedecido los ojos; se creía segura de conseguir los dos francos, y no la preocupaba más que la forma en que debía pedirlos, si no se los ofrecían antes. La doncella no bajaba, y hubo un momento de embarazoso silencio. Los dos chicos no quitaban los ojos del pastel.

—¿No tenéis más que estos dos? —preguntó la señora Grégoire, por romper el silencio.

—¡Oh no, señora; tengo siete!

El señor Grégoire, que había vuelto a emprender la lectura de su periódico, tuvo un sobresalto de indignación.

—¡Siete hijos! ¡Virgen Santísima!

—Eso es una imprudencia —añadió su esposa.

La mujer de Maheu hizo un vago ademán de excusas.

—¿Qué quiere usted? —dijo—. Esas cosas no se piensan, y los hijos vienen naturalmente. Además, cuando son mayores, ganan dinero y ayudan a los gastos de la casa.

Su familia, por ejemplo, viviría regularmente, si no fuera porque tenían en casa al abuelo, que ya no estaba el pobre para nada, y si no existieran más que los dos hijos mayores y su hija Catalina, que podían bajar a la mina. Pero era necesario dar de comer también a los pequeños, que no servían aún para nada.

—Según eso —dijo la señora de Grégoire—, hace mucho tiempo que trabajáis en las minas.

Una sonrisa silenciosa animó el lívido semblante de la mujer de Maheu.

—¡Ah! ¡Sí... sí, señora! Yo trabajé en ellas hasta la edad de veinte años. El médico dijo que me moriría si seguía trabajando, cuando tuve el segundo parto. Además, por entonces fue cuando me casé, y tenía bastante que hacer en mi casa...

Pero la familia de mi marido trabaja en las minas desde tiempo inmemorial. Creo que empezó el abuelo del abuelo de mi marido; en fin, qué se yo... Desde que se dio el primer golpe de pico en la mina Réquillart.

Otra vez el señor Grégoire había dejado el periódico, y contemplaba con expresión singular a la pobre mujer y a sus dos hijos, con aquella carne de color de cera, con aquellos cabellos despeinados, roídos por la anemia y con la fealdad triste de la gente hambrienta. Sobrevino otro momento de silencio, interrumpido tan sólo por el chisporroteo de la lumbre en la chimenea. En el comedor se disfrutaba de esa tranquilidad, de ese colorcito agradable, característico en el hogar de los burgueses ricos.

—¿Qué hace esa muchacha? —dijo Cecilia, impaciente—. Melania, sube a decirle que el paquete está en la última tabla del armario, a la izquierda.

El señor Grégoire terminó de formular en voz alta las reflexiones que le inspiraba la vista de aquellos pobres diablos.

—La verdad es que las cosas de este mundo andan mal; pero preciso es confesar también, buena mujer, que los obreros no suelen ser precavidos... Así, en vez de economizar algún cuarto, como hace la gente del campo, nuestros mineros beben, contraen deudas y acaban por carecer de lo necesario para mantener a sus hijos.

—El señor tiene razón —contestó tranquilamente la mujer de Maheu—. No todos andan por buen camino. Eso les digo a muchos cuando se quejan... Yo he tenido suerte, porque mi marido no bebe. Algunos domingos toma una copa de más; pero, en fin, eso sucede rara vez. La cosa es tanto más de agradecer, cuanto que antes de casarnos estaba siempre como una cuba, y ustedes perdonen la expresión... Y, sin embargo, maldito si adelantamos gran cosa con que sea hombre de bien. Hay algunos días, como hoy, por ejemplo, que no se encuentra en casa ni un cuarto, ni un mendrugo de pan.

Quería preparar el terreno para que le ofreciesen los dos francos, y continuó explicándoles la deuda fatal que habían contraído, pequeña al principio, más grande después, y por fin insoportable para sus escasos recursos. Mientras se cobraba puntualmente las quincenas, menos mal; pero en cuanto que por cualquier causa se retrasaba el cobro, aunque sólo fuera un día, no había ya medio de volverse a poner al corriente. La situación iba empeorando cada vez más, y los hombres se cansaban de trabajar, viendo que no sacaban ni lo indispensable para comer. Nada, no había remedio; no volvía uno a nivelarse en toda la vida.

Además, era necesario comprender la razón: los carboneros necesitaban un jarro de cerveza de cuando en cuando para quitarse el polvo de la garganta. La cosa empezaba por ahí, y concluía por no salir el hombre de la taberna cuando estaba disgustado. Quizás fuera (y esto lo decía con el debido respeto y sin quejarse de nadie) que no pagaban a los obreros como era debido.

—Yo creía —dijo la señora Grégoire— que la Compañía les daba casa y lumbre.

La mujer de Maheu miró oblicuamente la chimenea del comedor.

—Sí, sí; nos dan carbón... no muy bueno... pero, en fin, que arde... En cuanto a la casa, no nos hacen pagar más que seis francos al mes; parece que no es nada, y muchas veces no se pueden pagar... A mí, por ejemplo, aunque me hiciesen pedazos hoy, no me sacarían ni un cuarto. Donde no hay, no hay.

El señor Grégoire y su esposa callaban, cómodamente arrellanados en las butacas, y empezando a sentir cierto malestar ante el espectáculo de aquella miseria. Ella temió haberlos ofendido, y añadió con su aire tranquilo de mujer práctica:

—Todo esto no lo digo por quejarme. Las cosas están así, y es preciso aceptarlas como son, tanto más, cuanto que hiciéramos lo que hiciéramos estaríamos lo mismo... Así es que lo mejor,

¿no les parece?, es dedicarse a cumplir los deberes que Dios nos ha impuesto a cada cual.

El señor Grégoire aplaudió mucho la reflexión.

—Con tales sentimientos, está uno siempre por encima del infortunio.

Honorina y Melania entraron con el paquete. Cecilia lo deshizo, y sacó los dos trajecitos, unas medias y unos mitones para cada chico. Todo les iba a sentar muy bien, y la joven se apresuraba a ponerles la ropa, porque acababa de llegar su maestra de piano, y no era cosa de hacerla esperar. Así es, que empujaba suavemente a la madre y los chicos hacia la puerta.

—Estamos tan atrasados —balbuceó la mujer de Maheu—, que si tuviésemos siquiera una moneda de dos francos...

La frase quedó sin concluir, porque los Maheu eran orgullosos, y no mendigaban nunca. Cecilia, intranquila, miró a su padre; pero éste se negó rotundamente, como quien cumple un deber sagrado.

—No; dinero no damos.

Entonces la joven, compadecida de la cara descompuesta de la pobre mujer, quiso mimar a los niños. Las dos criaturas seguían mirando con ansia el pastel, y Cecilia cortó dos pedazos grandes y dio uno a cada uno. —¡Tomad, esto para vosotros!

Y bajo las miradas enternecidas del padre y de la madre, la señorita de Grégoire acabó de llevarlos hasta la puerta. Las pobres criaturas, que estaban muertas de hambre, salieron de allí, sin embargo, con el pastel en las manos, que apenas podían mover de frío.

La mujer de Maheu arrastró a sus hijos fuera de la casa, sin reparar en el camino lleno de barro, ni en el frio siquiera en los desiertos campos, ni en el cielo encapotado y triste. Decidida a entrar en casa de Maheu al pasar de vuelta por Montsou, entró, y tanto suplicó, que acabó por sacarle dos panes, algunas otras provisiones, Y hasta los dos francos que necesitaba, porque debemos advertir que aquel hombre era también prestamista, a una semana de plazo. No la quería a ella; a quien deseaba era a Catalina; la mujer de Maheu lo comprendió así, cuando le recomendó mandase a su hija por lo que les hiciese falta.

Pero eso ya se vería. Catalina era muy capaz de abofetearle si se propasaba con ella.

III

Daban las once en la capilla del barrio de los Doscientos cuarenta, un edificio de ladrillo, adonde iba a decir misa todos los domingos el padre Joire. Al lado, en la escuela, que también era de ladrillo, se oían las voces monótonas de los muchachos a pesar de hallarse las ventanas cerradas para resguardarse del frío del exterior. Las amplias calles, señaladas por jardinillos unidos unos a otros, continuaban desiertas; y aquellos jardines, destrozados por los vientos de invierno, causaban tristeza más que otra cosa. En todas las casas estaban haciendo la comida; las chimeneas humeaban; de tarde en tarde se veía una mujer en la calle, que abría una puerta y desaparecía enseguida. Por todas partes, a las orillas de las aceras, los canales iban a desbordar en los agujeros de las alcantarillas, aun cuando hacía ya días que no había llovido, tan cargado estaba el cielo de humedad. Y aquel pueblecillo, levantado como por encanto en medio de la desierta llanura, bordeado por caminos negruzcos que parecían una orla de luto, tenía el aspecto más triste que se puede imaginar.

Antes de entrar en su casa la mujer de Maheu, dio un rodeo para comprar patatas en casa de la mujer de un vigilante, que conservaba algunas de la cosecha anterior. Detrás de un grupo de árboles, aunque raquíticos, cosa bien rara en aquella estéril llanura, se veían unas cuantas casas aisladas, rodeadas de jardín. La Compañía reservaba estas viviendas para los capataces, por lo cual los obreros llamaban a aquel barrio el de las Medias de seda, de igual modo que al suyo le tenían apellidado Paga tus deudas, por el deseo de burlarse de su propia miseria.

—¡Ah! Al fin estamos aquí —dijo la mujer de Maheu entrando en su casa, cargada de bultos y de provisiones, y empujando hacia adentro a Leonor y a Enrique, que llegaban muertos de cansancio.

Delante de la lumbre, Estrella berreaba como de ordinario, mecida por Alicia, que la tenía en brazos. Ya no tenía azúcar, ni sabía cómo hacerla callar, y se había decidido a darle el pecho para entretenerla. Pero aun cuando se desabrochaba el corpiño y le ponía los labios en su pechito de niña de ocho años, la criatura se exasperaba, viendo que por más que mordía la piel no sacaba nada.

—Dámela, dámela —dijo la madre en cuanto hubo dejado lo que llevaba en las manos—, porque no nos va a dejar entendernos.

Cuando hubo sacado su robusto pecho, la pequeña se le colgó con verdadera rabia, y calló, permitiendo así que se oyera lo que se hablaba. Todo estaba en orden. La pobre Alicia había cuidado de la lumbre, barrido la sala y colocado las sillas simétricamente, después de hacer la limpieza. Y ahora que había silencio, se oía al abuelo roncando como un bendito en la alcoba del piso alto, de la misma manera que cuando su nuera salió de casa por la mañana.

—¡Cuántas cosas! —murmuró Alicia, sonriendo a la vista de las provisiones—. Si quieres, mamá, yo haré la comida.

En la mesa ya no cabía nada más; estaba llena: un lío de ropa, dos panes, patatas, manteca, café, achicorias y media libra de carne de cerdo.

—¡Oh! ¡La comida! —dijo la mujer de Maheu, que no podía hablar de cansancio—. Era menester ir por guisantes y por cebollas... Mira, más vale que guises patatas... Ponlas a cocer, y nos las comeremos con un poco de manteca, y así acabamos antes... Luego tomaremos café... No se te olvide el café sobre todo.

Pero de pronto se acordó del pastel. Miró las manos vacías de Leonor y de Enrique, que, ya descansados, jugueteaban arrastrándose por el suelo. ¡Se habían comido aquellos pícaros todo el pastel en el camino! Su madre les dio a cada uno un cogotazo, mientras Alicia, que acababa de poner agua en la lumbre, procuraba calmarla.

—Déjalos, mamá. Si era para mí, ya sabes que lo mismo me da comer pastel que no comerlo. Tendrían hambre, habiendo andado tanto.

Dieron las doce, y se oyeron los zuecos de los muchachos que salían corriendo de la escuela. Las patatas estaban cocidas; el café, espesado con un poco de achicoria, pasaba por el colador, produciendo un olor agradable que abría el apetito. Desocuparon una esquina de la mesa; pero solamente la madre comió: los tres niños se contentaron con arrimarse a su falda; y todo el tiempo el chiquillo, que era de una voracidad extraordinaria, no hizo más que mirar al papel donde estaba la carne de cerdo, que le excitaba y le abría el apetito.

La mujer de Maheu tomaba el café a pequeños sorbos, con las dos manos puestas alrededor de la taza para calentárselas, cuando bajó el viejo Buenamuerte. Ordinariamente se levantaba más tarde, cuando ya el almuerzo lo estaba esperando puesto a la lumbre. Pero aquel día empezó ,a refunfuñar, porque no tenía sopa. Luego, cuando su nuera le dijo que no siempre se podían hacer las cosas como se deseaba, se puso a devorar las patatas en silencio. De cuando en cuando se levantaba e iba a escupir en el fuego, por limpieza; luego volvía a sentarse en su sitio, y como no tenía dientes se pasaba largo rato para comer una cucharada con la cabeza baja y los ojos apagados.

—¡Ah! Se me olvidaba, mamá... —dijo Alicia––. Ha venido la vecina... Su madre la interrumpió:

—¡Me carga!

Tenía odio a la mujer de Levaque, porque le había contado muchas penurias el día antes, para no tener que prestarle dinero; y ella sabía que precisamente en aquel momento estaba bien, porque el huésped Bouteloup le había adelantado una quincena. Verdad era que en el barrio no se prestaban dinero unos a otros.

—¡Mira!, ahora me recuerdas una cosa. Envuelve en un papel un poco de café —replicó la mujer de Maheu—, para llevárselo a la de Pierron, que me lo prestó anteayer.

Y cuando la niña hubo hecho el paquete, añadió que volvería enseguida para poner la comida de los hombres. Luego salió con Estrella en los brazos, dejando a Buenamuerte que comiera tranquilamente sus patatas, mientras Enrique y Leonor andaban a la greña para coger las mondaduras que se habían caído al suelo.

La mujer de Maheu, en vez de dar la vuelta, atravesó el jardín, temiendo que la mujer de Levaque la llamase. Precisamente el suyo se encontraba al lado del de Pierron y habían hecho en la verja de madera, que los dividía, un agujero, por el que se hablaban.

En aquel jardín estaba el pozo, de donde se proveían cuatro casas.

Era la una, la hora del café, y no se veía un alma por los jardines. Solamente un minero de los que trabajaban por la noche estaba haciendo tiempo para irse a la mina, sembrando en su huertecillo unas cuantas legumbres. Pero cuando la mujer de Maheu llegaba a la otra parte del edificio, desde donde se descubría toda la calle, se quedó sorprendida al ver que por detrás de la iglesia aparecían un caballero y dos señoras. Se detuvo un momento a mirarlos, y los conoció; era la señora de Hennebeau, que indudablemente iba enseñando el barrio de los obreros a los señores de París que había visto ella llegar aquella mañana a casa del director.

—¡Oh! ¿Por qué te has tomado ese trabajo? —le dijo la mujer de Pierron, cuando le hubo dado el café—. No corría prisa.

La vecina tendría unos veintiocho años escasos, y pasaba por ser la mujer más guapa del pueblo. Era morena, con un carita muy graciosa y animada, la frente pequeña, los ojos grandes, la boca diminuta, y coqueta y limpia como ella sola, y de formas esbeltas, porque no había tenido hijos.

Su madre, la Quemada, viuda de un obrero que había muerto en la mina, después de poner a su hija a trabajar en una fábrica jurando que no la dejaría casar nunca con un carbonero, rabió de lo lindo cuando ésta se casó algo más tarde con Pierron, viudo también, y que, por añadidura, tenía una chiquilla de ocho años. Sin embargo, en aquella casa eran muy felices a pesar de los chismes y de las historias que circulaban acerca de las complacencias del marido y de los amantes de la mujer: no debían a nadie nada, comían carne dos días a la semana, y tenían una casita tan limpia, que se veía uno la cara en las cacerolas. Para colmo de fortuna, la Compañía los había autorizado para que vendiesen bombones y bizcochos, que se veían alineados en una tabla, en la ventana, convertida en escaparate; aquello daba seis o siete sueldos de ganancia diariamente, y algún domingo que otro, hasta doce o catorce. Era una suerte; sólo la tía Quemada solía gritar en su rabia de antigua revolucionaria, y sólo la pobre Lidia recibía algún que otro pescozón.

—¡Qué gordita está! —replicó la mujer de Pierron, haciendo caricias a Estrella.

—¡Ay! ¡Si vieras lo que esto da que hacer! ¡Ni me hables! —dijo la vecina—. Dichosa tú, que no tienes chiquillos. Al menos, puedes estar limpia.

Por más que en su casa todo estaba en orden, y que lavaba todos los sábados, miraba con envidia aquella sala tan limpia, arreglada hasta con coquetería, con una porción de cacharros bonitos en el aparador, un espejo y tres cuadros con sus correspondientes cristales.

La mujer de Pierron se preparaba a tomar sola el café porque toda su familia se encontraba a aquella hora en la mina.

—Tomarás una taza conmigo.

—No, gracias; acabo de tomarlo.

—¿Y eso qué importa?

Y, en efecto, no importaba. Las dos, una enfrente de otra, empezaron a beber lentamente. Por entre los aparadores llenos de bombones y bizcochos que había en la ventana, sus miradas se detuvieron en las fachadas de las casas de enfrente, cuyas cortinillas, más o menos blancas indicaban la mayor o menor limpieza en sus dueños. Las de la casa de Levaque estaban muy sucias: eran verdaderos trapos, que parecían haber servido para limpiar el fogón.

—¡Yo no sé cómo pueden vivir entre tanta porquería!

Entonces la mujer de Maheu se despachó a su gusto. ¡Ah! Si ella tuviese un huésped como aquel Bouteloup, de seguro podría salir adelante sin apuros. Cuando una sabe arreglarse, un huésped es una ganga. Pero no se debía dormir con él, como hacía la mujer de Levaque. Por eso, sin duda, su marido se emborrachaba y le pegaba, y correteaban los cafés cantantes detrás de las mujeres pérdidas de Montsou.

La mujer de Pierron demostró el asco que le daba pensar en aquello. Las cantantes de café contagiaban enfermedades a los hombres. En Joiselle había una que había puesto malos a todos los de una mina.

—Lo que me admira es que hayas permitido que tu hijo se arregle con la hija de ellos.

—¡Ah!, sí. ¡Quién impide eso!... Su jardín está contiguo al nuestro. En verano, Zacarías se pasaba el día con Filomena, detrás de las lilas, donde les veía todo el mundo que iba a sacar agua al pozo.

Era la eterna historia de la promiscuidad de sexos en el barrio; los hombres y las mujeres crecían mezclados, y se perdían detrás de cualquier montón de piedras en cuanto anochecía. Todas tenían su primer hijo en medio del campo, o cuando más se tomaban el trabajo de ir a echarlo a este mundo escondidas entre las ruinas de Réquillart. La cosa no tenía malas consecuencias, puesto que acababan por casarse; pero las madres maldecían cuando los chicos se casaban demasiado pronto, porque dejaban de darles dinero.

—Lo mejor que podías hacer, era dejarlos de una vez —aconsejó la mujer de Pierron prudentemente—. Zacarías ha tenido con ella dos hijos ya, y tendrá más... De todos modos, no puedes contar con su dinero, porque no te lo va a dar.

La mujer de Maheu, furiosa, extendió las manos.

—Mira —dijo—. Como vuelvan a juntarse... ¿No debe Zacarías respetarnos? Nos ha costado muy caro, y es preciso que nos indemnice de algo, antes de irse a vivir con una mujer. ¡Hazme el favor de decirme qué sería de todos nosotros, si nuestros hijos se pusieran a mantener enseguida una mujer! ¡Más valiera reventar!

Pero poco a poco fue calmándose.

—Esto lo digo por ahora; luego ya veremos... ¡Qué bueno está este café!...

Y después de otro cuarto de hora de charla, se marchó corriendo, al acordarse que no había hecho la comida de su marido y de sus hijos. Por la calle, los muchachos volvían de nuevo a la escuela, y algunas mujeres que se asomaban a las puertas de las casas miraban a la señora de Hennebeau, que en aquel momento pasaba por allí enseñando el pueblo a sus convidados. Aquella visita empezaba a poner en movimiento todo el barrio de obreros. El hombre que estaba sembrando legumbres en su jardín interrumpió un momento su tarea, mientras dos gallinas, asustadas, echaban a correr cacareando.

La mujer de Maheu tropezó con la de Levaque, que había abandonado su casa para salir al encuentro del doctor Vanderhaghen, médico de la

Compañía, un hombre bajito, y siempre atareado, que contestaba a las consultas de sus enfermos sin pararse.

—Señor —decía ella—, no duermo, y siento dolores en todas partes... Yo quisiera que hablásemos.

El médico, que las tuteaba a todas, contestó sin detenerse: —Déjame en paz. No tomes tanto café.

—También debería venir a ver a mi marido, señor doctor —dijo la mujer de Maheu—, porque no se le quitan los dolores de las piernas.

—Tú tienes la culpa; déjame en paz.

Las dos mujeres se quedaron con la boca abierta, viendo correr al doctor.

—Entra un momento —replicó la de Levaque, después de haber mirado a su vecina, y de haberse encogido de hombros con ademán desesperado—. Has de saber que hay novedades... Además, tomarás un poco de café recién traído de la tienda.

La mujer de Maheu quiso excusarse, pero no lo consiguió. —¡Qué demonio! Tomaría un poquito para darle gusto. Y entró en casa de su vecina.

La sala de ésta estaba muy sucia: los cristales de las ventanas y las paredes, llenos de manchas negras de arriba abajo; el aparador y las mesas chorreaban pringue, y el mal olor que reinaba por todas partes trastornaba a cualquiera. Junto a la lumbre, con los codos encima de la mesa v la nariz casi metida en su plato, estaba Bouteloup, joven aún para sus treinta y cinco años. En aquel momento estaba dando fin a un poco de cocido de la víspera, mientras a su lado, en pie y apoyándose en su muslo, Aquiles, el hijo mayor de Filomena, que ya tenía dos años, esperaba a que le diese algo, con la silenciosa expresión suplicante de un animalejo tragón. El huésped, que era muy cariñoso, le metía de vez en cuando una cucharada en la boca.

—Espera a que le eche azúcar —decía la mujer de Levaque, hablando del café a su vecina.

La dueña de la casa tenía seis años más que él: era horriblemente fea, y estaba muy ajada, con los pechos caídos hasta el vientre y los pelos siempre despeinados y sucios, llenos ya de canas.

El huésped se había contentado con aquella mujer, sin detenerse a analizarla, lo mismo que hacía con la comida, en la cual se encontraban pelos todos los días, y con la cama, donde no ponían sábanas limpias más que cada tres meses. La mujer entraba en el servicio de la casa, y el marido solía decir que, en cuestiones de cuentas, cuanto más amigos más claras.

—Te decía que había novedades, porque han visto ayer a la mujer de Pierron rondando el barrio de las Medias de seda. El caballero que tú sabes la esperaba detrás de la taberna de Rasseneur, y se marcharon juntos por la orilla del canal... ¿Eh? ¿Está eso bien en una mujer casada?

—¡Qué demonio! —dijo la mujer de Maheu—. Antes de casarse, Pierron regalaba conejos al capataz y ahora encuentra más barato prestarle el de su mujer.

Bouteloup soltó una carcajada estrepitosa, mientras metía otra cucharada en la boca de Aquiles. Las mujeres criticaron a la de Pierron, una coqueta, que no pensaba más que en mirarse al espejo y untarse de pomada. En fin; eso era problema de su marido, y allá con su pan se lo comiera. Había hombres tan ambiciosos, que eran capaces de tenerles la vela a los jefes, con tal de que éstos les dieran las gracias. Y siguieron charla que te charla hasta que fueron interrumpidas por la llegada de una vecina que llevaba en brazos a una chiquilla de nueve meses, Dorotea, la última que había tenido Filomena; ésta, que almorzaba en la mina, hacía que la llevasen todas las mañanas a su hija para darle de mamar, sentada en un montón de carbón.

—Yo no puedo dejar a la mía ni un momento, porque enseguida llora —dijo la mujer de Maheu, mirando a Estrella, que se había dormido en sus brazos.

Pero no consiguió evitar que la mujer de Levaque plantease la cuestión que se temía desde la llegada de Dorotea.

—Oye, tenemos que pensar seriamente en arreglar esto.

Al principio, las dos madres, sin decirse una palabra, habían estado de acuerdo para no apresurar la boda. Si la madre de Zacarías quería disfrutar todo el tiempo posible del dinero de su hijo, la madre de Filomena se encolerizaba pensando que se había de quedar sin el de su hija. No corría prisa: la segunda hasta había preferido quedarse con su nieto, mientras no hubo más que uno, y fuese pequeño; pero, cuando fue creciendo y comiendo pan, y vino otro al mundo, se creyó perjudicada, y quiso acelerar el casamiento para no perder más.

—Zacarías ha salido de quintas —continuó la Levaque—: ya no hay nada que nos detenga... Conque, ¿cuándo va a ser?

—Esperemos siquiera que venga el buen tiempo —contestó la mujer de Maheu, por decir algo—. Estas cuestiones son siempre desagradables. Como si no hubieran podido esperar a casarse para tener hijos. Mira, te doy mi palabra de honor de que ahogaría a Catalina si supiese que había hecho alguna tontería.

La mujer de Levaque se encogió de hombros.

—No digas eso, que lo mismo le sucederá a ella que a las demás.

Bouteloup, con la tranquilidad del hombre que está en su casa, se levantó y se fue a buscar pan al aparador. Las patatas, coles y guisantes para la comida de Levaque, se habían quedado encima de la mesa, a medio mondar y lavar cogidas y dejadas cien veces para empezar a charlar. La mujer había vuelto a cogerlas apenas, cuando volvió a soltarlas para asomarse a la ventana.

—¿Qué demonios es eso?... Toma ¡pues si es la señora de Hennebeau con unos forasteros! Ahora entran en casa de Pierron.

Y las dos se ensañaron de nuevo con la mujer de Pierron. ¡Oh! Siempre sucedía lo mismo; cuando la Compañía hacía que los señorones visitaran los barrios de obreros, los llevaban enseguida a su casa, porque era la más limpia. Seguro que no les contaría lo que pasaba con el capataz mayor. ¡Ya se puede ser limpia cuando se tienen queridos que ganan tres mil francos, casa, lumbre y mesa! Si era limpia por fuera, en cambio por dentro no lo era demasiado.

Y mientras los señores a quienes acompañaba la señora de Hennebeau estuvieron en la casa de enfrente, ellas dos no dejaron de murmurar. —Ya salen —dijo al fin la mujer de Levaque—. Dan la vuelta... Mira, mira, hija, me parece que van a tu casa.

A la mujer de Maheu le dio miedo. ¿Habría Alicia limpiado bien la mesa? ¡Y ella, que tampoco tenía la comida hecha! Dijo adiós, y echó a correr a su casa, mirando de reojo a la calle...

Pero al entrar vio que todo estaba en orden y muy limpio. Alicia, muy seria, con un trapo encima de la falda, había empezado a hacer la sopa, viendo que su madre no volvía. Después se puso a limpiar la verdura mientras se calentaba en la estufa el baño para su padre y sus hermanos, que habían de volver pronto del trabajo. Enrique y Leonor, que por casualidad no estaban haciendo travesuras, se entretenían en un rincón rompiendo un almanaque viejo.

El abuelo Buenamuerte estaba fumando su pipa en silencio.

Poco después que la mujer de Maheu, la señora Hennebeau llamó a la puerta y entró en la casa.

—Con su permiso, buena mujer.

La esposa del director era alta, rubia, guapa, aunque un poco maciza, en la madurez de sus cuarenta años; entraba sonriendo con esfuerzo por parecer afable, pero sin disimular demasiado el temor de mancharse el rico vestido de seda que llevaba puesto.

—Entren, entren —decía a sus convidados—. No molestamos a estas buenas gentes... ¿Eh? ¡Qué limpio está todo esto también! ¿No es verdad? ¡Y eso que esta pobre mujer tiene siete hijos! Pues todas las casas de nuestros obreros están lo mismo... Ya les he dicho que la Compañía les alquila estas habitaciones por seis francos al mes. Tienen todas una sala muy grande en el piso de abajo, dos cuartos arriba, un sótano y un jardín.

El caballero y la señora del abrigo de pieles que iba con él, que habían llegado aquella mañana de París, contemplaban todo aquello con verdadera admiración.

—Y un jardín —repitió la señora—. Esto es precioso; le dan a unas ganas de vivir aquí.

—Les damos también carbón, algo más del que necesitan —continuó diciendo la señora de Hennebeau—. Tienen médico que los visita dos veces por semana y cuando llegan a viejos reciben pensiones, a pesar de que no se les hace ningún descuento en el jornal.

—¡Esto es una Tebaida! ¡Una verdadera Jauja! —murmuró el caballero admirado.

La mujer de Maheu se había apresurado a ofrecerles sillas. Pero ellos no aceptaron. La señora Hennebeau empezaba a cansarse de aquel papel de exhibidor de curiosidades que le entretenía un rato, porque alteraba la monotonía de su destierro;

pero pronto le repugnaba el mal olor de aquellas viviendas, a pesar de lo limpias que generalmente se hallaban. Por lo demás, siempre que se presentaban ocasiones semejantes, repetía las mismas frases, casi aprendidas de memoria; y en cuanto volvía la espalda dejaba de pensar en aquel pueblo de mineros que trabajaba sin cesar y padecía horriblemente allí a su lado.

—¡Qué niños más hermosos! —dijo la señora forastera, que los encontraba horribles con aquellas cabezotas tan gordas, pobladas de crespos cabellos color de paja.

Y la mujer de Maheu tuvo que decir la edad que tenían, y contestar a las preguntas que por cortesía le hicieron acerca de Estrella. El viejo Buenamuerte, muy respetuoso, se había quitado la pipa de la boca; pero comprendía que no era nada agradable su aspecto de hombre gastado por cuarenta años de trabajo en el fondo de las minas; y como en aquel momento se sintiera acometido de un fuerte acceso de tos, prefirió irse fuera a escupir, temiendo dar asco a los forasteros.

Alicia fue la que logró una verdadera ovación. ¡Qué mujercita de su casa, con su delantal limpio y el trapo echado al hombro! Y todo se volvieron cumplimientos y enhorabuenas a su madre, por tener una hija tan lista y tan dispuesta para su edad. Nadie hablaba de su joroba; pero todas las miradas, impregnadas de compasión, se dirigían de continuo a la espalda de la pobre contrahecha.

—Ahora —dijo la señora de Hennebeau—, cuando os hablen en París de la vida de nuestros obreros, podréis contestar con conocimiento de causa... Siempre hay la misma tranquilidad que ahora; costumbres patriarcales; todos felices y saludables, como veis.

—¡Es maravilloso, maravilloso! —exclamó el caballero, en un acceso de entusiasmo final.

Salieron de allí tan satisfechos como se sale de la barraca donde se ha visitado un fenómeno, y la mujer de Maheu, que les había acompañado hasta la puerta, se quedó en pie bajo el dintel, viéndolos alejarse mientras hablaban en voz alta. Las calles se habían llenado de gente, y los forasteros tenían que atravesar por entre los grupos de mujeres, atraídas por la novedad de su visita.

Precisamente delante de la puerta de su casa, la mujer de Levaque había parado a la de Pierron, que, como todas, salió a curiosear, mientras los forasteros estaban en casa de Maheu. Las dos afectaron gran sorpresa al saber que habían entrado en casa de la vecina. ¡Caramba, cuánto tardan en salir! ¡Se irían a dormir allí! ¡Pues la casa no tenía mucho que ver!

—¡Siempre sin un cuarto, a pesar de lo que ganan! —decía una—. Es verdad que cuando se tienen vicios...

—Acabo de saber que esta mañana ha ido mendigando a casa de los señores de La Piolaine, y que Maigrat, que se había negado a darles nada fiado, le ha dado pan y otra porción de cosas... Ya sabemos cómo se cobra Maigrat —añadió la otra.

—¡Oh! Lo que es con ella no. Se necesitaría mucho estómago... Habrá fiado sobre Catalina.

—¡Ah! ¿Querrás creer que ha tenido valor para decirme ahora mismo que ahogaría a Catalina si le sucediera lo que a otras?... ¡Como si no hiciese mucho tiempo que el buen mozo de Chaval se entiende con ella por esos trigos de Dios!

—¡Chist! Que viene gente.

La mujer de Levaque y la de Pierron se habían contentado hasta entonces con observar la salida de los forasteros de casa de Maheu, aparentando no tener curiosidad. Luego llamaron por señas a la mujer de Maheu, que continuaba con Estrella en brazos. Y las tres se quedaron inmóviles, contemplando las espaldas bien vestidas de la señora de Hennebeau y de sus convidados, que se alejaban lentamente. Cuando estos estuvieron a un centenar de pasos de distancia, empezaron de nuevo a chismorrear.

—¡Cuidado con el dinero que llevan encima! Vale más la ropa que ellos.

—¡Ah! ¡Ya lo creo!... No conozco a la otra; pero lo que es la que vive aquí, buena pájara está hecha. ¡Se cuenta cada cosa de ella!

—¿Cómo? ¿Qué?

—Parece que tiene queridos... Primero, el ingeniero...

—¡Ese chiquitillo!... ¡Se le perderá entre las sábanas!

—¿Qué importa eso, si le divierte?... Yo me escamo siempre que veo una señora que a todo hace ascos, y que parece no estar satisfecha en ninguna parte. Mira, mira cómo vuelve la espalda, como despreciándonos a todas. ¿Está eso bien?

La señora del director y sus amigos continuaban su paseo lentamente, charlando en voz alta, cuando un carruaje cerrado fue a pararse a la puerta de la iglesia. De él echó pie a tierra un caballero como de cuarenta y ocho años de edad, vestido con levita negra a la inglesa, guapo y moreno, con expresión severa de autoridad en el semblante.

—¡El marido! —murmuró la mujer de Levaque, bajando la voz, como si temiera que la oyese, poseída del miedo jerárquico que el director inspiraba a aquellos diez mil obreros—. La verdad es que tiene cara de cornudo.

Toda la gente del barrio estaba en la calle. La curiosidad de las mujeres iba en aumento; los grupos se acercaban unos a otros, convirtiéndose en compacta muchedumbre, mientras que multitud de chicuelos mocosos se revolcaban por las aceras con la boca abierta. Un momento se vio la calva del maestro de escuela, que, por no ser menos de los demás, se asomaba por encima de la tapia de su jardín. Y el murmullo de la chismografía iba aumentando poco a poco, semejante a las rachas de viento que silban a través de las ramas de los árboles.

La gente acudía sobre todo a la puerta de la casa de Levaque. Se habían acercado, primero dos mujeres, luego diez, después veinte. La mujer de Pierron tenía la prudencia de callar, porque había demasiados oídos que escuchasen ahora. La mujer de Maheu, que era también de las más razonables, se contentaba con mirar, y a fin de acallar a Estrella, que acababa de despertar sobresaltada, sacó a relucir su pecho de vaca de leche, que le colgaba como agrandado por el continuo mamar de su hija. Cuando el señor Hennebeau abrió la portezuela y ayudó a subir a las señoras al coche, que pronto se alejó rápidamente en dirección a Marchiennes, hubo una explosión de voces y de chismes; todas las mujeres gesticulaban hablando a la vez, en medio de un tumulto propio de un hormiguero en revolución.

Pero dieron las tres. Los mineros que trabajaban de noche, el abuelo Buenamuerte, Bouteloup y sus compañeros, se habían marchado; de pronto, por la esquina de la iglesia, aparecieron los primeros grupos de carboneros que volvían de la mina, con la cara negra, la ropa mojada, cruzando los brazos y encorvando las espaldas. Entonces las mujeres se fueron a la desbandada: todas corrían, todas entraban en sus habitaciones con la precipitación de amas de casa arrepentidos, a quienes un exceso de café, y otro de afición a murmurar, habían hecho faltar a sus deberes. Y pronto no se oyó más que el ruido de las disputas domésticas.

—¡Ah! ¡Dios mío! ¡Y yo, que no tengo la comida hecha!

IV

Cuando Maheu volvió a su casa, después de haber dejado a Esteban en la de Rasseneur, encontró a Catalina, a Zacarías y a Juan, que estaban sentados a la mesa, acabando de comer. Al salir del trabajo, tenían tanta hambre, que comían sin quitarse la ropa mojada, y sin lavarse siquiera la cara; no se esperaban unos a otros; la mesa estaba puesta todo el día, desde por la mañana hasta por la noche, habiendo siempre alguno comiéndose su ración a la hora que se lo permitían las exigencias del trabajo.

Maheu vio las provisiones desde la puerta. Nada dijo, pero su semblante inquieto se serenó de pronto. Toda la mañana había estado pensando con desesperación que la casa estaba vacía, sin café y sin manteca siquiera. ¿Cómo se las arreglaría su mujer, mientras él luchaba heroicamente contra la hulla? ¿Qué iba a ser de la familia si había vuelto a casa con las manos vacías? Y se encontraba que tenía de todo. Más tarde le preguntaría cómo se había producido el milagro. Entre tanto, sonreía satisfecho.

Ya Catalina y Juan se habían levantado de la mesa, y estaban tomando el café de pie, mientras Zacarías, que no se daba por satisfecho con el cocido, se estaba comiendo un gran pedazo de pan muy untado de manteca. Había visto el pedazo de carne que Alicia estaba poniendo en un plato; pero no lo tocaba porque sabía que aquello era para su padre. Todos se echaron al coleto un buen trago de agua para ayudar a la digestión.

—No hay cerveza —dijo la mujer de Maheu, cuando su marido se hubo sentado a la mesa—. He querido guardar algún dinero... Pero si quieres, la niña puede ir por ella en un momento.

El marido la miraba asombrado. ¡También tenía dinero!

—No, no —dijo—. Ya he bebido un jarro en la taberna, y me sobra.

Maheu empezó a comer a cucharadas. Su mujer, sin dejar a Estrella de los brazos, ayudaba a Alicia, que servía a su padre, y le acercaba la manteca y la carne, y ponía el café a la lumbre, para que lo encontrase bien caliente.

Pero en un rincón había comenzado la operación de lavarse en un medio tonel transformado en cubeta de baño. Catalina, que se bañaba primero, acababa de llenarlo de agua tibia, y se desnudaba tranquilamente, quedándose como su madre la echó al mundo, porque tenía la costumbre de hacerlo así desde muy niña y no encontraba en ello mal alguno, a pesar de sus dieciocho años. No hizo más que volverse de cara a la pared, dando la espalda a la lumbre y empezó a frotarse vigorosamente con un estropajo y jabón negro. Nadie la miraba; ni siquiera Leonor y Enrique sentían curiosidad por saber cómo estaba formada.

Cuando se encontró bien limpia, subió desnuda la escalera, dejándose la camisa y la demás ropa mojada hechas un lío en el suelo. Pero entonces surgió una disputa entre los dos hermanos: Juan se había dado prisa a meterse antes en el barreño con el pretexto de que Zacarías no había concluido de comer; y éste lo empujaba, reclamando su turno, y diciendo que si tenía la amabilidad de permitir que Catalina se bañase antes, no quería ir después de su hermano, porque éste dejaba el agua como tinta y le daba asco. Acabaron por lavarse al mismo tiempo, vueltos de espaldas a la gente, y tan bien hicieron las paces, que uno a otro se ayudaron a restregarse las espaldas con el jabón. Luego, lo mismo que su hermana, desaparecieron desnudos por la escalera.

—¡Qué lodazal arman!... —murmuró su madre mientras recogía la ropa para ponerla a secar–. Alicia, pasa un trapo por el suelo; ¿oyes?

Pero un estrépito espantoso que se oía al otro lado del tabique le cortó la palabra. Aquel ruido era el de las voces descompuestas, juramentos de hombre, llanto de mujer, un estruendo de batalla campal, y de vez en cuando golpes tremendos, seguidos de grandes quejidos.

—La mujer de Levaque está recibiendo su correspondiente paliza —dijo con tranquilidad Maheu—; y eso que Bouteloup aseguraba que estaba hecha la comida.

—¡Ya, ya! ¡Cómo había de estarlo —dijo su mujer—, si acabo de ver las patatas encima de la mesa, y ni siquiera estaban mondadas!

El estruendo continuaba; de pronto se sintió una sacudida tremenda, que hizo retumbar la pared, seguida de un profundo silencio. Entonces el minero se metió en la boca la última cucharada, y añadió con la voz serena de un partidario acérrimo de la justicia.

—Si no ha hecho la comida, se comprende muy bien que le sucedan esas cosas.

Y después de beberse un gran vaso de agua, la emprendió con la carne de cerdo. Iba cortándola a pedacitos con la navaja, los colocaba en el pan, y se los comía sin usar tenedor. Cuando el padre comía, nadie hablaba. Él tampoco decía palabra. Aquel día pensaba que no tenía la carne de cerdo el gusto de la que se compraba en casa de Maigrat, y que, por lo tanto, debía proceder de otra parte; no quiso, sin embargo, dirigir pregunta alguna a su mujer. No hizo más que preguntar si estaba todavía durmiendo el viejo arriba. No; el abuelo había salido ya a dar su paseo cotidiano. Y volvió a reinar silencio en el comedor.

Pero el olor de la carne había hecho levantar la cabeza a Enrique y a Leonor, que estaban retozando por el suelo y entretenidos en jugar con el agua derramada del barreño. Los dos fueron a colocarse al lado de su padre. Ambos seguían con la vista cada uno de los bocados; lo miraban, llenos de esperanza, salir del plato, y consternados lo veían después desaparecer en la boca de su padre. A la larga Maheu advirtió aquel deseo gastronómico, que los tenía pálidos y haciéndoles la boca agua.

—¿No han comido de esto los chicos? — preguntó.

Su mujer titubeaba para contestar.

—Bien sabes que no me gustan esas injusticias. Se me quitan las ganas de comer cuando los veo alrededor mío, mendigando un bocado.

—¡Pero si ya han comido! —exclamó ella furiosa—. ¡Ya lo creo! Si les haces caso, tendrás que darles tu parte y la de los demás; porque por su gusto no dejarían de comer hasta reventar. ¿No es verdad, Alicia, que todos hemos comido carne?

—Desde luego, mamá —respondió la jorobadita, que en circunstancias semejantes mentía con el aplomo de una persona mayor.

Enrique y Leonor estaban atónitos, indignados de aquellas mentiras, porque sabían que cuando ellos mentían les daban azotes. Sus corazoncillos rebosaban indignación; se sentían inclinados a protestar enérgicamente, diciendo que ellos no estaban allí cuando los otros habían comido.

—Largaos de ahí —les dijo su madre, echándolos al extremo de la sala—. Debería daros vergüenza estar siempre metidos en el p ato e vuestro padre. Aun cuando fuera el único que comiera carne, ¿no trabaja acaso? Mientras que vosotros,

¡granujas!, no servís todavía más que para hacer el gasto. ¡Con lo gordos que estáis!

Pero Maheu los volvió a llamar. Sentó a Enrique sobre su rodilla izquierda, a Leonor sobre la derecha, y acabó de comerse la carne, repartiéndola con ellos. Los niños devoraban lo que les tocaba en el reparto.

Cuando hubo concluido, dijo a su mujer:

—No, no me des el café. Voy primero a lavarme... Ayúdame a tirar esta agua sucia.

Cogieron el barreño por las asas, y lo vaciaron en el arroyo, delante de la puerta de la calle. En aquel momento bajaba Juan, vestido con otra ropa, un pantalón y una blusa de lana que le estaban muy grandes, porque se los habían arreglado de unos de su hermano Zacarías. Al ver que se marchaba, haciéndose el distraído, por la puerta entreabierta, su madre le detuvo.

—¿Dónde vas?

—Por ahí.

—¿Dónde es por ahí?... Mira, vas a traer unos berros para esta noche. ¿Eh? ¿Me entiendes? Si no la traes, te las verás conmigo.

—¡Bueno! ¡Bueno!

Juan se marchó con las manos metidas en los bolsillos, arrastrando los zuecos, y andando con la dejadez propia de un minero viejo. Poco después bajó Zacarías algo más arreglado, con el talle encerrado en una chaqueta de punto negra con rayas azules. Su padre le dijo que no volviera muy tarde, y él salió meneando la cabeza, con la pipa en la boca y sin responder palabra.

El barreño se hallaba otra vez lleno de agua tibia, y Maheu se iba desnudando lentamente. A una mirada de la madre, Alicia, como de costumbre, se llevó a la calle a Enrique y a Leonor. El padre no quería lavarse delante de la familia, como hacían muchos vecinos suyos. No censuraba a nadie; pero decía que eso de lavarse delante de la gente estaba bien en los muchachos.

—¿Qué haces ahí arriba? —gritó la mujer de Maheu, asomándose a la escalera.

—Estoy cosiendo el vestido que se me rompió ayer —contestó Catalina. —Bueno... Pues no bajes ahora, porque tu padre se va a lavar.

Entonces Maheu y su mujer se quedaron solos. Ella se había decidido a poner sobre una silla a Estrella, que por suerte estaba contenta al amor de la lumbre, y no miraba a sus padres. Él, completamente desnudo, agachado delante del barreño, había metido la cabeza en el agua, después de untada con ese pícaro jabón negro, cuyo uso secular quitaba el color y la frescura al cabello de todos los de su raza. Luego se metió en el agua, frotándose todo el cuerpo vigorosamente con las dos manos. Su mujer, en ¡e delante de él, le miraba.

—Oye, he visto la cara que traías cuando llegaste... —empezó a decirla—. Estabas preocupado, ¿eh? Y te quedaste bizco al encontrar las provisiones... Imagínate que los burgueses de La Piolaine no me han dado ni un cuarto. ¡Oh! Son muy amables; han vestido a los chicos, y me daba vergüenza molestarles más, porque sabes que no sirvo para pedir.

Se interrumpió un instante para colocar bien a Estrella en la silla, temiendo una caída. El marido seguía frotándose la piel, sin apresurar con preguntas el desenlace de aquella historia que tanto le interesaba, y esperando pacientemente a saber lo sucedido.

—No tengo que explicarte que el bribón de Maigrat me recibió como a un perro, al que se echa a la calle a puntapiés... ¡Figúrate si estaría apurada! Los vestiditos de lana abrigan; pero no dan de comer: ¿no es verdad?

Él levantó la cabeza y continuó silencioso. Nada en la Piolaine, nada en casa de Maigrat: entonces, ¿qué? Pero, como de costumbre, la mujer acababa de levantarse las mangas para lavarle la espalda y todas aquellas partes adonde él no alcanzaba con comodidad. Le gustaba que ella le untase de jabón y que le restregara con todas sus fuerzas.

—Así es que volví otra vez a casa de Maigrat, y le dije, ¡ah!, le dije... que no tenía corazón, y que le sucedería una desgracia si había justicia en la tierra... Mis palabras le fastidiaban, le hacían mirar a otra parte, y de haber podido, se hubiera marchado...

De la espalda, la mujer de Maheu había bajado a la cintura, y, práctica en aquella faena, frotaba con el jabón por todas partes, dejándolas limpias como un espejo, como sus cacerolas los días que hacía sábado en la cocina. Pero con aquel terrible vaivén de los brazos sudaba y se sofocaba tanto, que apenas podía hablar.

—Por fin me llamó vieja fea... Pero tendremos pan hasta el sábado, y lo más raro es que me ha prestado dinero... Además, me traje de allí manteca, café, achicorias, e iba también a tomar algo de carne y algunas patatas, cuando noté que ponía mala cara... He traído de otra parte siete sueldos de carne de cerdo, dieciocho de patatas, y me quedan tres francos Y setenta y cinco céntimos para poner un puchero y un guisado de carne... ¿Eh, qué tal? Me parece que no he perdido la mañana.

Ya le estaba enjuagando, frotándole con un trapo en los sitios más recónditos. Él, satisfecho, y sin pensar en la deuda del mañana, se reía y la estrechaba en sus brazos.

—¡Déjame, tonto! ¿No ves que estás chorreando y me mojas?... Pero me temo que Maigrat tenga malas intenciones.

Iba a hablarle de Catalina, pero se detuvo. ¿A qué poner a su marido de mal humor? Podría dar lugar a sabe Dios cuantas cosas.

—¿Qué intenciones? —preguntó él.

—¿Cuáles han de ser? Las de robarnos todo lo que pueda.

Él la volvió a coger en sus brazos; pero esta vez no la dejó. Siempre acababa el baño de aquel modo, que no en vano le frotaba tan fuerte, y le pasaba un paño limpio para secarlo, haciéndole cosquillas sin querer. Es verdad que para todos los vecinos del barrio aquella era la hora de las caricias conyugales, pues por la noche los matrimonios tenían muy cerca, casi encima, a veces en el mismo cuarto, a toda la familia.

Él la empujaba hacia la mesa, sonriendo, con el aspecto de un hombre honrado que se entrega con delicia al único rato de placer que tiene en todo el día, y diciendo que aquello era el postre de la comida, un postre que no costaba nada. Y ella, entusiasmada también, se resistía un poco, pero en broma.

—¡Qué tonto eres, Dios mío! ¡Qué tonto!... ¡Y Estrella que nos está mirando! ¡Espera que le vuelva la cabeza!

—¡Eh! ¿Acaso se entiende de esto a su edad?

Cuando Maheu se levantó, no hizo más que ponerse un pantalón seco. Le gustaba después de haberse lavado y bromeado con su mujer, estar un rato desnudo de cintura arriba. Su cutis blanco, de una blancura de mujer anémica, estaba marcado por cien cicatrices producidas por el carbón en la mina, de las cuales se mostraba orgulloso, y por eso le agradaba lucir sus robustos brazos y su desarrollado pecho, blanco como el mármol y lleno de vetas azuladas. En verano, todos los mineros salían así a las puertas de las casas. Aquel día, a pesar de lo húmedo del tiempo, Maheu salió un momento, y cruzó una broma con un compañero suyo, que, desnudo también de cintura arriba, pasaba revista a su jardín. Otros aparecieron con la misma ropa, y los chiquillos, que jugaban en las aceras de la calle, levantaban la cabeza y reían, alegres ellos también de ver toda aquella carne de obreros puesta al aire libre.

Mientras tomaba el café, sin haberse puesto todavía la camisa, Maheu contó a su mujer lo que había sucedido aquella mañana con el ingeniero. Estaba tranquilo, comedido, y escuchaba, aprobándolos con movimientos de cabeza, los prudentes consejos de su mujer, que, de ordinario, mostraba muy buen sentido en aquellos asuntos. Siempre le decía que no se ganaba nada con ponerse en pugna con la Compañía. Enseguida habló a su marido de la visita de la señora del director.

Sin decírselo uno a otro, los dos estaban orgullosos.

—¿Se puede bajar? —preguntó Catalina desde lo alto de la escalera. —Sí; tu padre ya ha acabado.

La joven se había puesto la ropa de los domingos: una falda de lana azul, raída y descolorida ya por muchos sitios. En la cabeza llevaba una toca de tul negro, muy sencilla.

—¡Hola! ¡Te has vestido!... ¿Adónde vas?

—Voy a Montsou, a comprarme una cinta para el sombrero... He quitado la que tenía, porque estaba muy sucia.

—Pues cómo, ¿tienes dinero?

—No; pero la Mouquette me ha prometido prestarme diez sueldos.

La madre la dejó marchar. Pero cuando ya estaba en la puerta de calle, la llamó otra vez.

—Mira, no vayas a comprar la cinta a casa de Maigrat... Te robaría, creyendo que estamos nadando en la abundancia.

El padre, que se había acomodado al amor de la lumbre para acabarse de secar la espalda, se contentó con añadir:

—Procura volver antes de que sea de noche.

Por las tardes, Maheu trabajaba en su jardín. Ya había sembrado patatas, habas y guisantes, y tenía preparadas desde el día antes otras semillas, que se puso a arreglar entonces. Aquel rinconcillo de la huerta les proveía de legumbres, excepto de patatas, porque nunca tenían bastantes. El minero era muy inteligente, y había logrado coger alcachofas, lo cual constituía un lujo que le envidiaban todos los vecinos. Precisamente cuando se estaba preparando para dar comienzo a su tarea, salió Levaque a su jardín, y se puso a contemplar unos guisantes que Bouteloup había sembrado aquella mañana. Ambos empezaron a charlar por encima de la tapia. Levaque, que estaba excitado después de la paliza propinada a su mujer, trató inútilmente de llevar a Maheu a casa de Rasseneur. Pues qué, ¿le daba miedo un jarro de cerveza? Jugarían un rato a los bolos; pasearían un poco con los amigos, y se volverían tempranito a cenar. Aquélla era la vida que debía hacerse después de salir de la mina. Verdaderamente, no había mal en ello; pero Maheu se empeñó en no salir, diciendo que si dejaba las semillas para otro día se echarían a perder. La verdad es que se negaba porque no quería pedir a su mujer un cuarto del poco dinero que le quedaba.

Daban las cinco, cuando se presentó la mujer de Pierron a preguntar si su Lidia se había marchado con Juan. Levaque respondió que así debía de ser, porque también su Braulio había desaparecido, y los tres demonios aquellos andaban siempre juntos. Cuando Maheu los hubo tranquilizado, hablándoles de otras cosas, él y Levaque la emprendieron con la joven. Ella se enfadaba, pero no se iba, disfrutando en el fondo de aquellas palabrotas obscenas, que la hacían reír con todas sus fuerzas, al mismo tiempo que fingía defenderse del ataque. La escuela se había cerrado ya; toda la chiquillería del barrio estaba en la calle corriendo, gritando, pegándose y revolcándose en las aceras, mientras los padres que no estaban en la taberna charlaban en grupos de a tres o cuatro, sentados sobre sus talones, en la misma postura que solían tener en el fondo de la mina, y fumando sus correspondientes pipas.

La mujer de Pierron se fue furiosa a su casa, cuando vio que Levaque se empeñaba en ver si tenía los muslos firmes y este último se decidió a ir solo a casa de Rasseneur, mientras Maheu se quedaba trabajando en el jardín.

Anochecía, y la mujer de Maheu encendió el quinqué, furiosa contra sus hijos, porque ninguno de ellos, ni Catalina, habían vuelto. Era de suponer, porque, como decía, no había medio de hacer todos juntos comida alguna; jamás se veían todos los de la familia alrededor de la mesa. Además, estaba esperando los berros que había de traerle Juan: ¿qué demonios podía estar cogiendo aquel maldito muchacho con una noche tan oscura? ¡Y vendrían tan bien unos berros con el guisado de patatas y cebolla frita que tenían en la lumbre! Toda la casa estaba impregnada del olor de la cebolla frita, ese olor que trasciende tanto, que pronto penetra a través de los ladrillos, y que envuelve de tal modo los barrios de los obreros, que desde muy lejos se advierte aquel olor a cocina pobre.

Cuando Maheu, al oscurecer, abandonó su jardín, se sentó en una silla, y apoyó la cabeza en la pared. Por las noches, en cuanto se sentaba, se quedaba dormido. En el cu—cu dieron las siete; Enrique y Leonor, empeñados en ayudar a Alicia acababan de romper un plato, cuando el abuelo Buenamuerte entró metiendo prisa para que se cenara y poderse volver a la mina. Entonces la mujer de Maheu despertó a su marido.

—¡Vamos a cenar! ¡Peor para ellos!... Ya son grandecitos para encontrar la casa. Lo malo es que no tenemos verdura.

V

En casa de Rasseneu, Esteban, después de haber comido, subió al cuartito que había de ocupar; una especie de buhardilla con una ventana al campo; Y muerto de cansancio, se echó vestido encima de la cama. No había dormido ni cuatro horas en dos días. Cuando despertó, anochecía ya; se quedó un momento inmóvil, como aturdido, sin acordarse del sitio donde se hallaba, y sentía tanto malestar, una pesadez tan grande en la cabeza, que trabajosamente se puso en pie, con el propósito de dar una vuelta y tomar el aire antes de comer, para luego irse a acostar.

El ambiente se había calmado, y el cielo iba encapotándose, cargado de esas nubes del norte, cuya proximidad se presentía por lo tibio y húmedo del aire. La noche avanzaba rápidamente. Sobre aquel mar inmenso de tierra rojiza, el cielo, cada vez más nublado, parecía que iba a desatarse en agua.

Esteban salió de la casa, y comenzó a andar a la ventura, sin más objeto que despejarse la cabeza y sacudir la fiebre de que se sentía acometido. Cuando pasó por delante de la Voreux, ya envuelta en la oscuridad, porque todavía estaban los faroles sin encender, se detuvo un momento, para ver salir a los mineros de por la tarde. Sin duda eran las seis, porque los obreros salían por grupos numerosos mezclados con otros de cernedoras, que iban riendo y cantando por los oscuros caminos que conducían a los barrios.

Primero pasaron por el lado del joven la Quemada y su yerno Pierron. Iban peleándose, porque ella se quejaba de que no la había defendido en una disputa que acababa de tener con un vigilante a propósito de la cuenta de su trabajo.

—¡Maldito seas! ¡Vaya un hombre! ¡Quedarse callado delante de uno de esos canallas que nos explotan

Pierron continuaba su camino sin contestar, hasta que al fin exclamó: —¿Qué querías? ¿Qué hubiera abofeteado al jefe? Gracias; no tengo ganas de historias.

—¡Pues que te den morcilla entonces! ¡Ah, demonio! Si mi hija me hubiese hecho caso... Si estuviera yo en su pellejo, bien me las pagarías...

Las voces se perdieron a lo lejos, mientras Esteban la veía desaparecer con su nariz de pico de águila, sus enmarañados pelos blancos y sus brazos flacuchos y negros agitándose en el aire. Pero pronto puso atención a las palabras de unos jóvenes que pasaban por su lado.

Había reconocido a Zacarías, que estaba esperando allí a su amigo Mouque.

—¿Quieres venir? —le dijo éste al llegar—. Nos comeremos una tostada y nos iremos luego al Volcdn.

—Dentro de un rato, porque ahora tengo que hacer. —¿Qué tienes que hacer?

El obrero se volvió, y vio a Filomena que salía del taller de cerner. Entonces creyó comprender.

—¡Ah! Bueno... Entonces me voy delante. —Sí; te alcanzo enseguida.

Mouque, al marcharse, tropezó con su padre, Mouque el viejo, que salía también de la Voreux; los dos hombres se dieron las buenas noches con frialdad, y el hijo echó por el camino real, mientras el padre seguía por la orilla del canal.

Entre tanto, Zacarías, que se había acercado a Filomena, la empujaba por un sendero apartado, a pesar de su resistencia. Ella decía que llevaba prisa, y que otro día; y se peleaban como marido y mujer que llevaran mucho tiempo de casados. No era nada agradable aquel no verse más que en el campo, sobre todo en invierno, cuando la tierra estaba mojada y no había trigos donde tenderse.

—Pero mujer, si no es eso —dijo él impacientándose—. Es que tengo que decirte una cosa.

La tenía cogida por la cintura y la empujaba suavemente. Luego, cuando estuvieron lejos del camino por donde iban los mineros, le preguntó si tenía dinero.

—¿Para qué? —dijo ella.

Él, que no sabía qué decir, habló tartamudeando de una deuda de dos francos que le iba a producir un disgusto en su casa.

—Calla... He visto a Mouque, y sé que vais al Volcdn, a ver a esas puercas del café cantante.

Él se defendió como pudo, dándose golpes de pecho y jurando por su honor. Luego, viendo que ella se encogía de hombros, dijo bruscamente:

—Ven con nosotros, si quieres... Ya ves que no me estorbas. ¿Qué tengo Yo que hacer con esas cantantes?... Ven, ven.

—¿Y el chiquillo? —respondió ella—. ¿Crees tú que pueda una ir a ninguna parte con un chiquillo que ni está quieto un momento?... Deja que me vaya, que sin duda ya ni me esperan en casa.

Pero él la detuvo, suplicándole. Quería aquel dinero para no hacer mal papel con Mouque, al cual había prometido ir con él. Los hombres no podían acostarse todos los días a la hora de las gallinas. Ella, vencida, se había levantado el delantal y sacaba de la faltriquera una moneda de diez sueldos que con otro poco dinero tenía escondido para que no se lo robara su madre.

—Mira, tengo cinco —dijo—. Te prestaré tres; pero me has de prometer que convencerás a tu madre de que nos deje casarnos. ¡Basta ya de esta vida endemoniada! Mamá me echa en cara a cada momento el bocado de pan que como... Júramelo primero.

La pobre muchacha hablaba con voz tranquila, sin pasión, como una mujer simplemente harta de la vida que llevaba. Él juró que era cosa convenida, sagrada; luego, cuando tuvo en su poder las tres monedas, le dio un beso, le hizo cosquillas hasta que ella se echó a reír, y las cosas hubieran ido acaso más lejos, en aquel sitio que era su cama de invierno, si ella no hubiera dicho que no, que no le gustaba echarse en el suelo mojado. Filomena se fue al pueblo ella sola mientras él apresuraba el paso a campo traviesa para alcanzar a su compañero.

Esteban, tranquilamente, los había seguido desde lejos, sin comprender bien lo que pasaba, y creyendo que se trataba simplemente de una cita. En las minas, las muchachas eran precoces; se acordaba de las obreras de Lille, a las que iba a esperar a la salida del taller, cuando otro encuentro le sorprendió más todavía.

En la parte baja de la plataforma, una especie de foso, donde habían caído una porción de piedras desprendidas, estaba Juan, regañando con Braulio y Lidia, en medio de los cuales estaba sentado.

—¿Eh? ¿Qué es eso?... Voy a daros a cada uno otro soplamocos si no os calláis... Vamos a ver: ¿de quién ha sido la idea?

En efecto: Juan había tenido una idea. Después de haber pasado más de una hora con los otros chicos cogiendo berros en los prados a orillas del canal, había reflexionado, mientras contemplaba aquel montón de verde tan grande, que no podían comérselo en su casa, y en vez de volverse al barrio de los obreros, se dirigió a Montsou, dejando a Braulio de centinela, y obligando a Lidia a que llamase en casa de unos burgueses y vendiera los berros.

Él, que tenía ya alguna experiencia, decía que las chicas vendían lo que les daba la gana. En efecto: los vendió todos ' y la chiquilla volvió con once sueldos de ganancia, que se estaban repartiendo entre los tres.

—¡Es una injusticia! —declaró Braulio—, hay que hacer tres partes... Si tú te quedas con siete sueldos, nosotros no tocamos más que a dos por barba.

—¿Y por qué es injusto? —preguntó Juan furioso—. En primer lugar yo he cogido más que vosotros.

El otro se sometía casi siempre, poseído de cierta temerosa admiración, de cierta extraña credulidad que le hacía continuamente víctima de Juan, hasta el punto de que se dejaba pegar por éste, a pesar de ser mayor y más fuerte que él. Pero, esta vez, la idea de aquel dinero le animaba a ofrecer resistencia.

—¿No es verdad, Lidia, que nos roba?... Si no reparte bien, se lo diremos a tu madre.

Juan le puso el puño en las narices.

—Yo seré quien vaya a vuestras casas diciendo que me habéis vendido los berros que traía para mi madre... Además, animal, ¿puedo dividir los once sueldos en tres partes iguales? Vamos a ver si lo haces tú que eres tan listo..,. Aquí tenéis cada uno de vosotros dos sueldos. Cogedlos de prisa o me los guardo también.

Braulio, convencido, cogió las dos monedas. Lidia, temblorosa, no había dicho una palabra, porque delante de Juan experimentaba siempre un miedo y un cariño parecidos al de una mujer maltratada por su amante. Cuando le dio su dinero, alargó la mano para cogerlo con sumisa alegría. Pero de pronto él se arrepintió.

—¡Eh! ¿Qué vas a hacer con tanto dinero?... Tu madre te lo quitará, si no sabes esconderlo... Mejor es que yo te lo guarde, y que cuando lo necesites me lo pidas.

Y los nueve sueldos desaparecieron. Para cerrarle la boca le había dado un beso riendo, y se revolcaba con ella por el suelo. Era su mujercita, y en los rincones oscuros ensayaban los dos el amor tal como lo comprendían y como lo veían hacer en su casa, mirando por entre las rendijas de los tabiques de tablas. Todo lo sabían: pero como eran muy pequeños, no podían ponerlo en práctica, limitándose a jugar como dos perrillos callejeros. Él llamaba a aquello jugar a papa y mama; y ella corría detrás de Juan, y se dejaba abrazar con el delicioso temblor del instinto, a menudo enfadada, pero cediendo siempre con la esperanza de algo que no acababa de llegar.

Como a Braulio no le daban nunca parte en aquellos juegos y Juan le abofeteaba cuando quería bromear con Lidia, mientras los otros dos, que no hacían caso de su presencia, se entretenían, él, poseído de un malestar inexplicable, los contemplaba furioso y sin hablar. Así es que no pensaba más que en asustarlos, en interrumpirlos, diciéndoles a menudo:

—Oye, tú; allí hay un hombre mirando.

Aquella vez no mentía: era Esteban, que continuaba su paseo. Los chicos dieron un salto, y se escaparon, mientras él siguió su camino, sonriendo al ver el susto que había dado a aquellos bribones. Indudablemente era demasiado para la edad que tenían; pero, ¿cómo había de suceder otra cosa?, veían y oían tanto y tanto, que sólo estando atados se hubiera impedido que quisieran imitar a los mayores. Pero Esteban, sin saber por qué, se entristecía al contemplar todo aquello.

A los cien pasos tropezó con otras parejas. Llegó a Réquillart, y allí, alrededor de la antigua mina en ruinas, todas las muchachas de Montsou andaban con sus novios a sus anchas. Era el sitio de cita común, el rincón apartado y desierto donde las obreras iban a tener su primer hijo cuando no se atrevían a echarlo al mundo en otra parte. Las tablas arrancadas de la valla les abrían la entrada en el descampado que había sido plataforma de la mina, cambiado ahora en un terreno que interceptaban a cada paso los restos de los cobertizos derrumbados, y algún que otro aparato que había quedado en pie. Había por allí carretillas destrozadas, maderos antiguos casi podridos, mientras que una endeble vegetación iba reconquistando espontáneamente aquel pedazo de tierra, que empezaba a cubrirse de verde hierba. Todas las muchachas estaban allí como en su casa; para cada una había un rinconcito, un escondite donde su amante la esperaba, encima de los maderos viejos, o dentro de las carretillas inútiles. A veces las parejas estaban tan próximas, que casi se codeaban; pero todos ocupados en el propio placer, tratando de no mezclarse en las operaciones del vecino. Y parecía que en torno de la cegada mina, junto a aquel pozo harto de soltar carbón, la naturaleza se desquitaba, implantando el amor libre, que, fustigado por los deseos del instinto, iba plantando hijos en los vientres de aquellas muchachas, apenas mujeres todavía.

Y allí vivía, sin embargo, un guarda, el viejo Mouque, al cual daban la Compañía dos barracas, que no se habían hundido de milagro, pero cuya carcomida armazón de madera amenazaba ruina. Había arreglado un poco el techo, y se encontraba allí a las mil maravillas, ocupando él con su hijo una de las habitaciones, y su hija la Mouquette, la otra. Como las ventanas no tenían ni un solo cristal, se habían decidido a cerrarlas, clavándoles unas tablas por dentro; así, aunque no se veía mucho, se estaba más caliente. Por lo demás, aquel guarda, que no tenía nada que guardar, se iba a cuidar sus caballos a la Voreux y no se ocupaba nunca de las ruinas de Réquillart, donde sólo se conservaban las bocas de los pozos para que sirvieran de chimenea a una máquina de ventilación que renovaba el aire de la mina contigua.

Así pasaba el viejo Mouque los últimos años de su vida, en medio de escenas de amor. La Mouquette había recorrido con los hombres todos aquellos rincones misteriosos, desde la edad de diez años, no como una chiquilla asustada y aún sin desarrollar como Lidia, sino como una mujer hecha y derecha, hasta para los hombres maduros. El padre no había dicho nada, porque su hija era muy respetuosa, y nunca se permitió introducir un amante en su casa. Por otra parte, estaba tan acostumbrado a aquellos espectáculos, que nada le asustaba.

Cuando iba o volvía al trabajo, cada vez que salía de su casa, tropezaba con parejas amorosas que se solazaban desvergonzadamente sobre la hierba; y peor si salía a buscar leña para encender la lumbre; entonces, veía levantarse delante de sí uno a uno todos los galanes de Montsou, mientras que con el mayor cuidado iba mirando donde pisaba, para no caer de bruces sobre el cuerpo de alguna muchacha. Poco a poco, todos se habían ido acostumbrando a los encuentros con el viejo, y nadie se molestaba ya, ni él, que miraba donde ponía los pies, ni las parejas, que no se tomaban el trabajo de interrumpirse, seguras de que, como buen viejo, que se sometía ante las cosas de la naturaleza, no les había de decir palabra. Pero así como ellas le conocían, aun de noche, él había acabado por conocerlas también. ¡Ah! ¡Qué juventud! ¡Con qué despreocupación se entregaba a satisfacer sus placeres! A veces meneaba la cabeza, como recordando y echando de menos mejores tiempos. Una sola cosa le causaba mal humor; dos enamorados habían tomado la costumbre de apoyarse en el tabique de su cuarto, que crujía a cada momento, y aunque la cosa no le quitaba el sueño, rabiaba, porque a la larga iban a echarlo abajo.

Todas las tardes el viejo Mouque recibía la visita de su amigo el tío Buenamuerte, que siempre, antes de comer, daba el mismo paseo. Los dos viejos hablaban apenas, cruzando cuando más, una docena de palabras durante la media hora que estaban reunidos. Pero les divertía verse juntos, pensando, el uno al lado del otro, en cosas antiguas, que recordaban con placer al mismo tiempo, sin necesidad de decírselas mutuamente. En Réquillart se sentaban en un madero, hablaban un par de palabras, y se iban al país de los sueños y de los recuerdos, con la cabeza agachada y mirando al suelo. Alrededor de ellos, los mozos del pueblo se divertían con sus novias; se oían de vez en cuando risas misteriosas y rumor de besos, y un olor a mujer subía de la verde hierba que las parejas hollaban con sus cuerpos. Hacía ya cuarenta y tres años lo menos que el tío Buenamuerte había escogido por esposa a una comedora, tan endeble y tan bajita, que tenía necesidad de subirla a una carretilla para poder besarla a su gusto. ¡Ah! ¡Cuánto tiempo había transcurrido! ¡Cuántas cosas habían pasado desde entonces! Y los dos viejos se separaban luego, meneando tristemente la cabeza, y a menudo sin despedirse siquiera.

Aquella noche, sin embargo, en el momento en que llegaba Esteban, el tío Buenamuerte, que se levantaba del madero que le servía de banco, para volverse a su casa, dijo a Mouque:

—Buenas noches.

Mouque permaneció un momento silencioso, y luego, encogiéndose de hombros repetidas veces, contestó entrando en su barraca:

—Buenas noches.

Esteban fue a sentarse en el mismo madero que acababan de abandonar los dos ancianos. Su tristeza aumentaba, sin que él supiera por qué. El viejo, a quien veía desaparecer lentamente, le recordaba su llegada a la mina la noche antes, y las palabras que el frío sin duda le arrancara entonces, Pues estaba visto que era de lo más callado que podía darse. ¡Qué miseria! ¡Y todas aquellas muchachas, rendidas de cansancio, que aún tenían humor para irse por la noche a encargar chiquillos, futura carne de trabajo y de sufrimiento! Aquello seguiría así siempre, mientras ellas continuasen echando al mundo seres predestinados a la desgracia. ¡Cuánto mejor hubieran hecho defendiéndose de sus novios como de la proximidad de un gran peligro! Tal vez aquellas ideas tristes acudieron a su mente, por efecto de verse solo a la hora en que cada cual buscaba a su novia para disfrutar misteriosos placeres.

La influencia del tiempo debía contribuir también; la pesadez de la atmósfera le ahogaba; gruesas gotas de lluvia, escasas todavía, mojaban de cuando en cuando sus manos febriles.

Sí; a todas, a todas las muchachas de allí les sucedía lo mismo. Las necesidades de la naturaleza eran más fuertes que la razón.

Por el lado de Esteban, que permanecía sentado e inmóvil, pasó, casi rozándole, una pareja que llegaba de Montsou, y que se internó en el descampado de Réquillart. Ella, que seguramente era una chiquilla, se resistía, defendiéndose con ruegos en voz baja, casi con murmullos de súplica; mientras él, silencioso, la empujaba, sin hacerle caso, hacia la oscuridad de un rincón del cobertizo que había quedado en pie en medio de aquellas ruinas.

Eran Catalina y Chaval. Pero Esteban, que no los había conocido al pasar, los seguía con la vista sin moverse, observando el final de aquella historia, poseído de pronto de una brutal sensualidad, que trocaba el curso de sus reflexiones. ¿Para qué intervenir? Cuando las mujeres dicen que no, es que quieren hacerse rogar.

Al salir de su casa, Catalina se había dirigido a Montsou. Desde los diez años, desde que se ganaba la vida en la mina, iba sola por todas partes, disfrutando de esa libertad completa habitual entre las familias de los mineros; y si a los dieciséis años aun no había tenido nada que ver con ningún hombre, se debía sin duda al tardío despertar de su pubertad, cuya crisis estaba esperando todavía. Cuando llegó a las canteras de la Compañía, atravesó la calle y entró en casa de una lavandera, donde estaba segura de encontrar a la Mouquette; porque ésta se pasaba allí las horas muertas con una porción de mujeres que, desde por la mañana hasta por la noche, se entretenían en pagarse, una detrás de otra, rondas de café. Pero tuvo un disgusto, porque la Mouquette, que acababa de convidar en aquel momento, se había quedado sin dinero, y no pudo prestarle los diez sueldos prometidos. Para consolarla, le ofrecieron, aunque en vano, un vasito de café caliente. No aceptó, ni quiso que su compañera pidiera prestados a otra los diez sueldos. Acababa de asaltarle el impulso de ahorrar, una especie de supersticioso temor: la seguridad de que si compraba entonces la deseada cinta, le ocurrirán grandes males.

Se apresuró a tomar de nuevo la dirección de su casa, y ya se hallaba a la salida del pueblo, cuando un hombre que estaba parado a la puerta del café de Piquette, la llamó:

—¡Eh! ¡Catalina! ¿A dónde vas tan de prisa?

Era Chaval, el buen mozo. La muchacha se sintió contrariada, no porque le disgustase, sino porque no estaba para bromas.

—Entra a tomar algo... ¡Una copita de licor! ¿Quieres?

Ella se negó, dando las gracias con amabilidad, porque se hacía de noche y la estaban esperando en su casa. El que se le había acercado, le suplicaba cariñosamente en voz baja, en medio de la calle. Hacía mucho tiempo que acariciaba la idea de hacerla subir al cuarto que ocupaba en el piso alto del café de Piquette, una habitación muy bonita, con cama de matrimonio. ¿Se asustaba de él cuando con tanta insistencia se negaba siempre a complacerle? Ella, sin enfadarse, se reía, diciéndole que subiría la semana en que no pudieran concebirse hijos. Luego, sin saber cómo, en el calor de la conversación, empezó a hablar de la cinta azul que no había podido comprar.

—¡Yo te compraré una! —exclamó Chaval.

Catalina se puso colorada, comprendiendo que no debía aceptar, pero atormentada por el deseo de no quedarse sin la cinta. Volvió a tener la idea de pedir un préstamo y acabó por aceptar el ofrecimiento de Chaval, con la condición de que le devolvería lo que le costase la cinta. Empezaron a bromear de nuevo, y quedó convenido que, si no dormían juntos una noche, le devolvería el dinero. Pero surgió otra dificultad, cuando Chaval quiso que fueran a comprar la cinta a casa de Maigrat.

—No, allí no; mi madre me lo ha prohibido.

—¿Y qué, acaso tienes la obligación de decir dónde has estado?...

En aquella tienda vendían las cintas más bonitas de Montsou.

Cuando Maigrat vio entrar en su casa a Chaval y a Catalina como dos novios que fueran a hacer sus compras de boda, se puso muy colorado y enseñó las piezas de cinta azul con la rabia de un hombre que se siente burlado. Luego, cuando los dos jóvenes acabaron de comprar y se marcharon, salió a la puerta para verles irse y desaparecer en la oscuridad de la calle; y como en aquel momento se presentara su mujer a preguntarle una cosa, la emprendió con ella, la injurió y juró que se vengaría de todos los canallas que eran ingratos con él cuando debían besar la tierra que él pisaba.

Chaval fue a acompañar a Catalina. Iba a su lado con los brazos caídos, pero la empujaba con la rodilla y la llevaba adonde quería, como quien no hace nada. De pronto advirtió ella que se habían salido de la carretera y que estaban en el estrecho sendero que conducía a Réquillart. Pero la joven no tuvo tiempo para enfadarse, porque él la había cogido por la cintura y la aturdía, acariciándola con dulces palabras que no cesaban. ¡Qué tontería tener miedo! ¿Había él de desear mal a una chiquilla tan mona, a quien quería con toda su alma, a la que se comería a besos? Y le soplaba suavemente detrás de la oreja y en el cuello, haciendo correr un estremecimiento extraño por toda la piel de su cuerpo. Ella, sofocada por una sensación singular, no encontraba palabras con que responder. En efecto, parecía que Chaval la amaba. Precisamente el sábado anterior, al apagar la luz para meterse en la cama, se había preguntado a sí misma qué sucedería si la cogía a solas por un camino; luego, al dormirse, había soñado que, invadida por el deseo del placer, no se atrevía a decirle que no. ¿Por qué aquella noche sentía cierta repugnancia inexplicable? Mientras le hacía cosquillas en la nuca con los bigotes, con tanta suavidad que ella cerraba los ojos de gusto, la sombra de otro hombre, el recuerdo del que había conocido aquella mañana, la atormentaba, y le parecía que lo estaba viendo delante de sí, a pesar de hallarse con los ojos cerrados.

De pronto Catalina miró a su alrededor; Chaval acababa de hacerla entrar en el descampado de Réquillart, y quiso retroceder ante la oscuridad del cobertizo abandonado, hacia donde la empujaba.

—¡Oh! No, no, no... ¡Por Dios, déjame!

El miedo al hombre la atenazaba; ese miedo que contrae los músculos en un movimiento de instintiva defensa, hasta cuando las mujeres lo desean y sienten la avasalladora proximidad del varón. Su virginidad, que nada, sin embargo, tenía que aprender, se asustaba como ante la amenaza de un golpe, de una herida, cuyo dolor, desconocido todavía, la llenaba de espanto.

—¡No, no; no quiero! Te digo que soy demasiado joven... De veras, otro día. Esperaremos al menos a que sea mujer.

Él gruñó sordamente:

—Pues entonces, tonta, ¿qué te importa?... Nada hay que temer.

Y ya no volvió a hablar. La había sujetado fuertemente, y la tiraba al suelo en un rincón del cobertizo. Ella no procuró tampoco defenderse, sometiéndose antes de tiempo a la voluntad masculina, con esa pasividad hereditaria que a todas las muchachas de su raza las había hecho caer en brazos de los hombres, de aquel modo y en medio del campo. Sus quejidos sofocados se apagaron y no se oyó más que la ardiente respiración de Chaval.

Esteban, sin embargo, lo había oído todo desde su asiento. ¡Otra que se entregaba como las demás! Y después de haber visto la comedia, se levantó, poseído de un malestar, de una especie de celosa excitación, en la que dominaba el sentimiento de rabia. No le importó hacer ruido, y se alejó de allí, saltando por encima de las maderas; los otros dos estaban demasiado ocupados para que aquello les estorbase. Pero se quedó sorprendido cuando, ya en el camino y a un centenar de pasos de distancia, volvió la cabeza y vio que estaban ya en pie, y que habían tomado el mismo camino que él para volver al pueblo. El hombre llevaba a la muchacha cogida por la cintura, con ademán agradecido, y seguía hablándole cariñosamente al oído; ella, en cambio, parecía tener mucha prisa, y aceleraba el paso, ansiando llegar a su casa y lamentando lo tarde que era.

Entonces Esteban se vio acometido de un deseo vehemente: el de verles las caras. ¡Qué imbecilidad! Apresuró el paso para no ceder a él; pero sus pies se detenían de continuo, y acabó por esconderse junto al primer farol que halló en el camino, a fin de verlos cuando pasasen. Se quedó estupefacto al reconocer a Catalina y a Chaval. En un principio no quiso creer lo que estaba viendo. ¿Sería en verdad la misma aquella muchacha vestida de azul, peinada como las mujeres? ¿Sería la misma que el chiquillo vestido con pantalón de tela que había trabajado con él aquella mañana en la mina? A causa de eso sin duda, sus cuerpos se habían hallado en contacto impunemente. Pero ya no podía dudar; acababa de tropezar con sus ojos; y el color verde claro de sus pupilas y su mirar profundo no podían ser confundidos con los de nadie. ¡Maldito traje de hombre! No se lo perdonaría nunca. Y como si tuviera razón para ello, la despreciaba y juraba vengarse. Verdad es que vestida de mujer estaba muy mal; las faldas le sentaban fatal.

Catalina y Chaval continuaron lentamente su camino. Como no sabían que se les espiaba, él la estrechaba la cintura para darle besos en el cuello, y ella, sin advertirlo, acortaba de nuevo el paso bajo la influencia de aquellas caricias que la hacían reír. Como se había quedado atrás, Esteban se veía obligado a seguirlos, irritado porque se atravesaban en su camino, y furioso de tener que presenciar aquella escena que le exasperaba. Era, pues, verdad lo que le había dicho en la mina: que no era todavía querida de aquel hombre; y él, ¡estúpido!, que se había privado de hacerle el amor, temiendo le acusara de imitar al otro: y él, ¡majadero!, que se la había dejado arrebatar, llevando su necedad hasta el extremo de divertirse en presenciar su derrota.

Aquel paseo duró media hora. Cuando la pareja llegaba cerca de la Voreux, detuvo de nuevo el paso, y se paró dos veces a la orilla del canal y tres en la plataforma, muy alegre y gozosa, y entreteniéndose para prodigarse todo género de caricias. Esteban, que no quería ser visto, tenía que detenerse también, haciendo las mismas paradas. Se esforzaba en pensar que aquello le serviría de lección para no andarse con miramientos cuando tratase con las chicas de la mina. Luego, cuando pasada la Voreux, tuvo el camino expedito y pudo irse libremente a comer a casa de Rasseneur, continuó, sin embargo, siguiéndolos, los acompañó hasta el barrio de los obreros, y allí, en la sombra, esperó un cuarto de hora a que Chaval dejara que al fin Catalina entrara en su casa, después de darle dos besos que sonaron mucho. Cuando estuvo bien seguro de que ya no se hallaban juntos, echó a andar nuevamente por la carretera de Marchiennes, a paso acelerado, sin pensar en nada, y demasiado fatigado y triste para encerrarse en su casa.

Una hora después, a eso de las nueve, Esteban volvió a pasar por el pueblo diciéndose que sin remedio era necesario comer y acostarse, si había de estar en pie a las tres de la mañana. En el barrio de los obreros, envuelto ya en la oscuridad de la noche, todos dormían. Ni una sola luz se dejaba ver a través de las persianas cerradas. Un gato solamente corría , su antojo por los desiertos jardinillos. Era el final de la jornada, el anonadamiento de aquellos trabajadores, que desde la mesa caían en la carne rendidos de cansancio y hartos de comer.

VI

En casa de Rasseneur, en la salita que ya conocen nuestros lectores, tres mineros de los que trabajaban de día estaban bebiendo cerveza. Pero antes de entrar para acostarse, Esteban se detuvo, contemplando por última vez aquellas tinieblas. Veía la misma oscura inmensidad que cuando en medio de la tormenta había llegado a aquellos lugares en la madrugada anterior; delante de él se adivinaba, más que se veía, la masa informe de los edificios de la Voreux, mal alumbrados por alguno que otro farol. Los tres braseros de la plataforma lucían en el aire, y de vez en cuando, a merced de las llamaradas escapadas de ellos, se destacaban las siluetas del tío Buenamuerte y de su caballo tordo, agrandadas de un modo prodigioso. Y más allá, en la llanura inmensa, todo había quedado sumergido en la oscuridad: Montsou, Marchiennes, el bosque de Vandame, el amplio mar de remolachas y de trigo, y de vez en cuando, luciendo como fardos, los azulados braseros de las minas, o las vagas llamaradas que se escapaban de las altas chimeneas. Poco a poco la noche se iba metiendo en agua; la lluvia caía ya lenta, copiosa, continua, mientras en todos aquellos alrededores se oía un solo ruido: la respiración de la máquina de la Voreux, que ni de día ni de noche se dejaba de escuchar.

III PARTE

I

El día siguiente, y en los sucesivos, Esteban reanudó su trabajo en la mina. Iba acostumbrándose, y su existencia se amoldaba a aquellas tareas y aquellos hábitos, que tan rudos e insufribles le parecieron en un principio; una sola aventura alteró la monotonía de la primera quincena: una ligera fiebre, que le tuvo cuarenta y ocho horas en la cama, con los miembros destrozados, la cabeza dolorida y ardiéndole, y creyendo en su delirio que empujaba obstinadamente una carretilla de carbón por una galería angosta e interminable, y tan baja de techo, que su cuerpo casi no podía pasar. Era simplemente la calentura de aclimatación un exceso de cansancio, del que pronto se repuso.

Y los días sucedían a los días, y semanas y meses iban transcurriendo. Lo mismo que sus compañeros, se levantaba a las tres, tomaba el café y se llevaba la merienda preparada por la mujer de Rasseneur. Todos los días, al llegar por la mañana a la mina, encontraba a Buenamuerte que iba a acostarse, y cuando salía por la tarde se cruzaba en el camino con Bouteloup, que iba a trabajar. Usaba el chaquetón de cuero, el pantalón y la blusa de tela, y tiritaba y se calentaba en la estufa de la barraca como todos los demás. Después tenía que esperar a la boca del pozo a que le llegase el turno de bajada, descalzo y expuesto a furiosas corrientes de aire que venían de todas partes. Pero la máquina, cuyos miembros de acero adornados de cobre brillaban en lo alto, no le preocupaba ya; ni los cables que corrían veloces, ni las jaulas hundiéndose y subiendo en silencio con la mayor regularidad, en medio del estrépito de las señales, de las voces de mando y del rodar estruendoso de las carretillas, llamaban su atención. Su linterna alumbraba mal; el maldito del farolero no la había limpiado bien; y no le escandalizaban ya los azotes en las nalgas que el hijo de Mouque propinaba a todas las muchachas que bajaban con ellos en el mismo viaje. La jaula se hundía, cayendo como una piedra tirada a un pozo, sin que siquiera volviese la cabeza para ver cómo desaparecía la claridad. Jamás pensaba en la posibilidad de una caída, y se encontraba como en su casa cuanto más iba entrando en la oscuridad profunda del fondo de la mina. Abajo, cuando Pierron les abría la jaula del ascensor, con su aspecto hipócrita, era siempre el mismo sordo rumor de pasos apagados, de gran rebaño en marcha, que producían los obreros, alejándose cada cual por su galería, para llegar a la cantera donde trabajaba. Y conocía las galerías de la mina mejor que las calles de Montsou, y sabía cuándo era necesario bajarse, tomar a la derecha o a la izquierda, o echarse a un lado para evitar un charco. Tal costumbre tenía de andar aquellos dos kilómetros, que habría podido fácilmente recorrerles sin linterna y con las manos metidas en los bolsillos. Y siempre se producían los mismos encuentros: un capataz alumbrando al pasar los carros de los obreros, y el tío Mouque conduciendo su caballo, Braulio guiando a Batallador, que no lo necesitaba, Juan corriendo detrás de un tren de carretillas, cerrando las compuertas de ventilación, y la gorda Mouquette y la flacucha Lidia empujando sus correspondientes carretillas.

A la larga, Esteban, se iba acostumbrando a la humedad y al calor de la cantera, que le hacían sufrir mucho menos que en los primeros días. La chimenea le parecía muy cómoda, como si la hubieran ensanchado y no fuese la misma por donde tanto trabajo le costaba pasar antes. Respiraba sin dificultad, a pesar del polvillo de carbón, veía en la oscuridad, sudaba sin desesperarse, y se habituaba a la sensación de tener la ropa mojada desde por la mañana hasta por la noche. Además, ya no gastaba torpemente sus fuerzas, porque había adquirido la habilidad de un buen trabajador, con tal rapidez, que era el asombro de sus compañeros. Al cabo de tres semanas se le citaba entre los buenos obreros de la mina; no había ninguno quizás que llevara ni más deprisa ni mejor su carretilla hasta el plano inclinado, ni que la colocara en los rieles con más habilidad. Su pequeña estatura le permitía pasar por todas partes y sus brazos, aunque eran finos y blancos como los de una mujer, parecían de acero por su fuerza Y su resistencia en el trabajo. Jamás se quejaba, sin duda por orgullo; ni siquiera cuando se veía rendido de fatiga. Lo único que le echaban en cara era que no le gustaban las bromas, y que se enfadaba con facilidad. Pero se transigía con él, considerándolo como un verdadero minero, que, como los demás, por la fuerza de la costumbre, se sometía a hacer las veces de una máquina.

En medio de la general estimación, Maheu, muy especialmente, iba tomando cariño a Esteban, porque sentía siempre cierto respeto por el que trabajaba a conciencia. Además, lo mismo que sus otros compañeros, comprendía que aquel muchacho tenía una instrucción muy superior a la suya; le veía leer, escribir, dibujar planos, y le oía hablar de cosas de las cuales ignoraba él hasta la existencia. Todo aquello no le asombraba, Porque los mineros son gente ruda, que tienen menos cabeza que los maquinistas; pero le sorprendía el valor de aquel mozo y los ánimos con que se había hecho minero para no morirse de hambre. Era el primer obrero de otro oficio que se había aclimatado tan pronto' Así es, que cuando el trabajo corría prisa, por no distraer a un cortador de arcilla, encomendaba a Esteban el revestimiento de madera, seguro de que lo había de hacer con solidez y prontitud. Los jefes seguían fastidiándole siempre con aquella pícara cuestión del revestimiento, y temía a cada momento ver aparecer al ingeniero Négrel acompañado de Dansaert, chillando, discutiendo y regañando para mandar deshacer el trabajo y hacerlo de nuevo; creía haber observado que lo que hacía Esteban satisfacía a aquellos señores, quienes, sin embargo, no dejaban de decir que estaban hartos, y que la Compañía se vería obligada a tomar severas medidas. El estado de las cosas iba siendo alarmante: en la mina crecía sordamente el descontento, y Maheu mismo, que era hombre tranquilo y prudente, acababa por cerrar los puños con rabia.

Al principio había habido cierta rivalidad entre Zacarías y Esteban; una tarde se habían amenazado con darse de bofetadas, pero el primero había tenido que reconocer la superioridad del joven, lo cual, dado su carácter, no era muy extraño, porque tenía un carácter dúctil, y era un pobre muchacho que no pensaba más que en divertirse, y que hacía las paces con cualquiera por un jarro de cerveza. También Levaque ponía buena cara al forastero, y hablaba de política con él, exponiéndole sus ideas radicales. Y, entre todos los compañeros, solamente notaba cierta sorda hostilidad por parte de Chaval, y no ciertamente porque dejaran de tratarse como buenos camaradas; sin embargo, cuando estaban juntos, las lenguas decían lindezas, pero los ojos se insultaban. Catalina continuaba con su aire de muchacha cansada y resignada, trabajando animosamente, amiga de su compañero, pero fiel a su amante, cuyas caricias soportaba abiertamente. Era una situación aceptada; unas relaciones a las cuales hacía la vista gorda toda la familia, hasta el punto de que Chaval acompañaba todas las noches a Catalina hasta la puerta de su casa, después de llevársela al cobertizo de Réquillart y pasar allí un rato acariciándola. Al despedirse, se daban un beso delante de todos los vecinos del barrio.

Esteban, que creía haberse resignado a la situación, bromeaba a menudo con ella a propósito de sus paseos, empleando esas palabras soeces al uso entre hombres y mujeres en el fondo de las minas; y ella contestaba en el mismo tono, contando todo lo que le hacía su amante; pero pálida y temblorosa, sin embargo, cuando sus miradas tropezaban con las de Esteban.

Cuando tal sucedía, uno y otro volvían la cabeza, se quedaban a veces una hora sin hablar palabra, y como si se odiasen por cosas secretas entre ellos sobre las cuales no habrían de explicarse nunca.

Había llegado la primavera. Esteban un día, al salir de la mina, había recibido en pleno rostro una bocanada suave de viento de abril, un olor agradable de tierra nueva, de verdor, de aire puro; y desde aquel día, cada vez que abandonaba el trabajo, la primavera le parecía más hermosa después de aquellas seis horas de faena en el eterno invierno de la mina, en medio de aquella oscuridad profunda, jamás animada por el verano. Los días iban siendo más largos, y Esteban había terminado, a fines de mayo, por bajar al salir el sol, cuando el cielo color de púrpura alumbraba la Voreux entre las vaguedades de la aurora. Ya no tiritaba; por la llanura llegaban bocanadas de aire templado. Luego, al salir a las tres de la tarde, se sentía deslumbrado por el sol que ya quemaba incendiando el horizonte, enrojeciendo los ladrillos ennegrecidos por el polvo del carbón. En junio, los campos de trigo verdeaban ya, contrastando su color con lo oscuro de los campos de remolacha. Era un mar de espigas moviéndose continuamente a impulsos del aire, que se extendía, creciendo de día en día, y que a veces Esteban creía encontrar más dilatado al salir de la mina, que cuando, al entrar en ella por la mañana, se había detenido a contemplarlo.

Los pocos árboles que crecían a orillas del canal se iban poblando de hojas. La hierba invadía la plataforma de la mina, los prados se cubrían de florecillas, la vida de la naturaleza animaba aquella tierra, debajo de la cual perecía de hambre y de cansancio todo un pueblo de desheredados.

Entonces, cuando Esteban salía a pasear por las noches, no era por detrás de la plataforma donde sorprendía a las parejas amorosas. Veía sus huellas por entre los trigos, adivinaba entre las espigas sus nidos de pájaros. Zacarías y Filomena, sin duda por costumbre, habían vuelto a frecuentar el campo; la tía Quemada, siempre detrás de Lidia, la sorprendía a cada instante con Juan, tan escondidos y juntitos, que era necesario materialmente ponerles los pies encima para verlos; y en cuanto a la Mouquette, se entregaba a los placeres del amor en todas partes. No había medio de salir al campo sin encontrarla en brazos de algún minero.

Pero todas ellas eran libres de hacer lo que quisieran; el joven no consideraba culpable semejante conducta más que las noches que se encontraba a Catalina con Chaval. Dos veces vio que, al aproximarse él, se escondían, dejando inmóviles las espigas donde se habían ocultado. Otra vez, en ocasión de ir por un estrecho sendero, los ojos de Catalina se le aparecieron a la altura de los trigos, escondiéndose enseguida. Entonces la llanura inmensa le parecía pequeña, y prefería pasar la velada en casa de Rasseneur.

—Señora Rasseneur, deme cerveza. No, no voy a salir esta noche estoy rendido.

Y se volvía a mirar a un compañero suyo, que de ordinario se sentaba en una de las mesillas del fondo, apoyando la cabeza en la pared.

—¿No quieres tú un jarro, Souvarine? —No, gracias; no tomo nada.

Esteban había conocido a Souvarine porque vivía allí, en la misma casa, en el cuarto contiguo al suyo. Tendría unos treinta años, era delgado, rubio, de cara alargada y fina, y barba escasa. Sus dientecillos blancos y afilados, su boca y nariz correctas y lo sonrosado de su cutis, le daban el aspecto de una muchacha, aspecto de dulzura, turbado a veces por los destellos violentos de sus ojos azules. En su habitación de obrero pobre no había más que un cajón de papeles y de libros. Era ruso; no hablaba jamás de sí mismo, y dejaba que se contaran acerca de él todo género de estupendas historias legendarias. Los mineros, desconfiados siempre con los extranjeros, considerándolos de clase distinta a la suya, al ver sus manos pequeñas y finas, habían supuesto que era algún asesino refugiado allí, a fin de burlar la acción de la justicia. Luego, el ruso se había mostrado tan fraternal con ellos, tan sin orgullo, había distribuido de tal modo entre toda la chiquillería del barrio los cuartos que llevaba algunos días en los bolsillos, que le aceptaban ya sin desconfianza y tranquilos, habiendo oído el rumor de que era un refugiado político, rumor vago, pero que le servía de escudo contra las calumnias de los primeros días.

Al principio, Esteban le encontró tan reservado, que le fue antipático. No conoció su historia hasta algún tiempo después. Souvarine era el hijo menor de una familia de la provincia de Tula. En San Petersburgo, donde se hallaba estudiando medicina, el apasionamiento socialista, que perturbaba a toda la juventud rusa, le había decidido a aprender un oficio, el de maquinista, a fin de poderse confundir con el pueblo, y conocerlo y tratarlo como a hermanos. Entonces vivía de ese oficio, después de haber emigrado de su país a consecuencia de haberse comprometido en una tentativa de asesinato contra el Emperador; durante un mes había vivido oculto en una cueva, abriendo una mina, cargando bombas, en el constante peligro de que volase la casa donde trabajaban los conspiradores. Enojado con su familia, que renegaba de él, sin un cuarto y rechazado de los talleres de Francia, donde porque era extranjero se sospechaba que era un espía, se había estado muriendo de hambre, hasta que al fin la Compañía de Montsou le había dado trabajo en un momento de apuro. Un año hacía que estaba trabajando como buen obrero, sobrio, de pocas palabras, y haciendo una semana servicio nocturno y otra servicio de día, con una exactitud tan grande, que a menudo le citaban los jefes como modelo de buenos obreros.

—¿Pero, hombre, tú nunca tienes sed? —le preguntaba Esteban sonriendo.

—Nada más que cuando como.

Su compañero le hacía también bromas a propósito de las mujeres, y juraba haberle visto tendido en los trigos con una comedora. Él siempre se encogía de hombros con tranquila indiferencia. ¿Una comedora? ¿A qué? Las mujeres, para él, eran compañeras, buenas amigas, si tenían el espíritu de fraternidad y el valor de un hombre. Y si no, ¿a qué interesar el corazón por quien no lo merecía? No quería ni mujer, ni amigos ni lazos de ningún género; deseaba ser libre.

Todas las noches, cuando a eso de las nueve la taberna quedaba desierta, Esteban charlaba un rato con Souvarine. Él bebía su ración de cerveza a pequeños sorbos, para saborearla mejor; el otro fumaba cigarrillo tras cigarrillo, el humo de los cuales le tenía manchadas las yemas de los dedos.

Sus vagas miradas místicas parecían seguir las nubecillas del humo de su cigarro, a través del país de los ensueños; su mano izquierda, siempre nerviosa, tentaba en el aire, porque no podía estarse quieta, y ordinariamente acababa por instalar sobre sus rodillas a un conejo casero, una coneja, mejor dicho, siempre preñada, que andaba suelta por la casa corno un perrillo.

El animalito, al cual habían bautizado con el nombre de Polonia, le tenía gran cariño; se acercaba a olerle el pantalón, se ponía de pie sobre las patitas de atrás, le arañaba cariñosamente con las de delante, hasta que conseguía que la cogiese en brazos como si fuera una criatura. Luego se acurrucaba contra él, echaba las orejas atrás, y cerraba los ojos, en tanto que el obrero, sin cansarse nunca, maquinalmente, con un movimiento inconsciente de caricia, pasaba la mano por el sedoso pelo de su lomo.

—¿Sabéis —dijo una noche Esteban— que he recibido otra carta de Pluchart?

No había nadie en la tienda más que Rasseneur. El último parroquiano acababa de marcharse.

—¡Ah! —exclamó Rasseneur, que estaba de pie delante de sus dos huéspedes—. ¿Dónde está Pluchart?

Hacía dos meses que Esteban se carteaba con el maquinista de Lille al cual había dado noticia de su entrada en las minas de Montsou, y que ahora trataba de adoctrinarle, entusiasmado con la idea de la propaganda que podía hacer entre los mineros.

—La verdad es que la tal Asociación marcha divinamente. Parece que de todas partes se reciben numerosas adhesiones.

—¿Qué dices tú de esa Asociación? —preguntó Rasseneur a Souvarine. Éste, que estaba acariciando a Polonia, echó una bocanada de humo, murmurando con su habitual tranquilidad:

—¡Otra tontería!

Pero Esteban se exaltaba. Cierta predisposición a sublevarse le lanzaba a la lucha entre el capital y el trabajo, en medio de las primeras ilusiones de su ignorancia. Se trataba de la Asociación Internacional de Trabajadores, de la famosa Internacional que acababa de fundarse en Londres. ¿No significaba aquello un esfuerzo supremo, el comienzo de una campaña heroica, en la cual saldría vencedora la justicia?

Ya no habría fronteras; los trabajadores del mundo entero se unirían, y se levantarían enérgicos y amenazadores para asegurar al obrero el pan que tan trabajosamente ganaba. ¡Y qué organización tan sencilla y tan grandiosa! Primero, la sección que representa el Municipio; luego, la federación que agrupa las secciones; después, la nación, y finalmente, la humanidad entera, encarnada en una especie de Consejo general, en el cual cada nación se vería representada por su secretario correspondiente. Antes de seis meses habrían conquistado los de la Internacional todo el orbe, y dictarían órdenes a los capitalistas que quisieran resistirse.

—¡Tonterías! —replicó Souvarine—. Vuestro Karl Marx no piensa más que en dejar que obren las fuerzas naturales. Nada de política, nada de conspiración, ¿no es verdad? Todo a la luz del día, y sin más objetivo que el aumento de los salarios... ¡Andad al demonio con vuestra revolución, que me hace reír! Prended fuego a las ciudades por los cuatro costados, destruíd los pueblos, arrasadlo todo; y cuando no quede nada de ese mundo podrido, quizás nacerá otro que sea mejor.

Esteban se echó a reír. Seguía sin comprender las palabras de su amigo; aquella teoría de la destrucción total le parecía inventada por él para darse tono. Rasseneur, más práctico y con el buen sentido propio de un hombre establecido, no se enfadó. Pero quiso precisar las cosas.

—Entonces, qué; ¿piensas fundar una sección en Montsou?

Eso era lo que deseaba Pluchart, a quien habían nombrado secretario general de la federación del norte. Insistía, sobre todo, en los buenos servicios que la Asociación podría prestar a los mineros, si algún día éstos se declaraban en huelga. Esteban juzgaba precisamente que la huelga estaba próxima, porque la cuestión del revestimiento de maderas, que aún se hallaba pendiente, acabaría mal sin duda; cualquier exigencia de la Compañía sublevaría a los mineros.

—Lo malo son las suscripciones —declaró Rasseneur con tono juicioso—. Parece que cincuenta céntimos —anuales para el fondo general y dos francos para el de la sección, son una insignificancia, y estoy seguro, sin embargo, de que muchos no querrán darlos.

—Tanto más —observó Esteban—, cuanto que debíamos empezar por crear aquí una Caja de Socorros, que, en caso necesario, convertiríamos en Caja de Resistencia... En fin, es tiempo ya de pensar en algo de eso. Yo, Por mi parte, estoy dispuesto, si los demás lo están.

Hubo un momento de silencio. El quinqué de petróleo, colocado sobre el mostrador, alumbraba la estancia. Por la puerta, que estaba de par en par, llegaba hasta los tres interlocutores, se distinguía a la perfección, el ruido producido por la pala de un fogonero de la Voreux que atestaba de carbón una caldera de la máquina.

—¡Está todo tan claro! —replicó la señora Rasseneur, que acababa de entrar, y escuchaba con ademán sombrío las últimas palabras de los tres hombres—. Si supierais que me han costado los huevos hoy a veintidós sueldos... Por fuerza tiene que estallar esto.

Sus tres interlocutores fueron de la misma opinión.

Hablaban uno detrás de otro, y todos lamentándose con voz compungida. El obrero no podía resistir aquella vida; la revolución había aumentado sus miserias; los burgueses eran los que engordaban desde el 93, sin dejar a la clase obrera ni los platos sucios para que los rebañase. ¡Que dijera cualquiera si los pobres trabajadores tenían la parte que en justicia les correspondía en el aumento de la riqueza pública que se notaba en los cien últimos años! Se habían burlado de ellos, declarándolos libres; sí, libres de morirse de hambre, lo cual no se privaban de hacer. Porque votar a favor de los caballeretes que solicitaban sus sufragios para olvidarse de ellos enseguida, no les daba de comer. No; de un modo o de otro, era necesario acabar: bien pacíficamente por medio de leyes, por un acuerdo amistoso, o bien como salvajes, prendiéndole fuego a todo y devorándose unos a otros. Era imposible que se acabara el siglo sin otra revolución, que sería la de los obreros, una revolución que limpiara la sociedad completamente y que la reorganizaría sobre bases más equitativas.

—¡A la fuerza ha de estallar esto! —repetía la señora Rasseneur.

—¡Sí, sí! —exclamaron los otros tres—. A la fuerza.

Souvarine, que acariciaba las orejas de Polonia, cuyas narices tiritaban de gusto, dijo a media voz, con los ojos entornados y como si hablara consigo mismo, sin dirigirse a nadie:

—¿Acaso se pueden aumentar los salarios? Están fijados por ciertas leyes económicas, que los reducen a la cantidad indispensable, precisamente la necesaria, para que el obrero coma pan y tenga hijos... Si bajan mucho, los obreros se mueren de hambre, y las huelgas y las quejas los hacen subir.. Si suben demasiado, aumenta la oferta para hacerlos bajar ...

Es el equilibrio de las barrigas vacías, la condena a cadena perpetua en el presidio del hambre.

Cuando se abandonaba de aquel modo a sus ideas, hablando de las cuestiones que preocupan al socialista instruido, Esteban y Rasseneur se quedaban inquietos y turbados ante sus desoladoras afirmaciones, a las cuales no sabían cómo contestar.

—¡Lo veis! —replicó con su calma acostumbrada—. Es preciso destruirlo todo, o vuelve a aparecer el hambre. ¡Sí! ¡La anarquía, y nada más que la anarquía; la tierra lavada con sangre, purificada por el fuego!... Luego, ya se verá lo que viene.

—El señor tiene razón —declaró la mujer de Rasseneur, que en aquellas discusiones revolucionarias se mostraba siempre muy cortés.

Esteban, desesperado con su ignorancia, no quiso discutir más, y se levantó, diciendo:

—Vamos a acostarnos. Todo esto no evitará que me tenga que levantar a las tres.

Souvarine, después de haber tirado al suelo la punta del último cigarrillo, cogía a Polonia con el mayor cuidado para dejarla en el suelo. Rasseneur cerraba la tienda. Todos se retiraron con zumbidos en los oídos, y la cabeza pesada por el recuerdo de aquellas gravísimas cuestiones que habían discutido.

Y todas las noches tenían conversaciones por ese estilo en aquella sala desocupada y en torno al jarro de cerveza que Esteban tardaba una hora en beberse.

Un conjunto de ideas vagas que dormían en él le agitaba si cesar. Devorado, sobre todo, por el afán de aprender, había vacilado mucho tiempo antes de decidirse a pedir libros prestados a su vecino, el cual, desgraciadamente, no tenía sino obras escritas en alemán y en ruso. Por fin había hecho que le prestasen un libro en francés sobre Sociedades Cooperativas; otra tontería, según decía Souvarine; y leía también con toda regularidad un periódico que recibía éste, titulado El Combate, publicación anarquista que veía la luz en Ginebra. Por lo demás, y a despecho de sus amistosas relaciones y de su continuo trato, veía siempre al ruso reservado, inalterable, despreciando la vida y mirándolo todo con indiferencia.

En los primeros días de julio la situación de Esteban mejoró. En medio de la monotonía de aquella vida de la mina, se había producido un incidente: los trabajadores del filón Guillermo habían tropezado con roca viva; una perturbación en las capas carboníferas, que anunciaba ciertamente la proximidad de la desaparición del filón, y, en efecto, pronto desapareció tras unas capas de rocas, que los ingenieros, a pesar de su conocimiento profundo del terreno, no habían sospechado siquiera. Aquello conmocionó a la gente de la mina; no se hablaba más que del filón que había desaparecido.

Los mineros viejos abrían las narices como buenos perros lanzados a caza de la hulla. Pero entre tanto el trabajo no había de quedar en suspenso, y la tablilla de anuncios de la Compañía puso en conocimiento de todos que se iban a celebrar nuevas subastas.

Un día Maheu, al salir del trabajo, se dirigió a Esteban, y le propuso entrar a formar parte de su cuadrilla, en reemplazo de Levaque, que se había marchado a otra parte. La cosa estaba ya arreglada con el ingeniero y con el capataz mayor, que parecían hallarse muy satisfechos del joven. Así fue que Esteban no tuvo más que aceptar lo que le ofrecían, felicitándose por aquel ascenso, que, aparte de mejorarle materialmente, demostraba iba en aumento la consideración y el afecto que Maheu le tenía.

Aquella misma tarde se reunieron en la mina para enterarse del anuncio. Las canteras sacadas a subasta se llamaban el filón Filomena situado en la galería norte de la Voreux. Parecían no ofrecer grandes ven tajas, y el minero meneaba la cabeza con aire de mal humor, escuchando la lectura de las condiciones que en voz alta hacía Esteban. En efecto: cuando al día siguiente bajaron, y le llevó a visitar el filón nuevo, le hizo notar la gran distancia que lo separaba del pozo de subida, la naturaleza desventajosa del terreno, y el poco espesor y mucha dureza del carbón. Pero, sin embargo, si querían comer, tenían que trabajar sin remedio. Así, que el domingo —siguiente fueron juntos al acto de la subasta, que se celebraba en la barraca, presidido por el ingeniero de la mina, en ausencia del ingeniero de aquella división. Négrel estaba acompañado por el capataz mayor. Se hallaban presentes quinientos o seiscientos carboneros al pie de una pequeña plataforma que habían colocado en un rincón, y las adjudicaciones estaban tan animadas, que no se oía más que un ruido sordo de voces, que gritaban cifras, ahogadas por otras cifras más subidas.

Por un momento Maheu temió no poder obtener ninguna de las cuarenta canteras que la Compañía había sacado a subasta. Todos los concurrentes pujaban la baja, inquietos por el rumor de crisis, y acometidos por el pánico de quedar sin trabajo. El ingeniero Négrel no se apresuraba ante aquella lucha encarnizada, dejando bajar la subasta a las cantidades más pequeñas posibles, mientras Dansaert, deseoso de sacar mayores ventajas para sus amos, mentía, ponderando las bondades de las canteras subastadas. Fue preciso que Maheu, para conseguir lo que necesitaba, luchara encarnizadamente con otro compañero, que por lo visto se hallaba en el mismo caso; cada cual en su turno iba bajando un céntimo en el precio de la carretilla; y si Maheu quedó al cabo vencedor, fue porque tanto y tanto bajó, que el mismo capataz Richomme, que estaba en pie detrás de él, empezó a enfadarse, le dio un codazo y murmuró que jamás podría salir adelante con semejante precio.

Cuando salieron de allí, Esteban, que juraba y blasfemaba, estalló de rabia al ver a Chaval que, flamante y con aire de conquistador, volvía con Catalina de pasear por los trigos, mientras su padre se ocupaba en los asuntos serios.

—¡Será posible!... —gritó—. ¡Vaya una manera de portarse!... Es decir, que ahora sean los obreros quienes se aprietan entre sí.

Chaval se enfureció: él no hubiera bajado tanto, y Zacarías, que acababa de ponerse a escuchar por mera curiosidad, declaró que era insoportable. Pero Esteban le impuso silencio con un gesto de violenta y sorda cólera.

—¡Esto acabará el día menos pensado, y seremos los amos! —dijo.

Maheu, que no había vuelto a decir palabra desde que terminara la basta, pareció despertar entonces de un pesado sueño, y exclamó:

—¿Los amos?... ¡Ah, maldita suerte! ¿Cuándo será el día ... ?

II

Era el último domingo de julio, día de la fiesta de Montsou. El sábado por la tarde, las amas de casa habían fregado las salas de abajo, baldeándolas con cubos de agua echada en el suelo y contra las paredes, y el Pavimento no estaba todavía seco, a pesar de la arenilla blanca que le habían echado, sin reparar en gastos, porque aquello era un verdadero lujo para sus escuálidas bolsas. El día amaneció caluroso; era uno de esos días sofocantes, amenazadores de tempestad, tan frecuentes en los países del norte.

Los domingos cambiaba el horario de levantarse en casa de los Maheu. Mientras el padre, a las cinco de la mañana, harto ya de cama, se vestía, los hijos se permitían el lujo de dormir hasta las nueve. Aquel día Maheu salió al jardín a fumar una pipa, y luego volvió a entrar en la casa, y se comió una tostada de pan y manteca para hacer tiempo y no aburrirse. Así pasó la mañana sin saber cómo, componiendo una pata de la mesa que estaba despegada, y pegando en la pared, debajo del reloj, un retrato del Emperador, que habían regalado a sus hijos.

Todos fueron bajando uno a uno; el abuelo Buenamuerte había sacado una silla a la calle para sentarse a tomar el sol; la madre y Alicia habían empezado desde luego a trabajar en la cocina. Catalina apareció con Leonor y Enrique, a quienes acababa de vestir; y ya daban las once, y la casa estaba impregnada del olor que despedía un guisado de conejo con patatas puesto a la lumbre temprano, cuando se presentaron Zacarías y Juan con los ojos hinchados de dormir y bostezando todavía.

Todo el barrio estaba en movimiento ya, animado por la fiesta, y cada cual apresurándose a comer para dirigirse en grandes grupos en dirección a Montsou. Cuadrillas de chicos galopaban por las calles; multitud de hombres en mangas de camisa hacían sonar las zapatillas que llevaban en chancleta con esa pereza característica de los días de descanso. Las ventanas y las puertas, abiertas todas de par en par a causa del calor, permitían ver la fila de salas limpiadas de la víspera, y animadísimas por la alegre charla y el reír bullicioso de todas las familias. Por todas partes olía a conejo guisado; un olor de cocina rica, que aquel día combatía el inveterado perfume de la cebolla frita.

Los Maheu comieron a las doce en punto. No se mezclaban demasiado en la algazara general, ni hacían mucho caso de los chismes de tantos que se cruzaban de casa a casa, pidiéndose cosas prestadas, y hablando de todo un poco, y un mucho de lo que se iban a divertir en la fiesta del pueblo. Es verdad que hacía tres semanas que se habían enfriado sus relaciones con sus vecinos los Levaque, con motivo de la boda de Zacarías y Filomena. Los hombres se veían de cuando en cuando; pero las mujeres estaban como si no se hubieran conocido en la vida. Esta cuestión estrechó los lazos de amistad con la mujer de Pierron. Pero ésta, dejando a Pierron y a Lidia al cuidado de su madre, se había marchado desde muy temprano aquella mañana a pasar el día en casa de una prima suya, que vivía en Marchiennes; y todos bromeaban, porque ya sabían quién era la prima; tenía bigote, y era capataz mayor de la Voreux. La mujer de Maheu declaró que no estaba bien dejar sola a la familia en un día tan solemne como aquél.

Además del conejo guisado con patatas, al que habían estado engordando durante un mes, los Maheu tenían sopa y carne para celebrar la fiesta. Precisamente el día antes se había cobrado la quincena. No recordaban haberse regalado de tal modo nunca. Ni siquiera cuando las fiestas de Santa Bárbara, durante las cuales los mineros no trabajaban en tres días, había estado tan rico el conejo. Los diez pares de mandíbulas que había en la casa, desde las de Estrella, a quien empezaban a salir los dientes, hasta las de Buenamuerte, al cual apenas le quedaba ninguno ya, trabajaban con tal ardor, que ni los huesos quedaron en los platos.

La carne era buena; pero la digerían mal, porque no estaban acostumbrados a comerla. No quedó más que un poco de caldo para por la noche. Si tenían hambre, harían tostadas con manteca.

Juan fue el primero que desapareció; Braulio le esperaba al otro lado del jardín. Los dos rondaron largo rato por allí antes de poder arrancar de su casa a Lidia, a quien retenía la Quemada, porque había resuelto no salir y que no saliera la chiquilla. Cuando advirtió la fuga de la muchacha, gritó y se enfureció, agitando en el aire sus escuálidos brazos, mientras Pierron, aburrido de oírla chillar, se fue de paseo, con el aire de un marido que sale a divertirse sin remordimiento, sabiendo que su mujer se divierte también Por otro lado.

Luego se marchó el viejo Buenamuerte, y Maheu se decidió también a tomar un poco de aire, después de convenir con su mujer en que se reunirían en el pueblo. Ella al principio se negaba, porque le era imposible ir a ninguna parte con los chiquillos; luego dijo que quizá pudiera, que lo pensaría despacio, y por fin accedió a lo que su marido le pedía, prometiéndole que iría a buscarle para volver juntos a casa. Cuando se vio en]a calle, titubeó un momento, y por fin se decidió a entrar en casa de los vecinos a ver si Levaque estaba listo; pero se encontró allí a Zacarías, que estaba esperando a Filomena, y la mujer de Levaque planteó su eterna cuestión del casamiento de los chicos, diciendo que se burlaban de ella, y que tendría una charla decisiva con la mujer de Maheu. ¡Estaba bonito que tuviera ella que cargar con los hijos de su hija, que no tenían padre, mientras Filomena se iba por ahí a gozar con su amante! La joven acabó de ponerse tranquilamente la cofia, y Zacarías se la llevó, diciendo que él, por su parte, quería casarse, siempre que su madre consintiese. Como Levaque había salido ya, Maheu dijo a la vecina que se entendiera con su mujer, y se marchó también apresuradamente. Bouteloup, que estaba comiendo un pedazo de queso, con los codos apoyados en la mesa, se negó obstinadamente a aceptar el convite que le hacía de ir a tomar un jarro de cerveza. Se quedaba en casa, como buen marido.

Poco a poco, el barrio de los obreros iba quedando desierto. Los hombres se habían marchado, mientras sus hijas, que en las puertas de sus casas los observaban, se iban enseguida, en dirección opuesta, del brazo de sus queridos. Cuando su padre desaparecía por la esquina de la iglesia, Catalina, que vio a Chaval, se dio prisa para reunirse con él, y tomar, cogida de su brazo, el camino de Montsou. Y la madre, que se había quedado sola y rodeada de los chicos pequeños, no teniendo ánimos para moverse de la silla, se sirvió otro vaso de café, que empezó a beber a pequeños sorbos. En el barrio no quedaban ya más que las mujeres casadas, invitándose unas a otras a tomar algo, y acabando de vaciar las cafeteras en derredor de las mesas, llenas aún de restos de comida.

Maheu suponía que Levaque estaba en la taberna de Rasseneur, Y tomó el camino hacia allí, pero sin darse prisa. En efecto: detrás de la casita, en el jardinillo cerrado por una tapia, Levaque jugaba a los bolos con otros compañeros. En pie y sin jugar, los dos viejos Buenamuerte y Mouque, seguían las bolas con la vista, de tal modo absorto en su contemplación, que no hablaban ni una sola palabra. El sol caía a plomo, no se disfrutaba mas que un poco de sombra arrimándose a la pared de la casa; allí estaba Esteban, sentado junto a una mesa con un jarro de cerveza delante, Y aburrido porque su amigo Souvarine acababa de dejarle para subir a su cuarto. Casi todos los domingos el maquinista se encerraba a leer o a escribir.

—¿No juegas? —preguntó Levaque a Maheu.

Pero éste rehusó. Tenía mucho calor, y estaba ya muriéndose de sed. —¡Rasseneur! —gritó Esteban—. Trae un jarro.

Y volviéndose a Maheu:

—Oye, yo pago.

Ya se tuteaban todos.

Rasseneur no tenía prisa, por lo visto, y hubo que llamarle tres veces; al fin su mujer fue la que, con aquel ademán cortés que le era habitual, llevó lo que habían pedido. El joven había bajado la voz para quejarse de la casa; eran buenas gentes, que tendrían ideas laudables, pero la cerveza que daban era pésima, y en cuanto a las comidas, además de no ser limpias no había quien pudiera tragarlas. Ya se hubiera mudado mil veces de casa, si no temiera ir a vivir a Montsou, que estaba tan lejos de la mina. Tendría que acabar buscando una familia de las del barrio de los obreros que quisiera darle habitación y ropa por un tanto mensual.

—Realmente, realmente —repetía Maheu con su reposado tono— estarías mucho mejor viviendo en familia.

Pero en aquel momento se oyeron grandes gritos. Levaque acababa de derribar todos los palos a la vez. Mouque y Buenamuerte, con la cabeza baja, en medio del ruidoso aplauso general, guardaban un silencio de aprobación profunda. Y el gozo de ver semejante jugada se desbordó en bromas y chacota, sobre todo cuando los jugadores vieron aparecer por encima de la tapia el rostro encendido y jovial de la Mouquette.

Hacía una hora que estaba rondando por aquellos andurriales, y al oír los gritos y las risas, se había atrevido a asomarse.

—¿Cómo es eso? ¿Estás sola? —le gritó Levaque—. ¿Y tus novios? —Los he despedido a todos —contestó ella con impúdica alegría—. Estoy buscando ahora otro.

Todos se le ofrecieron, prodigándole multitud de palabras de doble sentido; Pero ella a todos les decía que no con la cabeza, se reía a más y mejor, y estaba más amable que nunca. Su padre presenciaba la escena sin quitar la vista de los palos derribados por Levaque.

—¡Anda, anda! —continuó éste, mirando al sitio donde se hallaba Esteban—. Ya sabemos detrás de quién andas... Pero se me figura que tendrás que conquistarle a la fuerza.

Esteban a su vez comenzó a bromear. En efecto: a él era a quien buscaba la joven. El minero le decía siempre que no, con la cabeza, divirtiéndose, pero sin gana ninguna de dejarse conquistar. La Mouquette permaneció inmóvil algunos minutos más detrás de la tapia, contemplándole con ojos tiernos; luego se alejó lentamente, poniéndose de Pronto seria y como anonadada por el dolor.

Esteban, a media voz, seguía dando a Maheu explicaciones sobre lo preciso que era para los carboneros de Montsou el establecimiento de una Caja de Ahorros.

—Puesto que la Compañía dice que nos deja en libertad —preguntaba el joven—, ¿qué tememos? Indudablemente ella tiene señaladas sus pensiones; pero las distribuye a su antojo y con razón, puesto que no nos descuenta nada. Pues bien: sería muy conveniente formar una Sociedad de Socorros Mutuos, con la cual pudiéramos contar, al menos, en caso de inmediata necesidad.

Y el obrero entraba en pormenores, discutiendo la organización y ofreciéndose él a tomar sobre sí todo el trabajo.

—Yo, por mi parte —dijo Maheu convencido—, estoy dispuesto a contribuir con lo que sea. Pero los otros... Procura convencer a los demás.

Levaque había ganado la partida; los jugadores dejaron las bolas para tomar cerveza. Maheu se negó a beber otro jarro por el momento; luego vería, puesto que quedaba mucho tiempo hasta la noche. Se acordó de Pierron. ¿Dónde estaría? Sin duda en la taberna de Lenfant. Animó a Levaque y a Esteban, y los tres se marcharon en dirección a Montsou, en el momento que otro grupo invadía el juego de bolos, preparándose a jugarse nuevos jarros de cerveza.

En el camino hubo que entrar en la taberna de Casimiro y en el cafetín del Progreso. Los amigos los llamaban desde las puertas, y no había manera de decir que no. Cada vez se bebían un jarro, o dos si correspondían con otro convite. Se estaban allí cosa de diez minutos, charlaban cuatro palabras, y continuaban su camino muy tranquilo, sabiendo muy bien la cerveza que podían tomar impunemente. En la taberna de Lenfant vieron enseguida a Pierron, que acababa de propinarse su segundo trago de cerveza, Y por no negarse a brindar con ellos, se bebió el tercero. Ellos, por descontado, bebieron los suyos correspondientes. Los cuatro, reunidos, salieron a la calle con el propósito de ver si Zacarías estaba en la taberna de Tison. No había nadie allí; se sentaron en una mesa para esperarle, y pidieron otro jarro de cerveza. Luego pensaron en el cafetín de San Eloy, donde tuvieron que aceptar una ronda del capataz Richomme, y así siguieron de taberna en taberna, recorriendo las estaciones, como ellos decían, sin más objetivo que pasear y pasar el rato.

—¡Vamos al Volcán! —dijo de pronto Levaque, que iba estando alegre.

Los otros se echaron a reír; y aunque vacilando, al cabo acompañaron a su amigo, atravesando aquellas calles, cada vez más animadas, en medio del estrépito creciente de la fiesta del pueblo. En la sala, larga y estrecha del Volcán, sobre un tablado raquítico levantado en un extremo, cinco cantantes, última escoria de las mujeres públicas de Lille; cantaban y bailaban con desvergüenza luciendo sus escotes enormes y los concurrentes daban diez sueldos cuando querían irse con una a pasar un rato detrás del escenario. No es preciso decir que frecuentaba semejante tugurio toda la juventud minera, desde el cortador de arcilla hasta el último mozalbete de quince años, y que se bebía mucha más ginebra que cerveza.

También solían ir algunos mineros formales, maridos que vivían en continua pelotera con su mujer, y que no podían resistir las miserias de la vida doméstica.

Cuando los cuatro amigos hubieron tomado asiento alrededor de una mesa del café cantante, Esteban la emprendió con Levaque, explicándole su idea y su propósito de fundar una Caja de Socorros. El joven tenía el sistema de obstinada propaganda, propio de los neófitos que se creen en el deber de cumplir una misión sagrada.

—Cada cual —repetía— puede muy bien dar un franco todos los meses. Con esos francos acumulados, tendríamos en cuatro o cinco años un buen capital; y cuando se tiene dinero, se es fuerte: ¿no es verdad? En todas las ocasiones y en todas las circunstancias. ¡Eh! ¿Qué te parece?

—Yo no digo que no —respondió Levaque, con aire distraído—. Ya hablaremos.

Una rubia gorda y desvergonzada empezaba a coquetear con él, y se empeñó en quedarse en el café cuando Maheu y Pierron, después de haberse tomado su ración de cerveza, quisieron marcharse, sin esperar a que cantaran otra cosa.

En la calle, Esteban, que iba con ellos, encontró a la Mouquette, que parecía haberlos seguido y que continuaba mirándole con sus ojazos picarescos y riendo con la mayor amabilidad, como diciéndole: "¿Quieres?"

El joven se encogió nuevamente de hombros, y le gastó una broma. Entonces ella hizo un gesto colérico, y se alejó, desapareciendo entre la muchedumbre.

—¿Dónde estará Chaval? —preguntó Pierron.

—Es verdad —dijo Maheu—. Estará en casa de Piquette... Vamos allá.

Pero al llegar al café de Piquette se detuvieron en la puerta, poniendo oído al estrépito que de allí salía. Debían de estar riñendo. En efecto: Zacarías amenazaba con el puño a un individuo, gordo y flemático, mientras Chaval con las manos tranquilamente metidas en los bolsillos, los miraba.

—¡Hola! Ahí está Chaval —dijo Maheu, con su calma habitual—. Está con Catalina.

Hacía ya más de cinco horas que ésta y su querido andaban por la feria, que estaba colocada a lo largo del camino de Montsou, de aquella amplia calle de bajas y pintarrajeadas casitas, por donde paseaba lentamente y sin cesar una muchedumbre abigarrada, parecida a las hormigas que salen a tomar el sol. El eterno barro negruzco se había secado, y del suelo subía una nube de polvo denso, y negruzco también, semejante a una nube de tormenta. En una y otra acera, las tabernas y tenduchos, repletos de gente, habían puesto mesas en la calle, y alternaban con multitud de puestos ambulantes, verdaderos bazares al aire libre, donde se veían gorros y pañuelos, espejillos para las chicas y navajas para los muchachos; sin contar los dulces, pasteles y chucherías que se vendían por todas partes.

En la plaza de la iglesia se tiraba al arco; enfrente de las canteras habían establecido dos juegos de bolos; en la esquina del camino de Joiselle, junto al palacio del Consejo de Administración de la Compañía, en un solar cerrado con tablones, se entretenía la gente en presenciar riñas de gallos, entre los cuales había dos muy grandes, con espolones postizos de hierro y el pescuezo chorreando sangre. Más allá, en casa de Maigrat, se jugaba al billar, apostando incluso pantalones y delantales.

Y de cuando en cuando se producía un silencio prolongado; la muchedumbre estaba bebiendo, se atracaba sin hablar, buscando una indigestión de cerveza y patatas fritas, en medio de aquel calor sofocante, aumentado por la lumbre de los asaderos que humeaban en la calle.

Chaval compró, para Catalina, un espejo de diecinueve sueldos y un pañuelo de tres francos. A cada vuelta que daban, se cruzaban con Mouque y con Buenamuerte, que habían ido a la feria, y la recorrían, arrastrando sus piernas, que, impedidas por el reuma, casi se negaban a llevarlos.

Pero otro encuentro les indignó; vieron a Juan que animaba a Braulio y a Lidia para que robasen botellas de ginebra en un puesto ambulante, colocado ya casi a la salida del pueblo.

Catalina no tuvo tiempo más que de dar una bofetada a su hermano, que ya corría con una botella debajo del brazo. Aquellos malditos chicos acabarían en la cárcel. Entonces fue cuando al pasar por delante del cafetín de la Cabeza Cortada, Chaval tuvo la idea de hacer entrar a su querida para asistir a un concurso de jilgueros que estaba anunciado en la puerta desde muchos días antes. Quince obreros de las ferreterías de Marchiennes habían acudido a luchar por el premio que se ofrecía, cada uno con una docena de jaulas; y las jaulitas tapadas, donde los pobres jilgueros se hallaban a oscuras y sin atreverse a mover, habían sido colgadas en las paredes del cafetín. Tratábase de ver cuál de ellos, en el transcurso de una hora, repetiría más veces su canto favorito. Cada herrero, con una pizarra en la mano, estaba en pie delante de sus jaulas, haciendo apuntes, interviniendo las operaciones de los demás, de igual manera que los otros intervenían las suyas. Y los jilgueros comenzaron a trinar, primero con timidez, no atreviéndose a lanzar más que alguno que otro gorgorito; pero poco a poco, entusiasmándose, excitados unos con otros, y finalmente trinando delirantes con el afán de la emulación, tan exagerado en algunos, que caían muertos por el esfuerzo. Los herreros los animaban con la boca para que cantaran, y cantaran, y cantaran sin cesar, a fin de ganar el premio, mientras los espectadores, un centenar de personas próximamente, permanecían silenciosos, muy interesados, en medio de aquella música infernal de ciento ochenta jilgueros, repitiendo todos la misma cadencia, pero en distinto tiempo.

Precisamente al entrar Chaval y Catalina, vieron a Zacarías y a Filomena, que también estaban allí. Se saludaron, dándose un apretón de manos, y se pusieron a charlar; de pronto Zacarías se enfadó, viendo a un herrero que había ido, por curiosidad, con sus compañeros los de los pájaros, pellizcando a su hermana en los muslos; y ella, colorada como la grana, le hacía señas para que callase, temerosa de que se armara una disputa y cayesen todos aquellos herreros sobre Chaval, si éste protestaba de que la tocaran. Catalina había notado las intenciones de aquel hombre, pero disimulaba por prudencia. Al fin salieron de allí los cuatro, y la cuestión pareció terminada sin ulteriores consecuencias.

Pero apenas entraron en el café de Piquette, se presentó el herrero de los pellizcas, burlándose de ellos, y mirándolos con aire de provocación.

Entonces Zacarías sacó la cara por los de la familia, y se lanzó contra el, insolente.

—¡Es mi hermana, canalla!... ¡Espera, por vida de..., yo te la haré respetar!

La gente se interpuso entre los dos hombres, mientras Chaval, muy tranquilo, repetía:

—Déjalo; eso es cosa mía... Te digo que no me importa.

Maheu llegó con sus amigos en aquel momento, y tranquilizó a Filomena y a Catalina, que estaban llorando. Pero la gente se reía porque el herrero había desaparecido sin saber cómo. Para que todo se olvidase, Chaval, que estaba allí en su casa, convidó a cerveza. Esteban tuvo que brindar con Catalina; todos bebieron juntos: el padre, la hija y su amante, el hijo y su querida, diciendo unos y otros cortésmente: "A la salud de la compañía". Luego Pierron se empeñó en pagar una ronda, y ya se había convenido en ello, cuando Zacarías, al ver a su amigo Mouque, pareció enfurecerse de nuevo. Le llamó para ir, según decía, a darle su merecido al bribón del herrero, que se le había escapado.

—¡Lo voy a reventar!... Mira, Chaval; ahí te quedas con Filomena y Catalina... Vuelvo enseguida.

Maheu a su vez convidó también. Después de todo, si su hijo quería vengar la ofensa hecha a su hermana, la cosa era natural. Pero Filomena, tranquila al ver que se había ido con Mouque, meneaba la cabeza de un modo singular. Estaba segura de que los dos tunantes iban al Volcán.

Todos los días de feria, la función se acababa en el baile de la Alegría. La viuda Désir era la empresaria de aquel salón de baile: una mujerona de cincuenta años, de una redondez de tonel; pero tan ardiente, que se permitía el lujo de tener seis amantes, uno para cada día de la semana, y los seis para el domingo, según ella decía. Llamaba sus hijos a todos los mineros de los alrededores; se enternecía al pensar en los ríos de cerveza que les había servido durante treinta años, y se vanagloriaba también de decir que ni una muchacha siquiera se había quedado jamás embarazada sin bailotear de lo lindo en su casa. La Alegría se componía de dos salas: la taberna, donde se hallaba el mostrador y las mesas, y el salón de baile, espaciosa habitación, entarimada en el centro y enlosada con ladrillos todos alrededor. Estaba adornada con dos guirnaldas de flores de papel, que cruzaban de un ángulo a otro del techo, y se reunían en el centro por medio de una corona hecha también de flores de la misma clase, mientras en las paredes se veían estampas con filos dorados, representando santos: San Eloy, San Crispín, patrón de los zapateros, Santa Bárbara, patrona de los mineros, y otros.

El techo era tan bajo, que los tres músicos, subidos en un tabladillo del diámetro de un púlpito, daban con la cabeza en él. Para alumbrar el salón por las noches, colgaban cuatro lámparas de petróleo, una en cada rincón de la sala.

Aquel domingo estaban bailando desde las cinco de la tarde, a la luz que entraba por las ventanas, abiertas de par en par. Pero a las siete fue cuando se llenó el salón. En la parte de afuera se había desencadenado un vendaval espantoso, levantando nubes de polvo negro que cegaba a las gentes y ensuciaban las patatas fritas que había en los puestos de la feria.

Maheu, Esteban y Pierron, que habían entrado a sentarse un rato acababan de encontrar en la Alegría a Chaval, que bailaba con Catalina, mientras Filomena, sola, los miraba tristemente. Ni Levaque ni Zacarías habían aparecido. Como no había bancos desocupados, Catalina se reservaba para después de cada baile un sitio en la mesa de su padre. Llamaron a Filomena; pero ésta dijo que se hallaba mejor en pie. Empezaba a anochecer;

los tres músicos tocaban con entusiasmo, y en la sala ya no se veía más que el movimiento acompasado de las caderas y de los pechos en medio de una indescriptible confusión de brazos. Una gritería espantosa acogió la aparición de las cuatro lámparas, y de pronto todo se iluminó: los rostros arrebatados y sudorosos, los cabellos desgreñados y pegados a la piel de las frentes, y las faldas volando por el aire y recogiendo como abanicos el olor fuerte que despedían aquellas parejas agitadas y llenas de sudor. Maheu, riendo, se dirigió a Esteban, señalando a la Mouquette, que, a pesar de su talle de tonel, bailaba como una peonza entre los brazos de un minero delgaducho como un alambre: indudablemente procuraba consolarse con otro hombre.

A las ocho de la noche apareció la mujer de Maheu, llevando en brazos a Estrella, y seguida de Enrique y Leonor. Iba allí a buscar a su marido, segura de que le encontraría. Más tarde cenarían, porque nadie tenía gana, sino, por el contrario, sentían todo el estómago cargado de café y de cerveza. Empezaron a llegar otras mujeres casadas, y pronto se cruzaron rumores y cuchicheos al ver que detrás de la mujer de Maheu entraba la de Levaque, acompañada por Bouteloup, que llevaba de la mano a Aquiles y a su hermana, los chiquillos de Filomena. Las dos vecinas parecían ser muy amigas y estaban muy comunicativas la una con la otra. Por el camino habían tenido una conversación formal; la mujer de Maheu se había resignado bruscamente al casamiento de Zacarías, rabiosa por perder el dinero de su hijo mayor, pero consolada con la idea de que era una injusticia seguir sosteniendo aquella situación imposible. Procuraba, por lo tanto, poner buena cara; pero por dentro iba la procesión, como se dice vulgarmente; pues, como buena mujer de su casa, se devanaba los sesos para discurrir el medio de sustituir los ingresos del jornal de Zacarías.

—Siéntate ahí, vecina —dijo a la mujer de Levaque, señalando a una mesa próxima a la que ocupaban Maheu, Esteban y Pierron.

—¿No está mi marido con vosotros? —preguntó la de Levaque.

Los amigos le contestaron que volvían enseguida. Todos callaban, incluso Bouteloup y los chiquillos, que estaban tan estrechos entre tanta gente, que las dos mesas formaban una sola. Pidieron cerveza. Al ver a su madre y a sus hijos, Filomena se había acercado a la reunión. Aceptó una silla, y pareció satisfecha al saber que al fin iba a casarse; luego, cuando le preguntaron por Zacarías, respondió con voz tranquila:

—Le estoy esperando; anda por ahí.

Maheu había cruzado una mirada de inteligencia con su mujer. ¿Consentía al cabo en la boda? También él se puso serio, y siguió fumando sin hablar palabra. A su vez se preocupaba, pensando en el mañana, ante la ingratitud de aquellos hijos que se iban casando uno a uno, y dejando a sus padres en la miseria...

La gente joven seguía bailando; el final de una danza desenfrenada envolvía el salón en una nube de polvo; el entarimado crujía, y el cornetín de un músico sonaba desesperado y desentonadamente, como el silbato de una locomotora pidiendo auxilio; cuando concluyó el baile, volvieron a aparecer las parejas, echando humo, como si fuesen caballos.

—Oye —murmuró la mujer de Levaque, acercándose al oído de la de Maheu—, ¿no hablabas de ahogar a Catalina como hiciese tonterías?

Chaval acompañaba en aquel momento a su querida a la mesa donde estaba la familia, y ambos en pie detrás de su padre acababan de beberse los vasos de cerveza que habían empezado antes de salir a bailar.

—¡Bah! —dijo la de Maheu con ademán resignado—. Eso dicen. Pero lo que me tranquiliza es que no puede tener hijos todavía; estoy segura de ello... No faltaba más sino que los tuviera, y me viera obligada a casarla también... ¿Qué iba a ser de nosotros entonces?

El cornetín preludiaba una polca, y mientras empezaba de nuevo el estrépito de la danza, Maheu comunicó a su mujer una idea que acababa de ocurrírsele. ¿Por qué no habían de tomar un huésped; Esteban, por ejemplo, que andaba buscando casa? Tendrían sitio, puesto que Zacarías se marchaba, y el dinero que perdían por un lado lo ganarían así, en parte al menos, por el otro. En el semblante de la mujer de Maheu se retrataba el buen efecto producido por aquella proposición; indudablemente era una buena idea, y precisaba arreglarlo. Creyéndose de nuevo a salvo del hambre, se puso contenta, y pidió que llevaran otra ronda de cerveza.

Esteban, entre tanto, procuraba instruir a Pierron, al cual explicaba su proyecto de una Caja de Socorros. Le había hecho ya prometer que se adheriría, cuando tuvo la imprudencia de descubrir su verdadero objeto.

—Y si nos declaramos en huelga, ya comprenderás la utilidad de esos fondos. Nos tendrá sin cuidado la Compañía, nos reiremos de ella, y contaremos con dinero para resistir.. ¿Eh? ¿Qué dices a eso?

Pierron había bajado la vista, palideciendo a la idea de comprometerse, y tartamudeó:

—Lo pensaré... La mejor Caja de Socorros es portarse bien.

Entonces Maheu habló con Esteban, ofreciéndole tomarlo de huésped, sin andarse con ambages y rodeos. El joven aceptó del mismo modo, porque estaba deseando vivir en el barrio de los obreros, a fin de hallarse más en contacto con sus compañeros. Una vez convenida la cosa, la mujer de Maheu declaró que era preciso esperar a que Zacarías se casara.

Al fin, en aquel momento se presentaba en el salón el hijo mayor de los Maheu, acompañado de Mouque y de Levaque. Los tres iban oliendo al Volcán, olor de ginebra, mezclado al de las mujeres poco limpias que cantaban en aquel café. Estaban muy borrachos; pero parecían satisfechos de sí mismos, y entraban dándose codazos y sonriendo maliciosamente. Filomena, siempre tranquila, dijo que prefería verle reír a que llorase. Como no había más sillas, Bouteloup se estrechó para ofrecer la mitad de la suya a Levaque. Y éste, enternecido al ver allí a todos reunidos, convidó otra vez a cerveza.

—¡Por vida de Dios! Bebamos, porque no nos vemos a menudo todos reunidos y divirtiéndonos tanto.

Allí permanecieron hasta las diez. Seguían llegando mujeres en busca de sus maridos. Poco a poco se reunieron inmensos grupos de chiquillos, que iban detrás de ellas; y las madres, sin recato alguno, sacaban sus pechos largos y rubios como sacos de avena, y daban de mamar a los más pequeños, mientras sus hermanos, ya mayorcitos, andaban a cuatro patas por debajo de las mesas, solazándose con el mayor cinismo.

Se había gastado un mar de cerveza; los toneles de la señora Désir estaban casi desocupados; la cerveza redondeaba las panzas, y chorreaba por todas partes, por las narices, por la barba, por el pecho. Tantas eran las apreturas, que cada cual tenía un codo o una rodilla clavado en su vecino; todos estaban, sin embargo, alegres y satisfechos, y charlatanes. Una carcajada sin interrupción tenía las bocas constantemente abiertas de oreja a oreja. Hacía tanto calor como dentro de un horno; todos se desabrochaban para estar más cómodos; y el único inconveniente era la necesidad frecuente de levantarse. De cuando en cuando una mujer abandonaba su asiento, se iba al patinillo junto a la bomba del pozo, se levantaba las faldas, y se volvía a su sitio. Los que bailaban no se veían ya envueltos como estaban en una nube de polvo denso, la cual animaba a los muchachos a tomarse ciertas libertades con sus parejas, seguros de que nadie lo notaba.

Alguna pareja se caía al suelo; pero cuando esto sucedía el cornetín soplaba más deprisa, y el compás se aligeraba, y las demás parejas, como torbellinos, pasaban por encima de los que estaban en el suelo.

Un vecino que entraba en aquel momento advirtió a Pierron que su hija Lidia, borracha, estaba durmiendo en el suelo.

Se había bebido su parte de la botella robada, y borracha como una cuba, había podido llegar hasta allí, dando tumbos, mientras Juan y Braulio, un poco más fuertes, la seguían riéndose de ella.

Aquella fue la señal para marcharse: las familias salieron del salón de la Alegría; los Maheu y los Levaque decidieron volver a su casa. A aquella hora el tío Buenamuerte y su amigo el viejo Mouque salían también de Montsou con su paso acostumbrado de sonámbulos, y, como siempre, encerrados en el silencio de sus recuerdos. Todos emprendieron el camino reunido, pasaron otra vez por la feria, donde estaban apagando los asadores y retiraban las mesas de las tabernas, chorreando ginebra y cerveza por todas partes. El tiempo seguía amenazando tempestad; hacía un calor sofocante. Al salir a lo oscuro del camino, se oyó reír alegremente, en la oscuridad, en todas direcciones. Resoplidos ardientes y suspiros ahogados salían de entre los trigos, y aquella noche seguro que influyó mucho en el aumento de población de Montsou y de los alrededores. Llegaron al barrio de los obreros a la desbandada. La mujer de Pierron no había vuelto aún a su casa. Ni los Levaque ni los Maheu cenaron con apetito.

Esteban se había llevado a Chaval, para beber otro poco con él en casa de Rasseneur.

—¡Comprendido! —dijo Chaval, cuando su compañero le hubo explicado lo de la Caja de Ahorros—. ¡Chócala! ¡Tú eres de los buenos!

Un principio de embriaguez hacía brillar los ojos de Esteban, que exclamó:

—Sí, estamos de acuerdo... Mira, yo, por la justicia, lo sacrificaría todo: la bebida y las mujeres. ¡No hay más que una cosa que me entusiasme: la idea de que vamos a acabar con todos los burgueses!

III

A mediados de agosto, Esteban se instaló en casa de Maheu, cuando Zacarías casado ya, pudo conseguir que la Compañía le diese una habitación para él, su mujer y sus dos hijos; al principio el joven sentía cierta turbación delante de Catalina.

Aquella era la vida íntima de todos los momentos; Esteban reemplazaba en todas partes a su hermano mayor, y hasta compartía con Juan la cama de enfrente a la de las muchachas. Al acostarse, al levantarse, tenía que vestirse y desnudarse delante de ella, y la miraba también, mientras ella hacía lo mismo. Cuando desaparecía la falda, la veía blanca, con esa palidez de las rubias anémicas, y experimentaba una continua emoción al observar el contraste de aquellas carnes con la de la cara y las manos, ya estropeadas. Esteban se volvía de espalda como para no verla; pero la contemplaba, sin embargo, primero los pies, con los que tropezaba su mirada fija en el suelo; luego una rodilla nada más, que entreveía al acostarse; luego el seno naciente y bien contorneado cuando se inclinaba sobre la jofaina para lavarse por la mañana. Ella, sin mirar, procuraba darse prisa; se desnudaba en diez segundos, y se acostaba al lado de Alicia con la rapidez suave de una culebra, después de haber dejado los zapatos al pie de la cama y volviéndose de espaldas, como si así la vieran menos.

Jamás, por otra parte, tuvo motivo para enfadarse con él. Si bien una fuerza superior a su voluntad hacía que la mirase a su pesar y de reojo cuando se desnudaba o se vestía, evitaba cuidadosamente todo género de bromas y de juegos de manos peligrosos. En primer lugar, estaban allí los padres, y además él sentía cierto rencor hacia ella, que le impedía tratarla como a una mujer a quien se desea. Así habían acabado por hacer vida común a la hora de dormir y de levantarse, a las horas de comer y durante el trabajo, sin guardar secretos para nada, ni aun para las necesidades más íntimas. Todo el pudor de la familia se había refugiado en la operación de bañarse, lo cual hacía la joven sola en el cuarto de arriba mientras los demás se bañaban en la sala de abajo.

Y al cabo de un mes, Esteban y Catalina parecían no verse ya cuando por la noche, antes de apagar la vela, iban desnudos de una parte a otra de su cuarto. Ella dejaba ya de darse prisa, volviendo a su antigua costumbre de recogerse el pelo antes de meterse en cama, con los brazos en alto Y la camisa subida hasta más arriba de las rodillas; y él, a menudo, a medio desnudar, la ayudaba y le buscaba las horquillas que se le caían al suelo.

La costumbre mataba la vergüenza de estar desnudo; encontraban lo más natural del mundo verse así, porque no hacían daño con eso, y no era culpa de ellos si en la casa no había más habitaciones disponibles. A veces, sin embargo, se sentían acometidos de extrañas turbaciones, precisamente en los momentos en que menos pensaban en nada culpable. Esteban, después de no haberse fijado en muchos días en la blancura de su cutis, volvía a notar sus carnes, que le hacían sentir un estremecimiento por todo el cuerpo, y le obligaban a volverse de espaldas para resistir a los deseos que le atormentaban. Ella, otras noches, sin razón aparente, tenía accesos de púdica emoción; huía, se metía entre las sábanas como si sintiera que las manos de aquel muchacho la cogían. Luego, cuando apagaban la vela, uno y otro comprendían que estaban despiertos, y que, a pesar del cansancio del trabajo, pensaban el uno en el otro. Aquello era a veces causa de que se pelearan por la mañana, porque preferían las noches de tranquilidad, en que se trataban como buenos amigos nada más.

Esteban no se quejaba sino de Juan, que dormía dando muchas vueltas en la cama; Alicia, respiraba tranquilamente toda la noche, y los chiquillos, Enrique y Leonor, amanecían en la misma postura que tenían al dormirse. En la casa, a oscuras, no se oía más ruido que los ronquidos de Maheu y de su mujer.

En resumen: Esteban se encontraba mucho más a gusto que en casa de Rasseneur, porque la cama no era mala, y se mudaban las sábanas un sábado sí y otro no. Comía también mejor, y no lamentaba más que la poquísima frecuencia con que tenían carne. Pero toda la familia carecía de ella, y no podía pedir que por los cuarenta y cinco francos que pagaba de pupilaje le dieran conejo en todas las comidas. Aquellos cuarenta y cinco francos venían muy bien a la familia, que iba saliendo adelante, si bien dejando atrás alguna que otra pequeña deuda, y los Maheu se mostraban agradecidos a su huésped, le lavaban la ropa, se la repasaban y le arreglaban todas sus cosas; en una palabra: Esteban sentía en torno suyo la limpieza y los cuidados de una mujer.

Aquella fue la época durante la cual Esteban comenzó a comprender las ideas que le preocupaban desde hacía tiempo. Hasta entonces, no había tenido en sí más que el deseo instintivo de sublevarse en medio de la sorda fermentación de sus compañeros. Se le presentaban todo género de confusas cuestiones: ¿Por qué la miseria de unos? ¿Por qué la riqueza de otros? ¿Por qué aquéllos siempre detrás de éstos, y sin esperanza de llega jamás a ellos? La primera etapa fue convencerse de su ignorancia. Desde entonces, cierta secreta vergüenza, cierto oculto malestar, le combatieron de continuo; no sabía nada, no se atrevía a hablar de aquellas cosas que le apasionaban: la igualdad de todos los hombres, la equidad, que exigía el reparto de los bienes de la tierra. Así es que se vio arrastrado al estudio desordenado como hacen todos los ignorantes sedientos de ciencia. Se carteaba con Pluchart, más instruido que él, sobre todo en el movimiento socialista. Hizo que se le mandasen libros, cuya lectura, mal dirigida, acabó de excitarle: un libro de medicina, sobre todo, La higiene del minero, en el cual un doctor belga había resumido los males de que mueren los pueblos hulleros; sin contar varios tratados de economía política, de una aridez técnica, incomprensible, y folletos anarquistas, que le trastornaban, y números antiguos de periódicos que guardaba enseguida como argumentos sin vuelta de hoja, para cuando se le ocurriese discutir con alguien. Souvarine le prestaba también libros, y la obra sobre sociedades cooperativas le había hecho pensar durante un mes en una sociedad universal de cambio, que aboliera el dinero y basara sobre el trabajo toda la vida social. La vergüenza de su ignorancia iba desapareciendo y desde que comprendía que pensaba, se iba volviendo orgulloso.

Durante los primeros meses, Esteban permaneció entregado al entusiasmo fanático de los neófitos, con el corazón repleto de noble y generosa indignación contra los opresores, y alimentando la esperanza de que al fin triunfarían los oprimidos.

Todavía, en medio de la vaguedad de sus lecturas, no había sabido fijar un sistema. Las reivindicaciones prácticas de Rasseneur se mezclaban en su cerebro con las destructoras violencias de Souvarine; y cuando salía de la taberna La Ventajosa, adonde continuaba yendo casi todos los días para murmurar con ellos de la Compañía, caminaba como un sonámbulo, soñaba que asistía a la completa regeneración de los pueblos, sin que hubiese habido necesidad ni de romper un vidrio, ni de derramar una gota de sangre. Por otra parte, los medios de actuación continuaban confusos y prefería creer que las cosas irían como es debido, porque en cuanto pensaba en formular un programa de reconstrucción se le iba la cabeza. Se mostraba, sin embargo, partidario de la moderación; y lleno de inconsecuencias, decía a veces que era necesario separar la cuestión política de la social, una frase que había leído, y que le parecía buena para repetirla entre los Temáticos mineros con los cuales vivía.

Todas las noches, en casa de Maheu, charlaban un rato de sobremesa antes de ir a acostarse. Esteban sacaba siempre la misma conversación. A medida que se iba instruyendo, se sentía más disgustado con la promiscuidad de sexos que reinaba en todo el barrio. ¿Eran, acaso, animales para vivir hacinados de aquel modo, tan hacinados, que no era posible mudarse de camisa sin enseñar la carne al vecino? Además, aquello era terrible para la salud del cuerpo y para la del alma, porque los chicos y las chicas crecían pudriéndose.

—¡Demonio! —exclamaba Maheu—. Si tuviéramos más dinero, viviríamos con más comodidad... Porque la verdad es que nadie gana con estar unos encima de otros continuamente. Esto acaba siempre porque los hombres se hagan borrachos y las mujeres perdidas.

Cada uno de la familia decía lo que pensaba sobre el particular, en tanto que el petróleo del quinqué viciaba el aire de la sala, impregnada ya de olor de cebolla frita. No; la vida de aquel modo no tenía ciertamente nada de agradable. Trabajaban como bestias en una faena que en otras épocas se reservaba para los presidiarios, y se exponían diariamente a morir aplastados por las rocas, sin conseguir ganar para comer carne siquiera. Claro está que comían, pero sólo lo estrictamente necesario para no morirse, y eso a fuerza de contraer deudas, y como si robasen el dinero que ganaban. Cuando llegaba el domingo, dormían rendidos del trabajo de la semana. No tenían más placeres que emborracharse o cargarse de familia, cuando lo que estorbaban eran los hijos. No, no tenía nada de agradable aquel modo de vivir.

La mujer de Maheu se mezclaba entonces en la conversación.

—Lo malo es —decía— pensar que no hay medio de que esto varíe... Cuando joven, se imagina una que llegará la felicidad, porque se espera, sin saber qué; y luego no se sale nunca de la miseria... Yo no deseo mal a nadie; pero hay veces que estas injusticias me sublevan.

Callaban un instante, y si el viejo Buenamuerte estaba allí por casualidad, abría los ojos, sorprendido, porque en sus tiempos nadie se ocupaba en semejantes cosas: se nacía entre el carbón, se trabajaba en la mina, se moría cuando menos se pensaba, y aquí paz y después gloria: mientras que ahora todos los carboneros tenían ambiciones desmedidas.

—No hay que hacerse ilusiones —añadía—. Los jefes son a menudo unos canallas; pero siempre ha de haber jefes, y es inútil romperse la cabeza pensando en esas cosas.

Entonces Esteban se exaltaba. ¡Cómo! ¿Había de estar prohibido al obrero pensar como los demás? ¡Pues precisamente porque pensaba no tardarían en variar las cosas! En los tiempos del viejo, el minero vivía en la mina como un animal, como una máquina de sacar carbón, siempre debajo de tierra, y con los oídos y los ojos cerrados a los acontecimientos del mundo. Por eso los ricos, que oían y veían, le explotaban despiadadamente, sin que él lo advirtiese. Pero ahora el minero se ilustraba; y el día menos pensado le verían conquistando sus derechos, uniéndose en apretado haz y formando un ejército de hombres libres que restablecerán la justicia. ¿Acaso desde la revolución no eran iguales todos los ciudadanos? Las grandes Compañías con sus máquinas de vapor lo acaparaban todo, y ya no tenían contra ellas ni siquiera la garantía de otros tiempos, cuando la gente de oficio se reunía para defenderse. Por eso, ¡maldita sea!, y por otras cosas más, era evidente que la cuerda se había de romper muy pronto, gracias a la instrucción del obrero.

No había que ver más que lo que pasaba en el barrio, sin ir más lejos: los abuelos no sabían ni escribir sus nombres, los padres firmaban y los hijos leían y escribían como unos profesores. ¡Ah! La cosa marchaba poquito a poco, pero con paso seguro. Desde el momento en que no se veía cada cual relegado a un sitio determinado para toda la vida y que podía tener la ambición de ocupar el sitio del vecino, ¿porqué no se había de andar a puñetazos y tratar de ser el más fuerte?

Maheu, aunque entusiasmado, continuaba desconfiando mucho del éxito.

—En cuanto uno hace lo más mínimo —decía—, le despiden y se queda sin trabajo. Tiene razón mi padre; el minero será siempre al que le toque perder, sin la esperanza siquiera de comer todos los días... Esto está perdido, y no cambiará.

La mujer de Maheu, que hacía rato estaba silenciosa, exclamó entonces, como saliendo de un sueño profundo:

—¡Si siquiera fuera verdad lo que cuentan los curas; que los pobres de aquí son ricos en la otra vida!

Una carcajada general la interrumpió: hasta los chiquillos se encogieron de hombros, porque eran incrédulos como los mayores, sin más creencia que el temor a los aparecidos de la mina, pero burlándose de todo cuanto decía la Iglesia.

—¡Al diablo los curas! —exclamaba Maheu, siempre que su mujer hablaba de ellos—. Si creyeran lo que dicen, comerían menos y trabajarían más, para conquistar un buen sitio en el cielo... No; cuando se muere uno, muerto se queda, y se acabó.

La mujer suspiraba tristemente.

—¡Ah, Dios mío, Dios mío! —solía decir, dejando caer las manos sobre las rodillas con ademán de honda desesperación.

—Tenéis razón —añadía después—; está esto perdido para nosotros, y no hay manera de arreglarlo.

Se miraban unos a otros. El tío Buenamuerte escupía en el pañuelo, mientras Maheu se quedaba con la pipa apagada en la boca.

Alicia escuchaba atentamente, entre Leonor y Enrique, que dormían con los codos en la mesa, y la cabeza apoyada en ellos. Pero Catalina, sobre todo, con la barbilla puesta en la palma de la mano, parecía beber con sus rasgados y expresivos ojos cada una de las palabras de Esteban, cuando éste explicaba su fe en que algún día habría de realizarse su sueño dorado de regeneración social.

En torno de ellos, todos los vecinos del barrio dormían, sin que el profundo silencio que reinaba fuese alterado más que por el llanto de algún chiquillo o los gritos de algún borracho pesado que disputaba con su mujer. En la sala, el reloj continuaba, sin interrumpirse jamás, con el acompasado tic—tac del péndulo, y de los enarenados ladrillos del suelo subía una frescura húmeda, a pesar de lo enrarecido del aire.

—¡Vaya unas ideas! —decía el joven—. ¿Tenéis acaso necesidad de la existencia de Dios y de su paraíso para ser felices? ¿No podéis buscaros la felicidad en este mundo?

Y con voz de neófito entusiasmado hablaba y hablaba extensamente, abriendo un horizonte vago de esperanza a aquellas pobres gentes ignorantes. Esteban estaba seguro de que la miseria horrible, el insoportable trabajo, la predestinación a vivir como animales, todas las desgracias, en una palabra, desaparecerían pronto, como desaparecen las nubes tormentosas a la salida del sol radiante. Del cielo bajaría la justicia a la tierra. Y puesto que Dios había muerto, la justicia vendría a asegurar la dicha a todos los hombres, haciendo que reinase por todas partes la igualdad y la fraternidad.

Una sociedad completamente nueva crecería como por encanto como un sueño, sociedad admirable, donde cada ciudadano viviría de su trabajo, disfrutando a su vez su parte de satisfacciones y bienestar. La sociedad actual, que estaba podrida, se desharía en polvo, y una humanidad nueva, purgada de sus crímenes e infamias, formaría una solo pueblo de trabajadores, cuya divisa sería: "A cada cual según sus méritos, y a cada mérito según sus obras".

Al principio la mujer de Maheu no quería escucharle, presa de un terror inexplicable y sordo. No, no, aquello era demasiado hermoso, no había que hacerse ilusiones, porque luego la vida real era más abominable, y le daban a uno ganas de destruirlo todo para ser feliz. Sobre todo, cuando veía los ojos animados de su marido, que se dejaba convencer fácilmente, la pobre mujer interrumpía a Esteban:

—¡No le hagas caso, marido! Ya ves que esos son cuentos... ¿Crees tú que los ricos consentirían nunca en trabajar como nosotros?

—Pero poco a poco ella misma se dejaba influir por las palabras del ardiente neófito. Acababa por sonreír y penetrar con la imaginación en aquel mundo ideal, tan bien descrito por su huésped.

¡Era tan agradable olvidar siquiera durante una hora la triste realidad! Cuando se vive como los brutos, siempre mirando al suelo, hay que alimentar algunas engañosas esperanzas, siquiera para consolarse del triste destino.

Y la pobre mujer se dejaba apasionar, más que por nada, por la idea de justicia que tenía el joven.

—¡En eso tiene razón! —exclamaba—. Cuando veo que una cosa es justa, me dejaría matar por defenderla... Y la verdad es que sería justo que nosotros, a nuestra vez, lo pasáramos un poco mejor.

Entonces Maheu osaba entusiasmarse.

—¡Rayos y truenos! No soy rico; pero daría todo lo que gano con tal de ver el triunfo de nuestros ideales antes de morirme... ¡Qué cataclismo!, ¿eh? ¡Qué pronto se arreglaría esto!

Esteban empezaba otra vez a dar sus explicaciones. La sociedad antigua se derrumbaba, y no podía durar esto más que unos cuantos meses, según afirmaba él con la mayor tranquilidad. Al hablar de los medios de actuación, hablaba más vagamente, haciendo una mezcolanza de sus lecturas, sin miedo de arriesgar disparates, convencido como estaba de que sus oyentes eran unos ignorantes. Pero él mismo se confundía; pasaba revista a todos los sistemas, suavizados, sin embargo, por la esperanza firme de un triunfo fácil, sin dejar de confesar que había que hacer entrar en razón a muchos exaltados, que lo echarían todo a perder con sus exageraciones.

Y los Maheu aparentaban comprender perfectamente lo que escuchaban; aprobaban con la cabeza, aceptaban aquellas soluciones milagrosas con la fe ciega de los neófitos, como aquellos cristianos de los primeros tiempos de la Iglesia, que esperaban la construcción de una sociedad perfecta sobre los escombros del mundo antiguo. Alicia decía alguna que otra palabra; se imaginaba la felicidad bajo la forma de una casa muy calentita y muy bien arreglada, en la cual los chiquillos comían y bebían hasta satisfacerse. Catalina, sin moverse, con la barbilla apoyada en la palma de la mano, no quitaba los ojos de Esteban, y cuando éste callaba, ella, agitada por un temblor nervioso, pálida hasta la lividez, creía que iba a ponerse mala.

Luego, de pronto, la mujer de Maheu miraba el reloj.

—¡Caramba, las nueve! No vamos a poder despertarnos mañana —decía.

Y la familia se levantaba con el corazón en un puño y desesperados. Parecíales como si hubiesen sido ricos y volvieran a caer en la miseria. El tío Buenamuerte, que se iba a la mina, refunfuñaba, diciendo que todas aquellas historias no aumentaban ni mejoraban la cena; mientras los demás subían a acostarse, percibiendo la humedad de las paredes y la pesadez del aire que los sofocaba. Arriba, Esteban, cuando Catalina se había metido en aquella cama que estaba al lado de la suya, y había apagado la luz, la sentía, moviéndose agitadamente entre las burdas sábanas y sin conseguir conciliar el sueño.

A menudo asistían a esas conversaciones algunos vecinos: Levaque, que se exaltaba con aquellas ideas de reparto universal; Pierron, a quien la prudencia le aconsejaba marcharse de allí en cuanto empezaban a hablar mal de la Compañía. Algunas veces estaba presente Zacarías; pero, corno le aburría la política, prefería marcharse a beber cerveza a casa de Rasseneur. En cuanto a Chaval, se había hecho muy amigo de Esteban. Casi todas las noches pasaba una hora con los Maheu; y en aquella asiduidad había cierta sensación de celos que no quería confesarse: el temor de que su amigo le arrebatase a Catalina. Ésta, de quien ya había empezado a cansarse, le gustaba más desde que otro hombre dormía todas las noches a su lado y podía acostarse con ella.

La influencia de Esteban crecía sin cesar; el joven iba sublevando poco a poco todo el barrio. Era aquella una propaganda sorda, tanto más eficaz, cuanto que los compañeros tenían verdadero cariño a Esteban.

La mujer de Maheu, a pesar de su desconfianza de buena casada, le trataba con consideración, como se merecía un joven que le pagaba puntualmente, que no bebía, que no jugaba, y que se pasaba la vida sobre los libros; y le creaba en casa de las vecinas una gran reputación de muchacho instruido, reputación de la cual abusaban ellas haciéndole que les escribiese las cartas. Era una especie de abogado consultor de todos, encargado de la correspondencia, y árbitro en las cuestiones delicadas de los matrimonios.

Así es, que ya en el mes de septiembre había, al fin, conseguido fundar su famosa Caja de Socorros, muy precaria todavía, porque no se habían suscrito más que los habitantes del barrio; solamente que esperaba conseguir que se adhiriesen al pensamiento los obreros de todas las demás minas; sobre todo, si la Compañía, que permanecía neutral en el asunto, seguía no haciéndole oposición. Acababa de ser nombrado secretario de la Asociación, y cobraba una pequeña asignación como escribiente. Esto le hacía casi rico, tanto más cuanto que, si un minero casado no podía nunca salir adelante con lo que ganaba, un soltero, y por añadidura de tan buenas costumbres, y sin vicios, podía hasta hacer economías.

En Esteban se había producido una lenta transformación. Ciertos instintos de coquetería y de bienestar, dormidos a causa de su miseria, despertaban en él, y le hacían comprar ropa de paño. Se permitió hacerse botas de charol, y sin saber cómo, asumió la jefatura del barrio de los obreros, los cuales se agruparon en torno de él. Todo aquello constituyó una serie de deliciosas satisfacciones de amor propio, y se envaneció con aquellos primeros triunfos de su popularidad: mandar a todos, él, que joven, y que poco tiempo antes era el último mono de las minas, constituía una satisfacción extraordinaria, que le hacía acariciar el sueño de una revolución popular, en la cual desempeñaría un importante papel. Su fisonomía varió, se puso grave, y se escuchaba al hablar, mientras su ambición, cada vez mayor, le hacía acariciar ideas más radicales.

El otoño avanzaba; los fríos de octubre iban despojando los jardinillos del barrio de los obreros de la poca vegetación que tenían, no quedando en pie más que la mata de alguna que otra legumbre sembrada en la huerta. Los jovenzuelos de la mina no podían llevarse impunemente a jugar detrás de las lilas a las cernedoras. De nuevo los chaparrones destrozaban las plantas, y la lluvia corría por los canales del pueblecillo con estrépito sin igual. Las casas todas estaban cerradas, y en sus salas la chimenea no se apagaba un momento, emponzoñando el aire respirable con las emanaciones del carbón de piedra. Había empezado la estación de mayor miseria que tiene el año.

Una noche de octubre, una de las primeras en que se había sentido mucho frío, Esteban, agitado y febril de haber hablado en la sala de abajo, por más que se acostó y apagó la luz, no pudo dormirse. Había mirado a Catalina mientras se metía en la cama. También ella parecía agitada por extraños deseos, acometida de uno de aquellos accesos de pudor que de vez en cuando la obligaba a desnudarse rápidamente, con tal torpeza que enseñaba lo que deseaba tapar precisamente. Después de apagar la luz, se estuvo quieta como una muerta; pero Esteban comprendía que se hallaba despierta también, y que estaba pensando en él como él pensaba en ella. Jamás se habían sentido tan turbados, tan influidos por aquel misterioso malestar. Transcurrieron algunos minutos sin que él ni ella se moviesen; pero la respiración de ambos era más fuerte que de costumbre, por lo mismo que procuraban contenerla. Dos veces estuvo él a punto de levantarse para abrazarla. Era una estupidez desearse mutuamente desde hacía tiempo, y no decidirse a satisfacer aquel deseo. ¿Por qué luchar así contra Sí Mismos? Los niños dormían; Esteban estaba seguro de que ella, anhelante, le aguardaba y diría que sí enseguida. Pasó otra hora. Él no se levantó para abrazarla, y ella no se movió para llamarle. Cuanto más en contacto vivían, más alta era la barrera que se levantaba entre ellos... Vergüenzas, repugnancias, delicadezas amistosas, que ellos mismos no podían explicarse.

IV

—Oye —dijo la mujer de Maheu a su marido—, puesto que vas a Montsou a cobrar la quincena, tráeme al volver una libra de café y un kilo de azúcar.

Maheu estaba cosiendo un zapato, a fin de economizar lo que cobraba el zapatero por remendarlo.

—¡Bueno! —dijo, sin dejar su tarea.

—De buena gana te pediría que pasases por casa del carnicero... Comeríamos carne, ¿eh?... ¡Hace tanto tiempo que no la hemos olido siquiera!

Esta vez el minero levantó la cabeza.

—¿Crees que voy a cobrar algunos miles? —dijo—. La quincena ha sido bien mala, a causa de esas malditas interrupciones de trabajo que hemos tenido.

Los dos callaron. Era después de almorzar, un sábado, el 20 de octubre; y la Compañía, con el pretexto del trastorno producido con motivo de tener que pagar a los operarios, había suspendido otra vez el trabajo de extracción en todas las minas. La Compañía, presa del pánico a causa de una crisis industrial muy próxima, no quería aumentar sus ya considerables existencias almacenadas, y aprovechaba los más insignificantes pretextos para obligar a aquellos diez mil obreros a que se estuviesen parados.

—Ya sabes que Esteban te espera en La Ventajosa —replicó la mujer de Maheu al cabo de un momento—. Llévale contigo, ya que él es más listo, y sabrá entendérselas mejor con el pagador, si tratase de estafaros alguna hora de trabajo en la cuenta.

Maheu hizo un movimiento de cabeza afirmativo. Con el desorden propio de un día de forzosa holganza, habían almorzado a las doce y el huésped se marchó enseguida a casa de Rasseneur. La mujer de Maheu continuó:

—Deberías ir temprano, y si están allí esos señores, decirles algo del asunto de tu padre. El médico se entiende con la dirección, y uno Y otro se empeñan en que ya no puede trabajar.

Hacía diez o doce días que el tío Buenamuerte, con las patas hinchadas, como él decía, estaba sin poderse mover de una silla. Su nuera se dirigió a él, preguntándole si era verdad que se hallaba en disposición de ir a la mina.

—¡Ya lo creo! Porque uno tenga las patas malas, no está inútil ya.

Todo eso son historias que inventan, para no darme la pensión de ciento ochenta francos.

La mujer de Maheu pensaba en los cuarenta sueldos que ganaba el viejo, y que iba a perder, y suspiró angustiada:

—¡Dios mío! Pronto nos moriremos todos, si esto continúa.

—Pues cuando uno se muere, ya no pasa hambre.

Maheu clavó otros dos clavos a su zapato, y se decidió a salir del barrio de los Doscientos Cuarenta. No cobraban hasta por la tarde, a eso de las cuatro.

Así es que los hombres no se daban prisa, haciendo tiempo, marchándose uno a uno, perseguidos por sus mujeres, que les rogaban que volviesen enseguida. Muchas les daban encargos para evitar que se entretuviesen en las tabernas.

Esteban había ido a casa de Rasseneur para saber noticias. Circulaban rumores alarmantes; se decía que la Compañía se hallaba cada vez más disgustada con el trabajo de revestir y apuntalar. Tenía aburridos a los obreros a fuerza de multas, y parecía inminente un conflicto. Tal era la cuestión declarada, pero había, debajo de ella, otra porción de causas secretas y muy graves.

Precisamente, al llegar Esteban, un compañero suyo, que estaba bebiendo cerveza, después de haber estado en Montsou, contaba que había un anuncio puesto en el despacho del cajero; pero no sabía decir a punto fijo de qué trataba. Luego llegó otro obrero, y después otro, y cada cual contaba su historia diferente. Parecía, sin embargo, cosa cierta que la Compañía había tomado una resolución.

—Y tú, ¿qué dices? —preguntó Esteban, sentándose al lado de Souvarine, en una mesa donde no había nada servido, más que un paquete de tabaco.

El maquinista siguió liando lentamente un cigarrillo.

—Digo que era fácil de prever. Van a fastidiarnos todo lo posible.

Él era el único que estaba en condiciones lo bastante neutrales para analizar la situación, y la explicaba con su ademán tranquilo y su calma de empresario. La Compañía, víctima de la crisis industrial, presa del pánico, se veía obligada a reducir los gastos, si no quería quebrar, y naturalmente, los obreros serían los que se muriesen de hambre, porque economizarían sobre los salarios de éstos, inventando todo género de pretextos. El carbón quedaría almacenado, y en las minas no se trabajara apenas en las faenas de extracción. Como no se atrevía a cortar enteramente por lo sano, asustada por otra parte de dejar inactivo el material, pensaba en un término medio, quizás en una huelga, de la cual saliesen los mineros domados y ganando menos jornal. Además, estaba preocupada con la nueva Caja de Socorros, que era una amenaza para el porvenir, mientras que una huelga le desembarazaría de ella, porque se gastarían los fondos enseguida, toda vez que eran aún insignificantes.

Rasseneur se había sentado cerca de Esteban, y los dos escuchaban al maquinista con aire consternado. Podían hablar en voz alta, porque no había allí nadie más que la señora de Rasseneur, sentada detrás del mostrador.

—¡Qué idea! —murmuró el tabernero—. ¿A qué viene eso? La Compañía no tiene interés ninguno en la huelga, y los obreros tampoco. Lo mejor es llegar a un acuerdo.

Aquello era lo prudente. Rasseneur se mostraba siempre partidario de las reivindicaciones razonables. A pesar de la popularidad extraodinaria de su antiguo huésped, defendía el sistema del progreso ordenado, diciendo que no se conseguía nada cuando quería obtenerse todo de una sola vez. Ofendido con Esteban, sentía envidia hacia él, e impulsado por ella, algunas veces, hasta llegaba a defender a la Compañía, olvidando su antiguo odio de minero despedido.

—¿De modo que tú estás contra la huelga? —exclamó la señora Rasseneur desde el mostrador.

Y como él contestase afirmativamente con energía, ella le hizo callar.

—¡Vamos, vamos! No tienes corazón; deja que hablen estos señores.

Pero Esteban se había quedado pensativo, sin quitar los ojos del vaso de cerveza que había pedido.

—Posible es que sea verdad todo lo que dice Souvarine, y si nos obligan a ello, habremos de decidirnos por la huelga... Precisamente Pluchart me ha escrito a propósito de eso cosas muy razonables. Tampoco él era partidario de las huelgas, en las cuales el obrero sufre tanto como el ciclista, sin conseguir nada definitivo. Pero cree que es una buena ocasión para que nuestra gente se decida a entrar en la Sociedad... Por lo demás, aquí está la carta.

En efecto, Pluchart, contrariado por la desconfianza con que acogían la idea de la Internacional los mineros de Montsou, esperaba que se adhiriesen en masa si surgía un conflicto cualquiera que los obligara a luchar con la Compañía. A pesar de sus esfuerzos, Esteban no había conseguido colocar más que unos pocos nombramientos de individuos de la Internacional, en parte porque había querido reservar su influencia para que prosperase la Caja de Socorros, idea mucho mejor acogida entre los obreros. Pero los fondos de la Caja eran tan insignificantes, que, como decía Souvarine, pronto se verían agotados; y entonces los obreros se echarían fatalmente en brazos de la Internacional, con el fin de que todos sus hermanos los ayudasen.

—¿Cuánto tenéis en caja?

—Tres mil francos apenas —respondió Esteban—. Y ya sabéis que la Dirección me llamó anteayer. ¡Oh! Son muy corteses; me repitieron que no prohibían a los obreros que creasen un fondo de reserva. Pero he comprendido que querían intervenir en esto... De todos modos, tendremos que reñir una batalla por ese lado.

El tabernero se había puesto a pasear silbando con aire despreciativo.

—¡Tres mil francos! ¿Qué demonios queréis hacer con eso? No habría ni siquiera para comer pan seis días, y lo que es confiar en los extranjeros, en los mineros ingleses, sería una tontería; tanto valdría morirse de hambre a morir desde luego. ¡No! La huelga era una estupidez.

En aquel momento se cruzaron por primera vez palabras agrias entre aquellos tres hombres, que ordinariamente acababan por ponerse de acuerdo en su odio al capital.

—Vamos a ver: ¿y tú, qué dices? —replicó Esteban, dirigiéndose de nuevo a Souvarine.

Éste, sin dejar su cigarrillo, respondió con aquella frase de desdén que le era habitual:

—¡Las huelgas! ¡Tonterías!

Luego, en medio del silencio embarazoso que se había producido, adió con suavidad:

—En fin, no digo que no debáis hacerlo, si la cosa os divierte: eso arruina a los unos, mata a los otros, y algo es algo... Solamente que, siguiendo ese sistema, harían falta muchos miles de años para acabar con la humanidad. Empezad por hacer saltar ese presidio donde os morís de hambre.

Y con el brazo extendido señalaba a la Voreux, cuyos edificios se veían por la puerta que había quedado entreabierta. Pero le interrumpió un drama imprevisto. Polonia, la coneja casera, que se había atrevido a salir de la casa, entró de un salto, huyendo, y perseguida por las pedradas de una turba de muchachos; y en su espanto, con las orejas echadas atrás, el rabo recogido, fue a refugiarse entre las piernas del maquinista, acariciándole para que la tomase en brazos. Cuando la tuvo acostada sobre las rodillas, la abrigó con las dos manos, y cayó en aquella especie de somnolencia pensativa en que le sumía siempre el contacto con aquel pelo, suave como la seda.

Poco después entró Maheu en la taberna. No quiso tomar nada, a pesar de la amable insistencia de la señora Rasseneur, que vendía su cerveza como si la regalara. Esteban se había puesto en pie y los dos salieron en dirección a Montsou.

Los días de cobro parecían de fiesta en el pueblo de Montsou; estaba tan animado como en domingo de feria. De todos los barrios llegaba una muchedumbre de mineros. El despacho del cajero era muy pequeño, y los obreros preferían esperar a la puerta, en grupos, que formaban larga cola en la calle esperando vez. Algunos comerciantes ambulantes aprovechaban la ocasión para instalar puestos de patatas fritas y salchichería en medio del arroyo. Pero los que hacían buen negocio eran los taberneros, porque los trabajadores, antes de ir a cobrar, iban a buscar paciencia fuerza de copas, y después de cobrar acudían también a celebrar el hecho. Y menos mal si no acababan por gastarse hasta el último céntimo en el Volcán.

A medida que Maheu y Esteban avanzaban por entre los grupos advirtieron que existía gran agitación, aunque sorda, pero por lo mismo más amenazadora. Muchos de los obreros cerraban los puños; palabras de rencor y de venganza corrían de boca en boca.

—¿Con qué es cierto —preguntó Maheu a Chaval, a quien encontró a la puerta del café— que han hecho al fin la porquería que temíamos?

Pero Chaval le contestó por toda respuesta con un gruñido de rabia, al par que dirigía una mirada oblicua a Esteban.

Desde las últimas subastas no trabajaba con ellos en la misma cantera, cada vez más envidioso de su compañero, que, habiendo llegado el último a las minas, se había convertido en amo del cotarro, y al cual, según decía él, todos los obreros del barrio adulaban de un modo vergonzoso.

Todo esto se complicaba con la cuestión sentimental, y ya no veía una sola vez a Catalina en Réquillart o en cualquier parte, sin echarle en cara brutalmente que dormía con el huésped de su padre; luego la abrumaba a caricias, más enamorado de ella a causa de los celos que sentía.

Maheu le dirigió esta pregunta:

—¿Están cobrando ya los de la Voreux?

Y como contestara afirmativamente y les volviera la espalda, los dos hombres entraron en las oficinas para cobrar la quincena.

El despacho donde estaba la Caja era una pequeña habitación, dividida en dos por una verja de madera. Sentados en los bancos que había a lo largo de la pared, aguardaban cinco o seis mineros, mientras el cajero, ayudado por un dependiente, pagaba a otro que estaba de pie delante de la ventanilla con la gorra en la mano. En la pared se veía un anuncio escrito en un papel recién pegado, y por allí iban desfilando centenares de obreros desde las primeras horas de la mañana. Entraban de dos en dos o de tres en tres; permanecían un momento leyéndolo, y luego se marchaban sin decir palabra, encogiéndose de hombros, pero con rostro compungido.

Precisamente en aquel momento había dos carboneros delante del anuncio: un joven con cara de bruto, y un viejo muy flaco con marcada expresión de estupidez en el semblante. Ni uno ni otro sabían leer; el joven deletreaba trabajosamente, y su compañero se contentaba mirándole con cara estúpida. Muchos, como ellos, habían pasado por allí sin comprender de lo que se trataba.

—Léenos eso —dijo a su compañero Maheu, que tampoco estaba muy fuerte en la lectura.

Entonces Esteban se puso a leer el anuncio. Era una advertencia de la Compañía a los operarios de todas las minas. Les decía que, en vista del poco esmero con que se hacían los trabajos del revestimiento de madera, cansada de imponer multas inútiles, había tomado la determinación de introducir un nuevo sistema de pago para la extracción de la hulla. En lo sucesivo pagaría aparte el revestimiento, por metros cúbicos de madera empleada en él, y basándose sobre la cantidad proporcionada a las justas necesidades del trabajo. Como consecuencia natural, se disminuiría el precio señalado para cada carretilla de carbón extraído, en la proporción de cincuenta céntimos a cuarenta, teniendo en cuenta la clase de mineral y la distancia que hubiera de recorrer hasta el pozo de subida. Y un cálculo, bastante confuso por cierto, trataba de demostrar que esa baja de diez céntimos se hallaría exactamente compensada por el precio del metro cúbico de madera empleada en el revestimiento. Además la Compañía añadía que, deseando dejar que el tiempo convenciera a todos de las ventajas que presentaba el nuevo sistema, no empezaría a aplicarlo hasta el lunes 1º de diciembre.

—¡Leed más bajo —gritó el cajero—, que no nos entendemos aquí!

Esteban terminó la lectura del cartelillo sin hacer caso de la observación. Su voz temblaba; y cuando hubo concluido, todos siguieron mirando al anuncio. Los dos mineros de que antes hablamos, el joven y el viejo, se detuvieron un instante, y luego se alejaron con ademán desesperado.

—¡Maldita sea!... —murmuró Maheu.

Él y su compañero habían tomado asiento, y absortos, con la cabeza baja, esperaban, haciendo cálculos, a que les llegase el turno para cobrar.

¡Querían burlarse de ellos! Era imposible hallar la compensación de los diez. céntimos que les quitaban en cada carretilla, aunque reventaran trabajando. Cuando más, percibirían ocho céntimos, por lo cual resultaba que la Compañía les robaba dos, sin contar el tiempo que perderían en un trabajo detenido para revestir y apuntalar. ¡Lo que querían era aquella disminución de jornales! ¡Hacer economías a costa de los obreros!

—¡Maldita sea ... ! ¡Maldita sea...! —repetía Maheu levantando la cabeza—. Somos unos calzonazos si aceptamos eso.

En aquel momento quedó libre la ventanilla, y se acercó a ella para que le pagasen. Los jefes de cuadrilla se presentaban solos a cobrar, y luego ellos repartían los jornales a sus hombres, lo cual economizaba mucho tiempo.

—Maheu y otros —dijo el cajero—: filón Filomena, cantera número siete.

Y registraba los libros donde diariamente apuntaban los capataces las carretillas extraídas por la cuadrilla.

Luego añadió:

—Maheu y otros, filón Filomena, cantera número siete... Ciento treinta y cinco francos.

El cajero pagó.

—Usted perdone, señor —balbuceó el minero—. ¿Está seguro de no haberse equivocado?

Miraba aquel poco dinero sin recogerlo, empapado en un sudor frío. Seguramente esperaba una mala quincena; pero no tanto. Después de entregar su parte a Zacarías, Esteban y el otro compañero que reemplazaba a Chaval, le quedarían, cuando más, cincuenta francos para él, su padre, Catalina y Juan.

—No; no me equivoco —contestó el cajero—. Hay que desquitar dos domingos y cuatro días de descanso; o sea, nueve días de trabajo.

Maheu seguía calculando, haciendo sumas en voz baja, nueve días le daban unos treinta francos para él, dieciocho para Catalina, nueve para Juan. En cuanto al tío Buenamuerte, no había trabajado más que tres días. No importaba, porque añadiendo noventa francos de Zacarías y de los otros dos, aún debía resultar más dinero.

—Y no olvide las multas —dijo el cajero—. Veinte francos de multa por trabajos de revestimiento mal hechos.

El minero hizo un gesto de desesperación. ¡Veinte francos de multa, cuatro días de descanso forzoso! Así, salía la cuenta. ¡Y pensar que algunas veces había tenido quincenas de ciento cincuenta francos, cuando su padre estaba bueno y antes de casarse Zacarías!

—Vamos a ver: ¿toma usted el dinero o no? ––exclamó el cajero que empezaba a impacientarse.— Ya ve que hay gente esperando... Si no lo quiere, dígalo.

Cuando Maheu fue a recoger el dinero con mano temblorosa el dependiente lo detuvo.

—Espere... El señor secretario general desea hablarle. Entre usted; está solo en su despacho.

Y aturdido y sin saber cómo, se encontró en un gabinete amueblado con muebles de roble, tapizados en un verde bastante desteñido.

Durante cinco minutos oyó hablar al secretario general, un señor alto, de aspecto severo, que le miraba por encima de las carpetas de papeles de que se hallaba atestada su mesa de despacho. Pero el zumbido sordo de sus oídos le impedía enterarse de las palabras de aquél. Comprendió, vagamente que se trataba de su padre, cuyo expediente de retiro estaba limitándose para concederle la pensión de ciento cincuenta francos, a los cincuenta años de edad y cuarenta de servicio. Luego le pareció que la voz del secretario era más severa. Le regañaba, acusándole de ocuparse en política, y haciendo alusiones a su huésped y a la Caja de Ahorros; por fin, se le figuró que le aconsejaba que no se comprometiera en semejante locura, ya que siempre había sido uno de los mejores operarios de la mina. Maheu quiso protestar, pero no pudiendo decir dos palabras seguidas, estrujó la gorra con sus dedos febriles y salió de allí tartamudeando:

—Ciertamente, señor secretario... Aseguro al señor secretario...

Afuera, cuando se reunió con Esteban, que le estaba esperando, estalló su furia.

—Soy un canalla, porque he debido contestar... —decía—. ¡No darle a uno ni para pan, y además decirle tonterías! Sí, contra ti me ha hablado, diciendo que el barrio estaba revuelto por ti... ¿Qué hemos de hacer más que agachar la cabeza y tener paciencia, y dar las gracias encima?... Tiene razón... Después de todo es lo más prudente.

Maheu dejó de hablar, mortificado a la vez por la rabia y por el temor. Esteban se había quedado pensativo. Otra vez atravesaron por entre los grupos que había en la calle. La exasperación iba en aumento; una exasperación sin gestos, sin manifestaciones exteriores, y por lo mismo más imponente y amenazadora. Algunos que sabían calcular, habían echado sus cuentas, y la noticia de que en último resultado la Compañía iba ganando dos céntimos en cada carretilla, exacerbaba los ánimos más tranquilos' Pero lo que dominaba, sobre todo, era la rabia de aquella quincena desastrosa, la sublevación del hambre por aquellos días de descanso forzoso y por aquellas multas injustas.

Si ya no se sacaba lo preciso para comer, ¿qué iba a ser de ellos, si encima les disminuían los jornales? En las tabernas se protestaba en alta voz; la rabia secaba de tal modo los gaznates, que el poco dinero cobrado se quedaba allí encima de los mostradores en cerveza y en ginebra.

Esteban y Maheu no hablaron una palabra desde Montsou a su casa. Cuando el segundo entró, su mujer, que estaba sola con los chicos, vio enseguida que no había hecho sus encargos.

—¡Bien! ¡Me gusta! —dijo—. ¿Y el café, y el azúcar, y la carne? Unas chuletas no te hubieran arruinado.

El pobre hombre no contestaba, ahogado por la emoción, que en vano procuraba dominar. Luego tuvo un gruñido de rabia, y las lágrimas inundaron su semblante, curtido por el rudo trabajo de las minas. Se había dejado caer en una silla, y lloraba como un chiquillo, mientras que con un movimiento de desesperación tiraba los cincuenta francos encima de la mesa.

—¡Toma! —murmuró—. Eso es lo que te traigo... Ése es el producto del trabajo de todos nosotros.

La mujer de Maheu miró a Esteban, y le vio silencioso y abatido. Entonces se echó a llorar también. ¿Cómo habían de vivir nueve personas quince días con cincuenta francos? Su hijo mayor se había ido de la casa, su suegro no podía ya moverse, aquello era morir. Alicia, al ver llorar a su madre, se colgó de su cuello; Enrique y Leonor sollozaban, en tanto que Estrella berreaba como de costumbre.

Y de todas las casas del barrio salió muy pronto el mismo grito de miseria. Los hombres habían vuelto a sus hogares, lamentándose unánimemente ante el desastre de aquella miserable quincena. Abriéronse las puertas, dando paso a muchas mujeres que salían a quejarse a la calle, como si de aquel modo encontraran algún consuelo.

Caía una lluvia menudita; pero ninguna de ellas la sentía, y unas a otras se llamaban, enseñándose el poco dinero que llevaban en la palma de la mano.

—¡Mira 16 que le han dado! ¿No es esto burlarse de la gente?

—¡Pues si yo no tengo siquiera para pagar el pan de la quincena pasada!

—¡Pues y yo! ¡Cuenta esto! Tendré que vender hasta la camisa.

La mujer de Maheu había salido a la calle, como las demás. Un grupo numeroso se formó alrededor de la de Levaque, que era la que más chillaba; porque el borracho de su marido no había vuelto siquiera a la casa, y se temía que la paga, poca o mucha, se iba a quedar toda en el Volcán.

Filomena no quitaba ojo de su suegro, para que no le escamotease a Zacarías algunos cuartos. La única que parecía un tanto tranquila era la mujer de Pierron porque su marido se arreglaba siempre de modo, nadie sabía cómo, que tenía más horas de trabajo que los demás en el libro del capataz.

Pero la Quemada opinaba que aquello era una infamia de su yerno, y estaba en cuerpo y alma con las descontentas, exagerando su furor y dirigiendo miradas amenazadoras a Montsou.

—¡Y pensar —decía sin nombrar a los de Hennebeau— que he visto pasar a su criada en coche!... Sí, la cocinera, que iba en el carruaje de dos caballos, sin duda para comprar pescado en la plaza de Marchiennes.

Un grito de indignación salió de todas partes, y los juramentos y exclamaciones subieron de punto. Aquella criada con su delantal blanco, yendo en el coche de sus amos, los sacaba de quicio a todos. ¿Con que no se podía pasar sin comer pescado, cuando los obreros se estaban muriendo de hambre? Pero no comerían siempre así, porque pronto llegaría la hora del triunfo de la gente pobre. Y las ideas sembradas por Esteban crecían de un modo prodigioso en medio de aquellos gritos de sublevación. Era la impaciencia por llegar a la tierra de promisión; el deseo ardiente de disfrutar, en parte, la felicidad; el afán de ver la luz al otro lado de aquel horizonte de miseria y de privaciones terribles. La injusticia iba siendo ya muy grande, y tendrían que acabar por exigir sus derechos, puesto que se les quitaba hasta el pedazo de pan que llevar a la boca. Sobre todo las mujeres hubieran querido entrar enseguida a saco en aquella ciudad ideal del progreso, donde no debía de haber pobres.

Era casi de noche, y la lluvia aumentaba y el frío se iba haciendo intenso; mas, a pesar de todo, las mujeres llenaban las calles del barrio llorando y gritando en medio de la baraúnda armada por la chiquillería.

Aquella noche en La Ventajosa quedó decidida la huelga. Rasseneur no se atrevía a combatirla, y Souvarine la aceptaba como el primer paso dado en el camino de las soluciones convenientes. Esteban resumió la situación en una sola frase: ¿La Compañía quiere la huelga? Pues la tendrá.

V

Transcurrió una semana; el trabajo continuaba desanimado y triste, a la espera del conflicto, cada vez más inminente.

En casa de Maheu, la quincena se anunciaba peor que la anterior. Así es, que la mujer del minero, a pesar de su carácter dulce y su proverbial prudencia, se iba agriando cada vez más. ¿Pues no se había atrevido su hija Catalina a dormir una noche fuera de su casa? Al día siguiente, por la mañana, entró tan cansada, tan debilitada a consecuencia de la aventura que no pudo ir a trabajar, diciendo que no era culpa suya, porque Chaval la había detenido, amenazándole con pegarle una paliza si se marchaba. Su amante estaba loco de celos; quería impedirle que volviese a acostarse en la cama de Esteban, donde, según él, la obligaba a dormir la familia. La mujer de Maheu, furiosa, después de prohibirle que volviera a hablar con semejante bruto, quería ir a Montsou para darle de bofetadas. Pero no por eso se dejaba de perder el jornal del día, y además, Catalina decía que ya que tenía aquel querido, prefería no cambiar de hombre.

Dos días después hubo otra historia. El lunes y el martes, Juan, a quien creían en la Voreux trabajando tranquilamente, se escapó al bosque de Vandame a pasar dos días de juerga con Braulio y Lidia. Los había pervertido de tal modo, que jamás se pudo averiguar a qué entretenimientos de chiquillos precoces se habían entregado los tres juntos con verdadero furor. El chico recibió una reprensión fuerte, una azotaina terrible, propinada por su madre en medio de la calle, en presencia de todos los muchachos del barrio. ¿Se había visto cosa semejante? ¡Hijos suyos, que no habían hecho más que costarle dinero desde que nacieron, y que estaban ya obligados a ganar para ayudarla! Y en aquellas exclamaciones revivía el recuerdo de su propia infancia, de la miseria hereditaria que sufrían los de su raza desde tiempo inmemorial, acostumbrados a que los hijos ganasen dinero desde que llegaban a la edad de poder trabajar.

Aquella mañana, cuando los hombres y Catalina se fueron a la mina, la mujer de Maheu se levantó de la cama y llamó a Juan.

—¡Mira, grandísimo tunante; si se vuelve a repetir esto, te mato a palos!

En la cantera donde trabajaba entonces Maheu, la faena era penosísima. Aquella parte del filón era tan delgada, que los cortadores de arcilla, embutidos entre la pared y el techo, se destrozaban los codos y las rodillas, sin dejar de mover las herramientas. Además, cada día iba estando más húmeda; temían que de un momento a otro saltara un chorro de agua, uno de esos bruscos torrentes que rompen las rocas y arrastran a los hombres. El día antes, Esteban, al dar con el pico en una roca había sentido brotar el agua: aquello era la voz de alerta, de la que no hicieron caso. Todo se redujo a que la cantera se quedara más húmeda.

Por lo demás, el joven no pensaba ya en los accidentes posibles; pasaba allí, como sus demás compañeros, el tiempo trabajando v despreciando el peligro. Vivían en medio del grisú, sin sentir siquiera la pesadez que les producía en los párpados. Algunos días, sin embargo, cuando la luz de las linternas se azulaba más que de costumbre, pensaban en él, y arrimaban la cara a la vena para oír el ruidillo que producía el gas, un ruidillo de burbujas de aire bullendo en cada hendidura. Pero la amenaza más seria era la de un desprendimiento; porque además de la insuficiencia de los puntales de madera, que seguían haciendo de prisa y corriendo, las rocas, combatidas por el agua y por la humedad interior, se desprendían en masas enormes.

Dos veces aquel día tuvo Maheu que hacer que metieran unos puntales de madera. Eran las dos y media, y la gente iba a dejar ya el trabajo. Esteban terminaba de arrancar una masa de carbón, cuando se oyó un trueno espantoso y lejano, que retumbó en toda la mina.

—¿Qué es eso? —exclamó, deteniéndose en su tarea para escuchar.

Había creído que el techo de la galería se le venía encima.

Pero ya Maheu se tiraba del andamio, diciendo:

—Es un desprendimiento... ¡Pronto, pronto! ¡Fuera!

Todos se apresuraron precipitadamente a salir; pero ayudándose unos a otros con verdadero espíritu de fraternidad. Sus linternas se agitaban con violencia en el silencio de muerte que se había producido; corrían unos detrás de otros a lo largo de las galerías, con la espalda encorvado, como si galopasen a cuatro pies; y sin detener la carrera se interrogaban, y contestaban con palabra rápida y concisa: ¿Dónde habrá sido? ¡No! Era abajo más bien; en las galerías de arrastre. Cuando llegaron a la chimenea, se metieron en ella, y resbalaron uno detrás de otro, sin ocuparse de los rasguños que se hacían.

Juan, lleno de cardenales de la paliza de la víspera, no se había escapado aquel día de la mina. Trotaba descalzo detrás de su tren, para ir cerrando las compuertas de ventilación; y a veces, cuando no temía encontrarse con un capataz, se subía en la última carretilla, lo cual estaba prohibido, para evitar que se durmiesen. Pero su distracción favorita era, cada vez que el tren se detenía para cruzar con otro, ir a ver a Braulio que iba en la primera vagoneta guiando el caballo. Llegaba sin hacer ruido y sin linterna; pellizcaba a su compañero hasta que le hacía sangre, en broma; inventaba diabluras de mono, al cual se parecía con aquellos pelos rojos y rizados, aquellas orejas descomunales, aquella cara flacucha y huesosa, animada por aquellos ojillos verdes, que brillaban en la oscuridad lo mismo que los de un gato.

A pesar de su precocidad extraordinaria, parecía tener la inteligencia oscura de un aborto humano que volviera a la animalidad de origen.

Una vez Batallador se paró en seco, Juan, acercándose a Braulio: —¿Qué demonios tiene ese animal —le dijo—, que por poco me rompe las piernas con esa parada?

Pero Braulio no pudo contestar, ocupado en atender al caballo, que se encabritaba al ver llegar otro tren. El animalito había conocido de lejos a su compañero Trompeta, al cual había tomado gran cariño desde el día de su llegada al fondo de la mina. Cualquiera hubiera dicho que sentía la compasión afectuosa de un filósofo viejo, anhelante por consolar a un amigo joven, y por inspirarle paciencia y resignación; porque Trompeta no se aclimataba; tiraba de las carretillas a la fuerza, seguía con la cabeza caída, cegado por la oscuridad, como si no adquiriera la resignación necesaria para renunciar al sol. Así es que cada vez que Batallador lo encontraba, alargaba la cabeza para soplarle en el cuello y humedecérselo con una caricia capaz de infundirle valor.

—¡Mira!... Ya están otra vez dándose besos —dijo Braulio.

Luego, cuando Trompeta hubo pasado, añadió, refiriéndose a Batallador:

—Anda; este maldito viejo sabe lo que se hace... Cuando se planta de ese modo, es que adivina algún obstáculo, una piedra o un agujero; se cuida bien, y no quiere que se le rompa nada... Hoy no sé qué demonio habrá detrás de aquella compuerta. La empuja, y se queda parado. ¿Has oído algo tú?

—No —dijo Juan—. Lo que hay es mucha agua. A mí me llega a las rodillas.

El tren echó a andar otra vez. Y al viaje siguiente, cuando Batallador hubo abierto la compuerta de un cabezazo, se negó a seguir, y se plantó relinchando y temblando. Al fin se decidió, y pasó con rapidez.

Juan se había quedado atrás a fin de cerrar la compuerta. Se bajó un poco para ver la laguna en que se le hundían los pies; luego, levantando la linterna, vio que los maderos de apuntalar habían cedido por la influencia de una filtración muy grande. Precisamente en aquel momento un minero, muy conocido entre sus compañeros por el apodo de Naranjero, salía de su trabajo, presuroso por volver a su casa, porque su mujer estaba de parto. También él se detuvo con objeto de mirar los puntales de madera. y de repente, cuando el chico iba a echar a correr a fin de alcanzar el tren, se oyó un crujido formidable, y el hombre y el muchacho quedaron sepultados entre las rocas desprendidas.

Hubo un momento de silencio. Un polvo denso, levantado por el desprendimiento, invadía todas las galerías. Y ciegos, sofocados, iban llegando mineros de todas partes, de las más próximas y de las lejanas canteras, llevando en la mano las linternas, que alumbraban apenas los grupos de hombres negros que corrían hacia el lugar de la catástrofe. Cuando los primeros llegaron a él, se detuvieron y llamaron a los demás.

Otro grupo numeroso, llegado de la cantera del fondo, se hallaba al otro lado de la masa de piedra desplomada, que interceptaba la galería. Enseguida se vio que el techo se había desprendido en un trayecto de diez metros a lo sumo. Los perjuicios no eran de consideración, pero todos los corazones se oprimieron al oír salir de los escombros un gemido estertóreo.

Braulio que había abandonado el tren, acudía diciendo: —¡Juan está debajo! ¡Juan está debajo!

En aquel momento, Maheu, que desembocaba de la chimenea corrió Zacarías y Esteban se vio acometido de un furor desesperado sin encontrará más que juramentos y maldiciones para expresar su dolor.

—¡Maldita sea mi suerte! ¡Mal rayo nos parta a todos!

Pero las mujeres, que acudían también corriendo, y entre ellas Catalina, Lidia y la Mouquette, se echaron a llorar, gritando como desesperadas en medio del espantoso desorden, más espantoso aún a causa de la oscuridad. Querían hacerlas callar; pero ellas chillaban cada vez más fuerte.

El capataz Richomme había llegado al lugar de la catástrofe desesperado, porque ni Négrel ni Dansaert se hallaban en la mina. Aplicó el oído a la roca para escuchar y acabó por decir que aquellos gemidos no eran del chico. Seguro que había allí algún hombre también. Entonces Maheu llamó a Juanillo. No se oía respirar a nadie.

El pequeño había quedado muerto sin duda. Y los gritos continuaron enseguida: todos llamaban al que agonizaba; todos querían saber su nombre. Nadie contestó.

—¡Démonos prisa! —repetía Richomme, que había organizado la operación de salvamento—. Después hablaremos.

Por uno y otro lado los mineros atacaban el montón de escombros con los picos y con las palas. Chaval trabajaba, sin decir palabra, al lado de Maheu y de Esteban, mientras Zacarías se ocupaba en transportar la tierra que sacaban del montón. Ya era hora de salir; nadie había comido; pero no pensaron en hacerlo mientras hubiera alguien en peligro. Sin embargo, recordaron que la gente del barrio estaría impaciente y con cuidado, si no veía volver a nadie, y se habló de que se marcharan las mujeres. Ni Catalina, ni la Mouquette, ni siquiera Lidia, quisieron marcharse, clavadas allí por el deseo de saber lo ocurrido, y ayudando afanosamente a los hombres. Entonces Levaque aceptó el encargo de anunciar en el barrio que había ocurrido un desprendimiento, pero que no era cosa mayor, y que se remediaría fácilmente. Eran cerca de las cuatro: los obreros, en menos de una hora, habían hecho el trabajo de un día: ya debían haber quitado la mitad de las piedras, si no habían caído más del techo. El ruido estertóreo los guiaba en su trabajo. Maheu se obstinaba con tal rabia, que se negaba a dejar el trabajo cuando alguno se acercaba a reemplazarle para que descansara.

—¡Despacio! —dijo al fin Richomme—. Ya llegamos... ¡Cuidado, no vayáis a rematarle con los picos!

En efecto el estertor se oía cada vez más cerca. Entonces parecía que sonaba debajo de los picos y los azadones.

Nadie pronunció una palabra. Todos habían sentido pasar el frío de muerte a través de las tinieblas.

Cavaban con ardor, sudando a mares, con los miembros contraídos, como si fueran a rompérselos. Tropezaron con un pie; entonces escarbaron con las manos y fueron descubriendo uno a uno los miembros de una persona. La cabeza no había sufrido nada. Las linternas se acercaron, nombre del Naranjero corrió de boca en boca. El pobre estaba todavía caliente; tenía la columna vertebral completamente rota.

—Envolvedlo en una manta y ponedlo en una carretilla —ordenó el capataz—. Vamos ahora al chiquillo. ¡Deprisa, deprisa!

Maheu no había dejado de trabajar, y fue el primero que vio practicada la abertura que les puso en comunicación con la brigada que trabajaba por el otro lado. Los hombres de esta última fueron los primeros que gritaron: acababan de encontrar a Juan sin sentido y con las dos piernas rotas; pero respirando todavía. Su padre cogió al chico en brazos, y se lo llevó, apretando los dientes y desahogando su rabia a fuerza de juramentos y blasfemias. Catalina y las otras muchachas seguían llorando a mares.

Pronto se organizó el triste cortejo. Braulio había llevado a Batallador al lugar del siniestro. El caballo quedó enganchado en un instante a dos vagonetas: en la primera iba el cadáver del Naranjero sostenido por Esteban; en la segunda se había sentado Maheu, llevando en brazos a Juan, a quien había tapado con un pedazo de trapo que había arrancado de una compuerta de ventilación. Y el tren se puso en marcha al paso del caballo; en cada carretilla iba enganchada una linterna, que parecía una estrella roja. Luego, detrás, a la cola, seguían todos los mineros, todos, menos unos cincuenta que tuvieron que quedarse allí para consolidar el techo de la galería. Ya se sentían muertos de cansancio e iban arrastrando los pies y resbalando por el barro, con la expresión sombría de un ganado acometido de epidemia. Más de media hora tardaron en llegar al pie del pozo de subida. Aquel convoy subterráneo, atravesando la oscuridad profunda de la mina, no se acababa nunca a lo largo de las galerías, que se bifurcaban, daban vueltas y se estrechaban sin cesar.

Richomme que había salido delante tenía ya dada orden para que estuviera preparada una jaula ascensor. Pierron y otro cargador embalaron enseguida las dos fúnebres carretillas. En una iba Maheu con el muchacho herido en los brazos mientras en la otra Esteban tenía que llevar abrazado el cadáver del Naranjero, para que no tropezara en ninguna parte. Luego, así que los demás departamentos estuvieron atestados de obreros la jaula comenzó a subir. Tardaron dos minutos. Todos iban mirando hacia arriba, impacientes esta vez por ver la luz del sol.

Afortunadamente, un aprendiz, a quien enviaron a buscar al doctor Vanderhaghen, le había encontrado en casa, y llegaba con él en aquel momento. Juan y el muerto fueron conducidos al cuarto de los capataces, donde, a pesar de que no hacía frío, ardía una lumbre magnífica. Retiraron las cubetas de agua tibia preparadas ya para que los capataces se lavaran los pies, y extendiendo dos colchones en el suelo, colocaron en ellos al hombre y al muchacho. Solamente Maheu y Esteban entraron. Afuera, las mujeres, los demás obreros y los aprendices que habían acudido, hablaban en voz baja.

En cuanto el médico dirigió una mirada al Naranjero, murmuró: —¡Éste se fastidió! ¡Ya podéis lavarlo!

Dos vigilantes desnudaron y lavaron con una esponja aquel cadáver, negro de carbón y sucio todavía de sudor.

—En la cabeza no tiene nada —añadió el doctor, arrodillándose en el colchón donde se hallaba Juan—. En el pecho tampoco... ¡Ah! Las piernas son las que han sufrido.

Y él mismo desnudaba al chiquillo, desatándole la chaqueta, quitándole la blusa, tirándole de los pantalones y sacándole la camisa con la habilidad de una nodriza. Entonces apareció aquel cuerpecillo delgado como el de un insecto, sucio por todas partes de polvo negruzco, con manchas de tierra rojiza, que le daban el aspecto de mármol negro cruzado de vetas rojas. Como no se le veía bien, hubo que lavarlo. Y entonces, a medida que se le iba pasando la esponja, parecía más delgado y endeble, y con unas carnes tan transparentes, que se le veían los huesos. Daba compasión aquella última degeneración de una raza de míseros, aquel pedazo de carne, que sufría horriblemente, medio aplastado por las rocas.

Cuando estuvo limpio, se le vieron las heridas de las ingles, dos manchones de sangre sobre la blancura de la piel.

Juan, que había recobrado el conocimiento, dio un gemido. En pie, al lado del colchón, con las manos cruzadas y temblorosas, Maheu le contemplaba conmovido, y gruesas lágrimas surcaban sus curtidas mejillas.

—¡Eh! ¿Eres tú su padre? —dijo el doctor, levantando la cabeza—. No llores, porque ya ves que no está muerto... Ayúdame.

Le reconoció, y vio que tenía dos fracturas simples. Pero la pierna derecha le preocupaba, y temía que acaso hubiera que amputársela.

En aquel momento, el ingeniero Négrel y Dansaert, que habían recibido aviso, entraron en la habitación, seguidos de Richomme. El primero escuchaba el relato del capataz con aire de malhumor. Al fin estalló:

—¡Siempre la maldita manía de no apuntalar bien! ¡Y esos bestias hablando de declararse en huelga, si les obligan a apuntalar mejor! Lo malo es que ahora la Compañía tendrá que pagar los vidrios rotos, sin comerlo ni beberlo. ¡Bueno se pondrá el señor Hennebeau!

—¿Quién es? —preguntó luego a Dansaert, que silencioso y delante del cadáver, lo contemplaba, mientras lo envolvían en una sábana.

—El Naranjero, uno de los mejores obreros de la mina —respondió el capataz mayor—, tiene tres hijos... ¡Pobrecillo!

Entre tanto, el doctor Vanderhaghen hablaba en voz baja con aquellos señores, pidiéndoles que llevaran inmediatamente a Juan a su casa.

Daban las seis, comenzaba a declinar el día, y mejor era llevarse también el cadáver. El ingeniero dio órdenes inmediatamente para que enganchasen el furgón y llevaran una camilla. El niño herido fue colocado en la camilla, mientras metían en el furgón el colchón con el muerto.

Afuera, hombres y mujeres seguían hablando en voz baja, y sin marcharse hasta no ver en qué quedaba aquello. Cuando se abrió la puerta del cuarto de los capataces, reinó el silencio más profundo entre los grupos de curiosos, y se formó un nuevo cortejo: el furgón delante, luego la camilla, después la multitud de obreros que los seguían a pie. Lentamente tomaron todos el camino en cuesta que conducía al barrio de los mineros. Los primeros fríos de Noviembre habían desnudado de todo verdor aquella llanura inmensa, envuelta ya en su manto de tinieblas.

Esteban aconsejó entonces a Maheu que enviara a Catalina, para que preparase a su madre y el golpe fuese menos rudo. El padre, que iba al lado de la camilla con ademán desesperado, asintió haciendo un gesto, y la joven echó a correr, porque ya estaban cerca de las casas. Pero en el barrio ya habían visto que se acercaba el furgón, aquella fúnebre caja tan conocida. Multitud de mujeres salían como locas a las puertas de las casas, y tres o cuatro, llenas de angustia, habían echado a correr para salir al encuentro de la fúnebre comitiva. Pronto fueron treinta, cuarenta, cincuenta, todas ahogadas por el mismo espanto. ¿Con que había un muerto?

¿Quién era? La historia contada por Levaque, después de tranquilizarlas a todas, las lanzaba a exageraciones de verdadera pesadilla: no era un hombre, sino diez lo menos los que habían perecido, y que irían llegando uno a uno en el furgón.

Catalina había encontrado a su madre presa de un terrible presentimiento; y desde que su hija, tartamudeando, empezó a hablar, la interrumpió diciendo:

—¡Ha muerto tu padre!

En vano la joven protestaba y hablaba de Juan. La mujer de Maheu, sin hacerle caso, se echaba a la calle: y al ver el furgón que aparecía por la esquina de la iglesia, pálida como una muerta, perdió el sentido. En las puertas de las casas, las mujeres, mudas de espanto, alargaban el cuello, mientras otras seguían con la vista el cortejo fúnebre, temblando ante la idea de que se pudiera detener a la puerta de sus casas respectivas.

El coche pasó, y la mujer de Maheu, repuesta de su desvanecimiento, vio a su marido, que caminaba junto a la camilla. Entonces, cuando depositaron la camilla a la puerta de su casa, cuando vio a Juan vivo, pero con las dos piernas rotas, sintió tan extraña reacción, que se puso furiosa, y empezó a murmurar:

—¿Encima esto? ¡Ahora nos estropean a los chicos!... ¡Las dos piernas, Dios mío! ¿Qué voy a hacer yo ahora?

—Calla, mujer —dijo el doctor Vanderhaghen, que había entrado en la casa para vendar al herido—. ¿Preferirías que se hubiese quedado allí abajo?

Pero la mujer de Maheu se ponía cada vez más furiosa, mientras Alicia, Leonor y Enrique lloraban a gritos. A la vez que ayudaba al doctor, dándole lo que le hacía falta para la cura, maldecía su suerte, y preguntaba dónde querían que fuese a buscar dinero para cuidar a los enfermos. No bastaba con el viejo, sino que también el chico se quedaba cojo. Y no dejaba de maldecir, mientras que de la casa de unos vecinos salían tristes lamentaciones y gritos agudos de dolor: eran la mujer y los hijos del Naranjero, que lloraban al muerto. La noche estaba muy oscura; los mineros, rendidos de fatiga, se habían puesto a comer, y todo en el barrio era tranquilidad, alterada solamente por aquel llorar desgarrador.

Transcurrieron tres semanas. Se había podido evitar la amputación; Juan conservaría sus dos piernas; pero se quedaría cojo. Después de abrir Expediente la Compañía se resignó a darles cincuenta francos como socorro, prometiendo, además, que buscaría para el enfermo, cuando estuviese curado, algún empleo en que no tuviera que trabajar en el fondo de la mina. No por eso dejaba de ser aquello una agravación de miseria, pues, el padre, del disgusto y de la conmoción, había caído en cama con calenturas.

Desde el jueves, Maheu siguió yendo a trabajar, y ya estaban en domingo. Aquella noche Esteban habló extensamente de lo próximo que se hallaba el 1° de diciembre, preocupándose de si la Compañía cumpliría su amenaza. Estuvieron levantados hasta las diez esperando a Catalina, que se hallaba con Chaval. Pero la muchacha no fue a dormir. La mujer de Maheu, furiosa, cerró la puerta, echando el cerrojo sin decir una palabra. Esteban tardó mucho rato en dormirse, inquieto, sin saber por qué, viendo tan desocupada aquella cama, demasiado grande para Alicia sola.

Al día siguiente tampoco apareció Catalina y solamente por la tarde, al volver del trabajo, supieron los Maheu que su hija se quedaba a vivir con Chaval. Le daba tantos disgustos con sus malditos celos, que al fin la muchacha había decidido amancebarse: para evitar que le echasen en cara su conducta, abandonó bruscamente la Voreux, contratándose en Juan Bart, la mina del señor Deneulin, donde trabajaba su querido también. Por lo demás, el nuevo matrimonio, por llamarlo así, seguiría viviendo en el café Piquette de Montsou.

En los primeros momentos, Maheu habló de ir a abofetear al tunante y de llevarse a su hija a puntapiés en la parte posterior; después hizo un gesto de resignación. ¿Para qué? El resultado sería el mismo, porque no había manera de que las muchachas no se amancebasen, como ellas quisieran hacerlo. Mejor era esperar tranquilamente a que se casaran. Pero la mujer de Maheu no tomaba las cosas con tanta calma.

—¿La pegaba yo, acaso, cuando se iba con Chaval? —gritaba, dirigiéndose a Esteban, que la escuchaba silencioso y muy pálido—. Vamos, contésteme, usted que es un hombre razonable... La hemos dejado en libertad, ¿no es cierto? Porque al fin y al cabo, todas pasan por lo mismo. Yo, por ejemplo, ya estaba embarazada cuando me casé con su padre. Pero no me escapé de casa de mi madre, ni lo hubiera hecho jamás, por no cometer la infamia de privaría antes de tiempo del dinero que ganaba, para dárselo a un hombre que no lo necesitaba... ¡Ah!, es insufrible. Tendrá una que acabar por no tener hijos.

Y como Esteban no contestaba, contentándose con menear la cabeza en señal de asentimiento, siguió dando rienda suelta a su indignación.

—¡Una muchacha que iba todas las noches adonde le daba la gana! ¿Qué demonios tiene en el cuerpo? ¿No podía aguardar a casarse hasta que nos hubiera ayudado a salir del atolladero en que estamos? ¿Eh? Pero, ¡es claro!, hemos sido demasiado buenos, porque no debíamos haber permitido que se entretuviera con un hombre. Se les da un dedo, y se toman toda la mano.

Alicia hacía signos de aprobación con la cabeza, mientras Enrique y Leonor, asustados de ver furiosa a su madre, lloraban en silencio. La mujer de Maheu enumeraba sus desventuras; en primer lugar, Zacarías, que se había casado; luego el abuelo, que estaba allí clavado en una silla, sin poder mover las piernas; después Juan, que no podría salir de su cuarto hasta dentro de unos días, según el médico, y, por fin, el último golpe dado por aquella bribona de Catalina que se iba a vivir con un hombre. Toda la familia se desmoronaba. Ya no quedaba más que el padre para trabajar. ¿Cómo iban a vivir siete personas, sin contar a Estrella, con los tres francos de Maheu?

—No se adelanta nada con que gruñas —dijo Maheu con voz sorda—. Todavía podíamos estar peor.

Esteban, que miraba al suelo, levantó la cabeza, y murmuró con la mirada fija en un punto de la sala, perdida en una visión del porvenir:

—¡Ah! ¡Ya es hora, ya es hora!

PARTE IV

I

Aquel lunes, los de Hennebeau tenían convidados a almorzar a los Grégoire y a su hija Cecilia. Se proyectaba un día muy divertido: después de almorzar, Pablo Négrel acompañaría a las señoras a visitar una mina titulada Santo Tomás, que acababa de ser instalada con mucho lujo. Pero aquello era sólo un pretexto inventado por la señora de Hennebeau para precipitar los sucesos en el asunto de la boda de Pablo y de Cecilia.

Y precisamente aquel lunes, a las cuatro de la mañana, se había declarado la huelga. Cuando el 1 de diciembre la Compañía, cumpliendo lo que había dicho, empezó a poner en práctica su nuevo sistema de pagos, los mineros permanecieron tranquilos. Al final de la quincena, cuando llegó el día de cobrar, ni uno solo de ellos formuló reclamación de ningún género. Todo el personal, desde el director hasta el último vigilante, creía de buena fe que la tarifa estaba aceptada; y, por lo tanto, fue mayor la sorpresa aquella mañana al presenciar la declaración de guerra; porque aquello era la señal de que los huelguistas se hallaban bien organizados y dirigidos.

A las cinco, Dansaert, en persona, fue a despertar al señor Hennebeau para decirle que ni siquiera un hombre había querido bajar a la mina Voreux. En el barrio de los Doscientos Cuarenta, por donde acababa de pasar, todos dormían tranquilamente, con las puertas y las ventanas cerradas.

Y una vez levantado el director, empezaron a llegar las mismas noticias de todas partes: cada cuarto de hora llegaban mensajeros llevándole partes y noticias escritas. Al principio tuvo la esperanza de que el levantamiento se redujera a la Voreux; pero los informes iban siendo cada vez más graves: en Crevecoeur y en Miron nadie había querido trabajar; en La Magdalena sólo se habían presentado los mozos de cuadra y los carreteros; en La Victoria y Feutry—Cantel, que eran las dos minas más disciplinadas, sólo una tercera parte de los obreros se prestaba a trabajar y únicamente en

Santo Tomás se habían presentado todas las brigadas, como si los de aquella mina se hallaran fuera del movimiento general. Hasta las nueve estuvo dictando despachos telegráficos a todas partes, al gobernador de Lille y a los consejeros de Administración de la Compañía, dando noticia de la huelga a las autoridades, y pidiendo órdenes a sus jefes. Luego mandó a Négrel que recorriera todas las minas, para tener conocimiento exacto de los acontecimientos.

De pronto el señor Hennebeau pensó en el almuerzo; ya iba a enviar recado a los Grégoire, diciéndoles que se aplazaba el convite y el paseo, cuando se vio detenido por cierta vacilación, por cierta carencia de voluntad propia, él, que con unas cuantas frases cortas y enérgicas acababa de preparar militarmente un campo de batalla. Subió al tocador de su mujer, a quien una doncella estaba acabando de peinar.

—¡Ah! ¿Conque se han declarado en huelga? –dijo tranquilamente la señora, después de oír el relato que su marido le hacía—. Y a nosotros, ¿qué nos importa?... Supongo que no iremos a suspender el almuerzo... ¿eh?

Y se empeñó en que no había de aplazarse nada, ni mortificarse en lo más mínimo el programa para el día, por mas que él le dijo que podía haber algún disgusto durante el almuerzo y que era imposible ir a la mina Santo Tomás, como se había convenido; ella encontraba respuesta a todo: ¿a qué echar a perder un almuerzo que estaban haciendo ya? En cuanto al paseo a Santo Tomás, se podía suprimir, si realmente era una imprudencia ir hasta allí.

—Además —añadió cuando la doncella se hubo retirado—, ya sabes en qué estriba mi empeño por recibir a esa gente. El casamiento de tu sobrino debiera interesarse más que las tonterías de tus trabajadores... Y, en fin, Yo deseo ir, y no debes contrariarme.

Él, ligeramente tembloroso, la miró, y su semblante enérgico y severo de hombre acostumbrado a mandar, expresó, durante unos cuantos segundos, el dolor de un corazón desgraciado. Estaba ella con los hombros al aire, en mangas de camisa, ya muy madura, pero incitante todavía. Por un momento debió de sentir el marido brutales deseos de cogerla por la cintura, y hundir la cabeza entre los dos abultados pechos, que ella lucía en aquella habitación templada, olorosa y de un lujo íntimo de mujer sensual, impregnada de un olor a esencias de tocador; pero retrocedió, y se contuvo. Hacía diez años que vivían en habitaciones separadas.

—Bueno —dijo al salir de la habitación—. No lo suspenderemos.

El señor de Hennebeau había nacido en un pueblo. Había tenido que Pasar por los difíciles comienzos de un muchacho pobre, lanzado en medio de la vida de París. Después de haber seguido con grandes trabajos la carrera de ingeniero de minas, había sido destinado, a los veinticuatro años de edad, de ingeniero a una mina llamada Santa Bárbara, en la Grand–Combe. Tres años después ascendió a ingeniero de división, siendo destinado al Pas–de–Calais, a las minas de Marles: allí fue donde se casó con la hija de un ricacho de Arras. Durante quince años el matrimonio vivió en aquella capital de provincia, sin que el menor acontecimiento, ni siquiera el nacimiento de un hijo, alterase la monotonía de su existencia. La señora de Hennebeau, acostumbrada a no tener que pensar en el dinero, empezó a sentir cierto misterioso desdén hacia aquel marido que estaba sujeto a un sueldo regular, ganado con gran trabajo, y que no le proporcionaba ninguna de las satisfacciones de vanidad que acariciara en sus sueños de colegiala. Él, que era un hombre de honradez acrisolada, no servía para especular, ni hacía más que cumplir con su deber militarmente, por decirlo así. De ahí había nacido el desacuerdo entre marido y mujer, agravado por una de esas equivocaciones de la carne que hielan a los temperamentos más ardientes; él adoraba a su mujer; ella era de una sensualidad jamás harta, y vivieron separados, mediando entre ambos cierto malestar y ciertas ofensas, a las que jamás aludían. Ella, desde entonces, tuvo un amante. Él lo ignoró.

Al cabo de algún tiempo, Hennebeau se decidió a dejar Pas–de–Calais y volver a París con un destino en el Ministerio de Obras Públicas, creyendo que su mujer se lo agradecería. Pero París debía determinar la separación completa; aquel París que ella deseaba desde que le compraron la primera muñeca, y en el cual perdió muy pronto el aire de pueblerino, convertida de repente en una mujer elegantísima, y lanzada a todas las locuras de la época. Los diez años que vivió en la capital estuvieron ocupados para ella por una gran pasión, unos amores conocidos públicamente, con un hombre cuyo abandono estuvo a punto de matarla. Aquella vez el marido no había podido permanecer ignorante, y después de una porción de escenas abominables que no son para contadas, se resignó con su desgracia, dominado por la frescura inconsciente de aquella rara mujer, que cogía la felicidad donde la encontraba. Poco tiempo después de aquella ruptura. y viéndola enferma, Hennebeau aceptó la dirección de las minas de Montsou, con la esperanza de que en aquel retiro conseguiría corregirla.

Los de Hennebeau vivían hacía tres años en Montsou, y habían caído en el aburrimiento irritante de los primeros años de su matrimonio. Al principio ella pareció calmada en medio de tan gran tranquilidad, y se encerraba en su casa como mujer desengañada del mundo; afectaba tener el corazón muerto, y tanta despreocupación que hasta le tenía sin cuidado engordar. Luego, bajo aquella aparente indiferencia, se declaró una fiebre terrible, una necesidad imperiosa de vivir y de gozar, y una exaltación que creyó satisfacer ocupándose en arreglar y amueblar lujosamente la casa—palacio de la Dirección. Decía ella que estaba horrible, y la llenó de tapices, de juguetes, de objetos de arte y de un lujo tan extraordinario, que dio que hablar hasta en Lille. La vida en el desierto empezaba ya a exasperarla, y se aburría mortalmente en presencia de aquellas tristes campiñas, de aquellos caminos siempre sucios, sin un árbol que adornase el pueblo, habitado por la gentuza de las minas, que cada vez le era más antipática. Comenzaron las quejas del destierro; acusaba a su marido de haberla sacrificado al sueldo de cuarenta mil francos que le daban, y que, después de todo, era una miseria que apenas bastaba para vivir. ¿No debía haber imitado a otros compañeros suyos, exigiendo una parte en la Sociedad minera, obteniendo acciones, consiguiendo algo, en una palabra? E insistía con la crueldad propia de la mujer que ha aportado al matrimonio una fortuna. Él, siempre correcto, parapetado tras la mentida frialdad de hombre de Administración, ocultaba el deseo ardientísimo que tenía de poseer a aquella mujer, uno de esos deseos Injuriosos, más grandes cuanto más tardíos, y que crecen con la edad. Jamás la había poseído como amante, y todo su sueño dorado era que se le entregase una vez, una sola vez, como se había entregado a otros. Todas las mañanas soñaba con conquistarla aquella noche; luego, cuando ella le miraba fríamente, cuando comprendía que le era repulsivo, cuidaba de no tocarle ni siquiera la mano. Era un sufrimiento sin curación posible, oculto bajo la severidad de su actitud; el sufrimiento de un temperamento tierno en agonía continua y secreta por no haber encontrado la felicidad en el matrimonio. Al cabo de seis meses, cuando la casa, completamente arreglada, no sirvió de distracción a la señora de Hennebeau, ésta cayó de nuevo en la misma languidez, en el mismo aburrimiento de mujer a quien mata el destierro, y a todas horas decía que no le importaba morir.

Precisamente por entonces llegó a Montsou Pablo Négrel. Su madre, viuda de un capitán de marina, que vivía en Avignon de un manera modestísima, había tenido que imponerse terribles sacrificios para darle carrera. Salió de la Escuela Politécnica con tan mal expediente, que su tío, el señor Hennebeau, le aconsejó dejara la carrera, prometiéndole llevárselo de ingeniero a la Voreux.

Desde entonces se le trató en la casa como a un hijo; allí tuvo cuarto, allí comió, allí vivió, lo que le permitía enviar a su madre la mitad de su sueldo de cuatro mil francos. Para no dar que hablar con tanto favor, el señor de Hennebeau exageraba lo difícil que hubiera sido a su sobrino poner casa en uno de aquellos hotelitos diminutos que la Compañía destinaba al ingeniero de cada mina, y además decía que necesitaba la casa destinada al de la Voreux, porque vivía en ella uno de los ingenieros de la Dirección, y no era cosa de echarle a la calle. La señora de Hennebeau se había adjudicado enseguida el papel de tía del joven, tuteando a su sobrino y procurándole el mayor bienestar posible. Los primeros meses, sobre todo, se las echó de señora mayor, para poder tener cuidados maternales con el joven, a quien daba todo género de buenos consejos a propósito de cualquier tontería. Pero, como a pesar de todo era mujer, resbalaba sin querer al terreno de las confidencias personales. Aquel muchacho joven y guapo, de una inteligencia poco escrupulosa, que tenía acerca de las mujeres teorías de filósofo, le divertía, gracias a la vivacidad de su pesimismo. Naturalmente, una noche se encontró, sin saber cómo, entre sus brazos, y fingió entregarse a él por pura bondad, diciéndole al mismo tiempo que su corazón estaba muerto, que no quería sino ser una buena amiga suya. Y, en efecto: no tenía celos, le gastaba bromas con las muchachas de las minas, a las cuales encontraba insufribles, y casi le regañaba porque no tenía que contarle ninguna de esas aventuras tan propias de los muchachos jóvenes. Luego le apasionó la idea de casarle y soñó con sacrificarse buscándole una novia joven y rica. Y sus amores continuaron como un entretenimiento, en el cual ponía ella todo lo que le quedaba de ternura sensual.

Así transcurrieron dos años. Cierta noche, el señor Hennebeau tuvo una sospecha, porque había creído oír pasos de alguien que anduviera descalzo por las tupidas alfombras del hotel. ¡Pero semejante aventura era absurda para realizada allí mismo, en su casa, y entre aquella madre y aquel hijo! Además, al otro día su mujer le habló de casar a su sobrino con Cecilia Grégoire, y con tan afanoso ardor tomó sobre sí la tarea de arreglar aquella boda, que el marido se indignó ante su monstruosa sospecha de la víspera. En cambio sentía gratitud hacia su sobrino, porque desde la llegada de éste la casa parecía menos triste.

Cuando el señor de Hennebeau salía del tocador de su mujer, se encontró en el vestíbulo a Pablo, que acababa de llegar. Éste parecía estar muy divertido ante aquella idea de la huelga, que constituía para él una verdadera novedad.

—¿Qué hay? —le preguntó su tío.

—Pues nada; que he recorrido todos los barrios, y la gente parece muy tranquila y calmada. Pero creo que van a enviar una comisión para que hable contigo.

En aquel momento, se oyó la voz de la señora de Hennebeau, que hablaba desde el piso principal.

—¿Eres tú, Pablo?... Sube a darme noticias. ¡Qué ganas tiene esa gentuza de hacer tonterías, cuando es tan feliz!

Y el director tuvo que renunciar a saber nada más, puesto que su mujer le arrebataba el mensajero. Volvió a su despacho, y se encontró encima de la mesa otro montón de despachos telegráficos y de partes.

A las once, cuando llegaron los Grégoire, se admiraron de que Hipólito, el ayuda de cámara, que estaba de centinela en la puerta, les hiciera entrar poco menos que a empujones, después de haber mirado recelosamente hacia la calle con aire misterioso. Las persianas del salón estaban corridas y fueron introducidos desde luego en el despacho del señor Hennebeau, que les presentó sus excusas por recibirlos allí; pero el salón daba a la calle, y era inútil adoptar una actitud que pudiera parecer provocativa.

—¡Cómo! ¿No saben ustedes lo que pasa? —añadió, viendo su sorpresa.

El señor Grégoire se encogió de hombros con aire bondadoso, cuando supo que al fin se había declarado la huelga. ¡Bah! No ocurriría nada, Porque los obreros eran buenas gentes. Su esposa abundaba en las mismas esperanzas, fundadas en la secular resignación de los carboneros; mientras Cecilia, que estaba muy alegre aquel día, y casi guapa por su aspecto saludable, se sonreía con agrado al oír hablar de huelga, en lo cual no había para ella más que la idea de visitar los barrios de los obreros dando limosnas y distribuyendo ropa. En aquel momento, la señora de Hennebeau, en traje de seda negra, apareció acompañada de su sobrino.

—¡Caramba, qué fastidio! —exclamó desde la puerta—. ¡No Podían haber esperado esos pícaros!... Porque habrán de saber que Pablo se niega a llevarnos a Santo Tomás.

—Pues nos estaremos aquí —respondió tranquilamente el señor Grégoire—, y tendremos el gusto de pasar el rato en compañía de ustedes.

Pablo se había contentado con saludar a Cecilia y a su madre. Al ver aquella frialdad, su tía le animó con una mirada a que se dirigiese a la joven, y cuando los vio juntos y sonrientes, les dirigió otra mirada de ternura maternal.

Entretanto, el señor Hennebeau acababa de leer los despachos, y redactaba nuevos telegramas. En torno de su mesa hablaban todos: su mujer decía que no se había ella ocupado de arreglar el despacho, que estaba feísimo, con todos aquellos muebles antiguos, de poco gusto y estropeados.

Así se pasaron tres cuartos de hora, y ya iban a dirigirse al comedor y sentarse a la mesa, cuando el ayuda de cámara anunció al señor Deneulin. Éste, con ademán excitado, entró rápidamente y saludó a la señora de Hennebeau.

—¡Hola! ¿Están ustedes aquí? —dijo al ver a la familia Grégoire.

Y sin más saludo ni más cumplimiento, se dirigió al señor Hennebeau:

—¿Conque ya apareció aquello? —dijo—. Lo he sabido por mi ingeniero... Mis obreros han bajado todos, como de costumbre, a trabajar. Pero, como comprenderán, la cosa puede ir en aumento, y no estoy nada tranquilo... He querido saber noticias... Vamos a ver: ¿cómo andan por aquí las cosas?

Había llegado a caballo, y era tal su inquietud, que no podía disimularla.

El señor Hennebeau comenzaba a darle noticias para ponerle al tanto de la situación, cuando Hipólito abrió la puerta del comedor.

—Almuerce usted con nosotros —le dijo entonces el director—. A los postres le contaré lo que pasa.

—Bueno; como usted guste —respondió Deneulin, tan preocupado, que aceptó desde luego, sin cuidarse de formular los cumplidos de costumbre.

Pero, acordándose de su descortesía se volvió a la señora de la casa, y le presentó sus excusas. La señora de Hennebeau estuvo muy amable, y después de hacer que pusieran otro cubierto, colocó a sus convidados en la mesa: la señora de Grégoire y Cecilia, a los lados de su marido; el señor Grégoire y Deneulin, a su derecha y a su izquierda respectivamente, y, por último, Pablo entre la joven y el padre de ésta. Cuando sacaron a la mesa el primer plato, dijo sonriendo:

—Tienen ustedes que dispensarme. Yo quería que hubiéramos tenido ostras... Los lunes suelen llegar de Ostende a Marchiennes, y pensaba mandar a la cocinera en coche... Pero la pobre ha tenido miedo de que la apedreen.

Todos se echaron a reír.. La historia era graciosa.

—¡Chist! —dijo el señor Hennebeau, contrariado, mirando a las ventanas, desde las cuales se veía la carretera—. No hay necesidad de que sepa la gente que tenemos convidados hoy.

—Espero, sin embargo, que nos dejarán almorzar en paz —declaró el señor Grégoire—. He aquí un salchichón riquísimo, que de seguro no comerán ellos.

Empezaron todos a reír otra vez, pero menos ruidosamente. Los convidados iban animándose al verse instalados en aquella habitación adornada con tapices flamencos y muebles magníficos de roble tallado. Soberbias piezas de plata lucían detrás de los limpios cristales de los aparadores, y la magnífica lámpara colgada del techo, que caía sobre la mesa, casi apoyándose en el riquísimo centro de cristal cuajado, daba un aspecto señorial al comedor, amueblado en conjunto y en detalle con un gusto exquisito. Aquel día de diciembre era muy frío y nebuloso; pero de las rachas de viento nordeste que combatían la fachada del hotel, ni una sola ráfaga penetraba en la habitación, donde hacía un calor agradable.

—¿No sería conveniente que corriéramos las cortinas? —dijo Négrel, a quien divertía la idea de asustar a los señores Grégoire.

La doncella, que estaba sirviendo la mesa con el ayuda de cámara, creyó que le daban una orden, y fue a correrlas inmediatamente. Entonces todos empezaron a bromear otra vez: nadie cogía un tenedor ni un cuchillo sin tomar todo género de precauciones; cada plato fue saludado como un objeto salvado milagrosamente de una ciudad saqueada por las turbas, detrás de aquella fingida alegría, reinaba un miedo sordo, que se translucía en miradas involuntarias a los balcones, como si fuera posible que, de un momento a otro, entrara por ellos un ejército de hambrientos a saquear la casa.

Después de los huevos con trufas, sirvieron truchas de río. La conversación versaba entonces sobre la crisis industrial, cada vez más acentuada desde hacía dieciocho meses.

—Esto tenía que suceder fatalmente —aseguraba el señor Deneulin—, porque la exagerada prosperidad de estos años últimos lo traía como consecuencia inevitable... Piensen un poco en los enormes capitales amortizados en los ferrocarriles, en los puertos y canales construidos, en todo el dinero empleado en empresas arriesgadas. Aquí mismo se han establecido tantas fábricas de azúcar, que no parece sino que íbamos a coger tres cosechas de remolacha todos los años... Y ¡desde luego! Hoy el dinero escasea, porque es necesario esperar a que se indemnicen del interés de los millones que se han gastado: la consecuencia de todo eso es el apuro en que nos hallamos y la muerte de todo género de negocios.

El señor Hennebeau combatió aquella teoría; pero tuvo que convenir en que los años prósperos habían echado a perder a los obreros.

—Yo me acuerdo de que esos muchachos ganaban en las minas hasta seis francos diarios, el doble de lo que sacan ahora. Naturalmente, vivían bien, e iban adquiriendo hábitos de lujo... Hoy se les hace más cuesta arriba sujetarse a su frugalidad de antes.

—Señor Grégoire —decía la señora de la casa—, ¿le sirvo un poco más de estas truchas?... Son muy finas, ¿verdad?

El director continuó diciendo:

—Pero pregunto yo: ¿tenemos nosotros la culpa? No parece sino que a nuestra vez no sufriéramos las mismas consecuencias... Desde que han empezado a cerrarse fábricas y más fábricas, no sabemos cómo deshacernos de las considerables existencias almacenadas; y ahora, ante el descenso constante de pedidos, tenemos por fuerza que disminuir los gastos de explotación... Eso es lo que los obreros no quieren comprender.

Hubo un momento de silencio. El criado puso en la mesa una fuente de perdices asadas, mientras la doncella escanciaba Chambertin en las copas de los comensales.

—Hay hambre en la India —replicó Deneulin a media voz y como si hablase consigo mismo—; América, al disminuir sus pedidos de hierro, ha dado un golpe mortal a nuestras fábricas. Como esto es una cadena, cualquier crisis, por lejana que sea, hace resentirse a todo el mundo. ¡Y el Imperio, que estaba tan orgulloso con esta fiebre industrial que se había apoderado de nosotros!

Comió un bocado del ala de perdiz que le habían puesto en el plato, y continuó luego:

—Lo peor es que, para disminuir los gastos de explotación, sería necesario producir más; porque, de lo contrario, la crisis se ensaña con los jornales, y el obrero tiene razón cuando dice que él es quien paga los vidrios rotos.

Aquella confesión, arrancada a su franqueza característica, dio pie a un animado debate. Las señoras se aburrían. Todos, por otra parte, se ocupaban con verdadero ardor en despachar lo que tenían en el plato. El criado entró nuevamente en el comedor; quiso hablar, pero titubeó un poco, y acabó por no decir nada.

—¿Qué sucede? —preguntó el señor Hennebeau—. Si han traído algún telegrama, dénmelo... Estoy esperando varios.

—No, señor; es que está ahí el señor Dansaert... Pero teme molestar.

El director pidió permiso a sus convidados, y mandó que entrase el capataz mayor. Éste se quedó en pie, a respetuosa distancia de la mesa, mientras todos se volvían a mirarle, deseosos de saber las noticias que traía. Los barrios de los obreros continuaban tranquilos; pero se esperaba la llegada de una comisión de trabajadores. Quizás antes de cinco minutos estuviese allí.

—Está bien, gracias —dijo el señor Hennebeau—. Quiero que mañana y tarde me dé usted parte de todo lo que ocurra.

Y cuando Dansaert se hubo marchado, comenzaron de nuevo las risas, mientras se abalanzaban a la ensalada rusa, diciendo que era preciso apresurarse, si querían acabar de almorzar. Pero la alegría llegó a su colmo cuando, habiendo pedido Négrel un poco de pan, la doncella contestó un "está muy bien", dicho en voz tan baja y con tanto miedo, que no parecía sino que la muchacha se veía ya entre las garras de una partida de malhechores que fueran a matarla.

—Hable más alto, hija mía —dijo sonriendo la señora de Hennebeau—, le todavía no están aquí.

El director, a quien acababan de entregar un abultado paquete de cartas y telegramas, quiso leer en voz alta una de aquéllas. Era de Pierron, y en ella decía, en frases respetuosas, que se veía obligado a declararse en huelga con todos sus compañeros para que no le maltrataran; y añadía que, además, no había podido negarse a formar parte de la comisión que iba a visitar al señor director, si bien protestaba contra semejante acto.

—¡Ésta es la libertad del trabajo! —exclamó el señor Hennebeau.

Se volvió a hablar de la huelga, y le preguntaron su opinión.

—¡Oh! —contestó—. Ya hemos visto otras muchas... Cuestión de una semana, o cuando más de una quincena de holganza, como sucedió la última vez. Pasarán el día visitando las tabernas, y cuando tengan hambre volverán a las minas.

Deneulin volvió la cabeza, diciendo:

—Yo no estoy tranquilo... Esta vez parece que están mejor organizados. ¿No tienen también una Caja de Socorros?

—Sí; pero apenas cuentan con tres mil francos. ¿Qué quiere usted que hagan con eso?... Sospecho que el jefe es un tal Esteban: un buen obrero, a quien sentiría tener que echar a la calle, como hice en cierta ocasión con un tal Rasseneur, que todavía continúa echándome a perder a los mineros de la Voreux con sus ideas revolucionarias y con su cerveza. Dentro de diez días la mitad de la gente estará trabajando y, a lo sumo, dentro de quince días harán lo mismo todos los demás.

El señor Hennebeau estaba convencido. Su disgusto consistía en el temor de que el Consejo de Administración le hiciese responsable de la huelga. Hacía algún tiempo que se sentía con menos ascendiente sobre sus jefes. Así es que, dejando en el plato la cucharada de ensalada rusa que se llevaba a la boca, volvió a leer los telegramas recibidos de París, contestación a otros suyos, y cada una de las palabras, las cuales quería descifrar, como si tuviesen doble sentido. Todos le perdonaron la lectura, porque el almuerzo iba adquiriendo el carácter de una comida de campamento en vísperas de romper el fuego contra el enemigo.

Las señoras se mezclaron también en la conversación. La de Grégoire fue la primera que compadeció a aquellas pobres gentes que iban a pasar hambre y ya Cecilia echaba sus cuentas para distribuir entre 105 huelguistas bonos de pan y carne. La señora de Hennebeau, en cambio, S? asombraba oyendo hablar de la miseria en que vivían los mineros de Montsou. Pues qué, ¿no eran felices? ¡Aquellas gentes que tenían casa, lumbre y todo género de cuidados prodigados por la Compañía! En su indiferencia hacia aquellos infelices, no sabía de su vida más que la lección que aprendiera de memoria para relatársela a los parisienses que iban a visitarla en los dominios de su marido, y como acabara por creer en ella, se indignaba ante la ingratitud del pueblo.

Négrel, entretanto, seguía divirtiéndose en asustar a la señora Crégoire. Cecilia no le disgustaba, y quería casarse con ella por complacer también a su tía; pero no hacía esfuerzos de ningún género para demostrar su amor, como muchacho práctico en la vida' que alardeaba de corazón frío. Pretendía ser republicano, lo cual no obstaba para que tratase a los obreros con una severidad extraordinaria, y se burlara de ellos cuando estaba con señoras.

—Tampoco yo tengo el optimismo de mi tío –dijo, tomando parte en la conversación—. Me temo gravísimos desórdenes... Así es, señor Grégoire, que le aconsejo cierre bien todos los cerrojos de La Piolaine, porque podrían robarle.

Precisamente en aquel momento el señor Grégoire, con la eterna sonrisa bonachona que animaba su semblante, estaba defendiendo a los mineros.

—¡Robarme! —exclamó estupefacto—. ¿Y por qué?

—¿No es usted accionista de las minas de Montsou? O sea, que no hace usted nada, y vive del trabajo de los demás. En una palabra: es usted un capitalista, y eso basta. Esté seguro de que si la revolución social triunfase, le obligarían a devolver su dinero, como si lo hubiese robado: ¡la propiedad es un robo!

Entonces perdió la bonachona tranquilidad que no le abandonaba nunca y tartamudeó:

—¡Qué mi fortuna es dinero robado! ¿Mi bisabuelo no ganó con el sudor de su rostro el capital empleado en acciones de minas? ¿No hemos corrido todos los riesgos de la empresa? ¿Acaso hago yo hoy mal uso de las rentas?

La señora de Hennebeau, alarmada al ver que la madre y la hija tenían miedo también, intervino en la conversación, diciendo:

—No hagan caso; son bromas de Pablo.

Pero el señor Grégoire estaba fuera de sí. En aquel momento pasaba por su lado el ayuda de cámara con un plato de cangrejos, y sin saber lo que hacía, cogió con la mano dos o tres y se los metió en la boca, y empezó a comerse las patas.

—¡Ah! No digo yo que no haya accionistas que abusen y se porten mal. Por ejemplo: me han dicho que ha habido personajes que han recibido acciones de las minas en pago de servicios prestados a las Compañías. Lo mismo que ese señorón, ese duque, a quien no quiero nombrar, el primero de nuestros accionistas, cuya vida es un escándalo de prodigalidad, que gasta millones en mujeres, juego y un lujo inútil... ¡Pero nosotros, nosotros, que vivimos modestamente, como honrados burgueses que somos!... ¡Vamos, vamos! Sería necesario que esos obreros fuesen gente de la peor ralea para que se metieran conmigo, ni trataran de robarme ni un alfiler.

El mismo Négrel tuvo que tranquilizarle, riéndose al mismo tiempo de su furor. Todos comían cangrejos en aquel momento, y el crujir de los caparazones de los animalillos entre los dientes de los comensales continuaba oyéndose cuando la conversación versó sobre política. El señor Grégoire, todavía tembloroso a pesar de las últimas explicaciones de Pablo, declaraba que era liberal y echaba de menos a Luis Felipe. Deneulin era partidario de un gobierno fuerte, y estaba disgustado con el emperador, a quien acusaba de hallarse en la resbaladiza pendiente de las concesiones imprudentes.

—Acuérdense del 89 —dijo—. La nobleza fue quien hizo posible la revolución por su complicidad, por sus aficiones a las novedades filosóficas. Pues bien: hoy la clase media representa el mismo papel estúpido, con su afán de liberalismo, con su furia de destrucción, con sus halagos al pueblo... Sí, sí; están ustedes afilándole los dientes al monstruo para que nos devore. ¡Y nos devorará, no lo duden!

Las señoras le pidieron que callase, y variaron de conversación, preguntándole por sus hijas. Deneulin tuvo que hablar de ellas: Lucía estaba en Marchiennes, tocando el piano y cantando en casa de una amiga; Juan había empezado a pintar una cabeza de viejo. Pero decía todo aquello con aire distraído y sin separar la vista del director, que continuaba absorto en la lectura de los telegramas y sin ocuparse de sus convidados. Comprobaba que en aquellas hojas de papel, procedentes de París, iba la voluntad de los Consejeros de Administración que habían de decidir de la huelga con las resoluciones que tomaran. Así es que no pudo menos de volver enseguida al asunto que le preocupaba.

—¿Qué va a hacer usted por fin? —preguntó de repente.

El señor Hennebeau se estremeció, y salió del paso con una frase vaga:

—Veremos.

—Indudablemente ustedes son ricos y pueden esperar —dijo Deneulin, hablando consigo mismo—. Pero a mí me matan si la huelga llega a Vandame. Por más que he restaurado Juan Bart, no puedo salir adelante como no sea con una producción incesante. ¡Ah! Les aseguro que estoy listo.

Aquella confesión involuntario pareció hacer efecto en Hennebeau. Escuchaba, y trazaba un plan para sus adentros: en caso de que la huelga se formalizase, ¿por qué no utilizarla, dejando que se arruinase el vecino, para luego comprarle la mina por una bicoca? Era el medio más eficaz para reconquistar el favor de la Compañía de Montsou, que hacía muchos años soñaba con la adquisición de Vandame.

—Si tan mal le va con Juan Bart —dijo sonriendo—, ¿por qué no la vende?

Pero Deneulin, que sentía ya haberse quejado, exclamó con energía: —¡Jamás! ¡En mi vida!

Todos se echaron a reír al verle tan enfadado, y al fin se dejó de hablar de la huelga cuando sirvieron los postres. Un plato de merengue riquísimo valió muchos aplausos a la cocinera. Las señoras charlaban entre sí, discutiendo sobre una receta para hacer el dulce de batata, que también estaba muy bueno. Queso y frutas, pasas, peras e higos acabaron de determinar en todos el abandono propio del final de un almuerzo exquisito y abundante. Todos hablaban al mismo tiempo, mientras el criado servía vino del Rhin, en sustitución del champán, que fue declarado cursi por unanimidad.

Y la boda de Pablo y de Cecilia adelantó mucho hacia su realización en medio de aquel movimiento de simpatía propio de la hora de los postres. Su tía le había dirigido miradas tan significativas, que el joven se mostraba muy obsequioso y galante, procurando tranquilizar a los Grégoire y borrar de su ánimo el efecto de aquellas historias de robo y de saqueo. Durante un momento, el señor Hennebeau, que había observado aquellas miradas de inteligencia entre su mujer y su sobrino, tuvo sospechas; pero la consideración de que se estaba tratando de bromas le tranquilizó por completo.

Acababa Hipólito de servir el café, cuando entró la doncella en el comedor, pálida como una muerta.

—¡Señor, señor; ya están aquí!

Era la comisión de obreros. Se oyó el ruido de la puerta de la calle, y una conmoción de espanto se apoderó de toda la casa.

—¡Qué entren en el salón! —dijo el señor Hennebeau.

Los convidados se habían mirado unos a otros, sin saber qué hacer, ni qué decir. Reinaba entre ellos el más profundo silencio. Luego quisieron volver a bromear: empezaron a guardarse los terrones de azúcar y a decir que era preciso meterse los cubiertos en el bolsillo. Pero como el director permaneciera serio y con ademán severo, las risas cesaron; ya no se hablaba, se cuchicheaba, mientras las pesadas botas de los mineros, que entraban en el salón contiguo, hollaban las ricas alfombras del caserón.

La señora de Hennebeau dijo a su marido, bajando la voz: —Supongo que tomarás el café.

—Por supuesto —contestó él—. Que esperen.

Estaba nervioso y ponía atento oído a todos los ruidos, fingiendo no ocuparse más que de la taza que tenía delante.

Pablo y Cecilia acababan de levantarse, y miraban por el agujero de la cerradura. Los dos contenían la risa, y se hablaban al oído muy bajito.

—¿Los ves?

—Sí... Veo a uno gordo, con otros dos más bajos que están detrás de él. —¿Eh? ¡Qué tipos tan feos!

—No por cierto; son muy simpáticos.

De pronto, el señor Hennebeau se levantó de la silla, diciendo que el café estaba muy caliente y que lo tomaría después. Al salir se llevó un dedo a los labios, como para recomendar la mayor prudencia. Todos se habían vuelto a sentar y siguieron en la mesa, silenciosos, sin atreverse a hacer el menor movimiento, escuchando con cuidado para atrapar alguna palabra de lo que se iba a decir en el salón.

II

Ya la víspera, en una reunión celebrada en casa de Rasseneur, Esteban y algunos otros compañeros habían nombrado los individuos que debían ir al día siguiente en comisión, para hablar con el director. Cuando, por la noche, supo la mujer de Maheu que su marido era uno de ellos, se disgustó mucho y le preguntó si iba buscando que le plantaran en la calle para siempre, y que se muriesen todos de hambre. Maheu había aceptado la comisión con verdadera repugnancia también, y en el fondo estaba temeroso de las consecuencias. A pesar de la injusticia de su miseria, los dos, en el momento de obrar con energía, caían en la resignación tradicional de su raza, temblando al pensar en el día siguiente y prefiriendo a todo medio violento doblegarse ante las circunstancias.

Él lo consultaba todo ordinariamente con su mujer, que era muy razonable. Aquella vez, sin embargo, acabó por enfadarse, por lo mismo que en secreto participaba de los temores de ella, y creía que tenía razón.

—¡Vaya, vaya; déjame en paz! —dijo, volviéndole la espalda en la cama—. ¡Estaría bueno que abandonase a mis compañeros!... He hecho lo que debía.

Ella se acomodó en la almohada y ambos guardaron silencio. Después de un largo rato de mutismo, la mujer añadió:

—Tienes razón. Pero, hijo, cree que de todos modos estamos fastidiados.

A las doce comieron, porque estaban citados para la una en La Ventajosa, desde donde se dirigirían a casa del señor Hennebeau. Tenían patatas. Como no quedaba más que un poco de manteca, nadie la tocó. Por la noche se la comerían con pan tostado.

—Ya sabes que contamos contigo para que hables —dijo de pronto Esteban a Maheu.

Éste quedó sorprendido y emocionado, hasta el punto de no poder articular palabra.

—¡Ah, no; eso es demasiado! —exclamó su mujer—. Bueno que vaya; pero le prohibo hacer de jefe. ¿Por qué ha de ser él, y no otro cualquiera?

Entonces Esteban dijo, con verdadera elocuencia, que Maheu era el mejor operario de la mina, el más querido, el más respetado, el que todos citaban por su buen sentido. Las reclamaciones de los obreros serían mucho más autorizadas formulándolas él. Al principio se había decidido que hablase Esteban; pero hacía muy poco tiempo que trabajaba en Montsou, y se haría más caso a un obrero antiguo. En fin; los compañeros confiaban sus intereses al más digno de todos; no podía Maheu negarse a aceptar el encargo, porque sería una cobardía.

La mujer de Maheu hizo un gesto de desesperación.

—Anda, anda, marido, y déjate matar para que los demás se aprovechen. Después de todo, no he de ser yo quien diga que no.—Pero yo no puedo hacer eso —exclamó Maheu—, no diría más que tonterías.

Esteban, satisfecho de haberle convencido, le dio un golpecito en el hombro.

—Dirás lo que sientes, y eso basta. Créeme.

El tío Buenamuerte, que ya tenía las piernas menos hinchadas, estaba escuchando con la boca abierta, y meneaba la cabeza. Hubo un momento de silencio, porque cuando comían patatas, los muchachos se ponían de mal humor y se estaban muy quietos. Después de tragarse lo que tenía en la boca, el viejo murmuró lentamente:

—Digas lo que digas, será lo mismo que si callaras... ¡Ah! Yo he visto muchas cosas, ¡muchas cosas! Hace cuarenta años, nos hubieran echado de la puerta de la Dirección a sablazo limpio. Ahora tal vez os reciba el director; pero no os harán ningún caso... ¡Qué demonio! Ellos tienen dinero, y se ríen del mundo.

Volvieron todos a callar, y Maheu y Esteban se levantaron, dejando a la familia alrededor de aquella mesa ocupada con platos vacíos. En la calle se reunieron con Pierron y Levaque, y los cuatro juntos se encaminaron a casa de Rasseneur, adonde iban llegando poco a poco los delegados de otros barrios. Luego, cuando se hubieron reunido los veinte hombres que formaban la comisión, acordaron las condiciones que habían de presentar enfrente de las impuestas por la Compañía, y se pusieron en marcha para Montsou. Las rachas del viento nordeste barrían la carretera. Cuando llegaron a casa del señor Hennebeau estaban dando las dos en el reloj de la torre del pueblo.

El criado les dijo que esperasen, cerrando la puerta tras ellos; luego, cuando volvió, les introdujo en el salón y abrió los balcones. Los mineros, al quedarse solos, no se atrevieron a sentarse; todos turbados, todos muy limpios y vestidos con el traje de los domingos, daban vueltas a las gorras entre los dedos y dirigían miradas de reojo al rico mobiliario, extraña confusión de los estilos que la afición de las antigüedades ha puesto de moda: butacas Enrique II, sillas Luis XV, un gabinete italiano del siglo XVI, un aparador español del XIV y un paño de altar para lambrequín de chimenea. Todos aquellos dorados, todo aquel lujo los había llenado de cierto malestar respetuoso. Los tapices de Oriente que servían de alfombra, parecían sujetar sus groseros pies como si estuviesen clavados. Pero lo que más los sofocaba era el calor, más notable por el contraste del frío que habían pasado en la carretera. Transcurrieron cinco minutos. Su malestar aumentaba por lo acogedora que era aquella habitación suntuosamente amueblada.

Al fin entró el señor Hennebeau, vestido con levita a la inglesa, abrochada hasta el cuello y luciendo en el ojal la cinta de una condecoración. Fue el primero que habló.

—¡Hola, hola!... Parece que nos sublevamos –
–dijo.

Y se detuvo, para añadir enseguida con actitud severa:

—Siéntense; también yo quiero que hablemos.

Los mineros buscaron con la vista dónde sentarse. Algunos se atrevieron a colocarse en las sillas, mientras otros, asustados de la riqueza de aquellos asientos, prefirieron quedarse en pie.

Hubo un momento de silencio. El señor Hennebeau, que había arrastrado una butaca para acercarse a la chimenea, los miraba con fijeza, tratando de recordar el nombre de cada uno de ellos. Acababa de ver a Pierron, que se escondía detrás de un compañero suyo, y sus miradas se detuvieron en Esteban, que se había sentado enfrente de él.

—Vamos a ver —preguntó—; ¿qué tienen ustedes que decirme?

Esperaba que el joven tomase la palabra, y quedó tan sorprendido al ver que Maheu se levantaba, que no pudo disimular su extrañeza.

—¡Cómo! ¿Usted, un obrero tan bueno, un hijo de Montsou, cuya familia trabaja en la mina desde tiempo inmemorial?... ¡Ah!, siento de veras que esté usted a la cabeza de este motín.

Maheu esperaba a que le dejasen hablar, con los ojos fijos en el suelo. Luego empezó su discurso, con voz sorda y lenta al principio:

—Señor director: precisamente porque soy un hombre tranquilo y moderado, al cual nadie tiene nada que echar en cara, es por lo que los compañeros me han elegido. Esto le demostrará que no somos escandalosos ni malas cabezas, cuyo único propósito fuera armar desórdenes. No queremos más que justicia; estamos cansados de morirnos de hambre, y creemos que ya es hora de que podamos, al menos, contar con el pan de cada día.

Su voz iba afirmándose. Levantó los ojos, y continuó mirando frente a frente al director.

—Usted sabe perfectamente que no podemos aceptar el nuevo sistema de pagos... Se nos acusa de que apuntalamos mal. Es verdad; no empleamos en ese trabajo el tiempo que sería necesario. Pero si lo empleásemos, el jornal sería aun más pequeño de lo que es, y si ahora no es suficiente, figúrese cómo hemos de resignarnos a disminuirlo. Páguenos más y apuntalaremos mejor; emplearemos en revestir y apuntalar el tiempo necesario, en vez de matarnos en la extracción, que es la única faena productiva. No hay otro arreglo posible; para trabajar es necesario cobrar. ¿Y qué han discurrido en vez de eso? Una cosa que, por más que hacemos, no nos cabe en la cabeza. Disminuyen el precio de la carretilla y pretenden compensar esa disminución pagando aparte el revestimiento de madera. Aunque esto fuese verdad, resultaríamos perjudicados también, puesto que necesitaríamos emplear mucho más tiempo en apuntalar. Pero lo que más nos enfurece es que eso tampoco es verdad: la Compañía no nos compensa absolutamente nada; no hace sino embolsarse dos céntimos más en cada carretilla.

—Sí, sí; es la verdad —murmuraron los otros, viendo que el señor Hennebeau hacía un gesto violento, como para interrumpir a Maheu.

Pero éste cortó la palabra al director. En el calor de la conversación las frases acudían a sus labios y él mismo se escuchaba sorprendido, como si un extraño hubiera estado hablando por su boca. Daba expresión a multitud de cosas que guardaba en su pecho hacía tiempo, y que salían traducidas en palabras casi, casi elocuentes. Hablaba de la miseria de todos ellos, de la ruda faena, de la vida de animales que llevaban, del hambre de sus mujeres y de sus hijos. Citaba las últimas desastrosas quincenas, a causa de las suspensiones del trabajo y de las multas injustas que les habían impuesto, y acababa preguntando si querían matarles.

—Así, pues, señor director —añadió Maheu—, hemos venido a decirle que si, de todos modos nos hemos de morir de hambre, preferimos morirnos sin trabajar. Eso llevaremos de ventaja... Hemos abandonado las minas, y no volveremos a ellas hasta tanto que la Compañía acepte nuestras condiciones. Ella quiere disminuir los jornales, y nosotros pretendernos que las cosas sigan como estaban, y además, que se nos paguen cinco céntimos más por cada carretilla... Ahora, a usted le toca decidir, demostrándonos si está por la justicia y por el trabajo.

Los demás mineros asintieron.

—Eso es... Ha dicho lo que pensamos todos... No queremos más que justicia.

Otros que no hablaban, hacían signos enérgicos de aprobación. Para ellos había desaparecido la lujosa habitación con sus bordados y sus sederías, y su misteriosa acumulación de antigüedades; ya no sentían siquiera la alfombra que estrujaban las gordas suelas de su burdo calzado.

—Dejadme que conteste —acabó por decir el señor Hennebeau, que comenzaba a enfadarse—. Ante todo, no es verdad que la Compañía gane dos céntimos por carretilla con el nuevo sistema de pagos... Mirad, si no, las cifras si queréis.

Siguió una difusa discusión. El director, para tratar de dividirlos, interpeló a Pierron, que contestó tartamudeando. Por el contrario, Levaque era uno de los más agresivos y de los más atrevidos para afirmar hechos que ignoraba. El ruido de voces se apagaba entre las espesas colgaduras y cortinas.

—Si habláis todos a la vez —replicó el señor Hennebeau—, jamás nos entenderemos.

Había recobrado la calma y su severidad de gente que ha recibido una consigna, y que está dispuesto a hacerla cumplir exactamente. Desde el principio de la entrevista no quitaba los ojos de Esteban, y maniobraba para hacerle salir del silencio insistente en que el joven se encerraba. De pronto, abandonando la cuestión de los dos céntimos, amplió la discusión.

—No, decid la verdad; obedecéis a detestables excitaciones. Es una peste que se ensaña ahora con todos los obreros y que corrompe a los mejores de ellos... ¡Oh! No necesito la confesión de nadie; veo que os han vuelto del revés; ¡a vosotros, que hasta ahora fuisteis siempre tan prudentes y tan sensatos! ¿No es verdad? Os han ofrecido más manteca que pan, diciéndoos que había llegado la hora del triunfo de los pobres... Apuesto a que os están alistando en esa Internacional, en ese ejército de bandidos cuyo bello ideal es la destrucción de la sociedad...

Esteban le interrumpió entonces.

—Se equivoca usted, señor director. Hay poquísimos carboneros de Montsou que pertenezcan a esa Sociedad. Pero, si los obligan a ello, los de todas las minas se alistarán. Eso depende de la Compañía.

Desde aquel momento la lucha continuó entre el señor Hennebeau y él, como si los otros mineros no estuvieran allí.

—La Compañía es una providencia para sus operarios, y hacéis mal en amenazar. Este mismo año ha gastado trescientos mil francos en edificar casas, que no le producen ni siquiera el dos por ciento, y no hablo de las pensiones que da, ni del carbón, ni de las medicinas. Usted que parece tan inteligente, que ha llegado a ser en poco tiempo uno de nuestros primeros obreros, debería hacerles comprender esas verdades, en vez de frecuentar malas compañías que les perjudican. Sí; aludo a

Rasseneur, a quien tuvimos que echar a la calle, a fin de salvar a nuestros mineros de la podredumbre socialista... Se le ve a usted continuamente en su casa, y sin duda ha sido él quien le ha aconsejado la formación de esa Caja de Socorros, que toleraríamos de buen grado si fuera solamente un ahorro; pero en ella comprendemos que hay un arma contra nosotros; un fondo de reserva para pagar los gastos de guerra. Y a propósito de esto, debo deciros que la Compañía entiende que debe intervenir en esa Caja.

Esteban le dejaba hablar, sin cesar de mirarle, agitando ligeramente los labios con movimiento nervioso. Sonrió al oír la última frase, y respondió sencillamente:

—Ésa es una nueva exigencia de la cual no nos había hablado todavía el señor director. Por desgracia, nosotros deseamos que la Compañía se ocupe menos de nuestros asuntos, que, en vez de hacer el papel de providencia, nos haga justicia, dándonos lo que nos corresponde, es decir, nuestra ganancia, que ella se embolsa ahora. ¿Es honrado eso de que cada vez que haya una crisis se deje morir de hambre a los pobres obreros para salvar los dividendos de los accionistas?... Por más que diga el señor director, ese nuevo sistema es una disminución de jornales disimulada, y eso es lo que nos subleva; porque si la Compañía tiene que hacer economías, hace mal en realizarlas a costa de los obreros.

—¡Ah! ¡Ya estamos en lo mismo! —exclamó el señor Hennebeau—. Estaba esperando esa acusación de que explotamos al pueblo, para matarlo de hambre: ¿cómo puede usted decir semejantes tonterías, usted, que debe saber los riesgos enormes que corren los capitales en la industria, especialmente en los negocios de minas? Una mina en disposición de trabajar, cuesta hoy unos dos millones; ¡cuántos trabajos, cuántas fatigas antes de sacar algún beneficio! La mitad de las Compañías mineras de Francia tienen que declararse en quiebra... Por lo demás, es estúpido acusar de crueldad a las que salen adelante. Cuando los obreros sufren, sufren ellas también. ¿Creéis que la Compañía no pierde tanto como vosotros en la crisis actual? No es dueña tampoco de señalar jornales, porque o se arruina o tiene que obedecer a las condiciones de la competencia. Quejaos de las circunstancias y no de ella... ¡Pero, es evidente, no queréis escuchar nada, ni comprender nada!

—Sí —dijo el joven—; comprendemos perfectamente que no hay manera de mejorar nuestra situación mientras las cosas sigan como están; y precisamente por eso, los obreros el mejor día se las arreglarán de modo que cambien, sea como sea.

Aquella frase, tan moderada en la forma, estuvo dicha a media voz con tal convencimiento y tal temblor de amenaza, que todos callaron, y el silencio reinó durante un momento. Cierto malestar, un soplo de miedo, pareció recorrer el salón. Los otros delegados, que no comprendían bien, se daban cuenta, sin embargo, de que su compañero acababa de reclamar la parte que les correspondía en el bienestar general; y empezaron a dirigir miradas oblicuas a aquellos tapices, a aquellas sillas confortables, a todo aquel conjunto lujoso de juguetes y chucherías, cualquiera de los cuales hubiera producido, en mala venta, más de lo que ellos necesitaban para comer durante un mes.

Al fin el señor Hennebeau, que se había quedado pensativo, se puso en pie para despedirlos. Todos le imitaron. Esteban había dado un ligero codazo a Maheu, y éste, otra vez turbado y con la lengua torpe, replicó:

—¿Conque es decir, señor director, que eso es lo que nos contesta?... Tendremos entonces que decir a los demás que no quieren ustedes escucharnos.

—¡Yo, amigo mío, yo, ni quiero ni dejo de querer nada!... Soy uno a quien pagan, como a vosotros, y no tengo aquí más voluntad que el último aprendiz de minero. Me dan órdenes, y mi único deber es cuidar de e se cumplan. Os he dicho lo que pienso y lo que creo; pero yo no puedo decidir nada... Me exponéis vuestras exigencias, y yo las comunicaré al Consejo de Administración y os transmitiré su respuesta.

Hablaba con el aire severo, propio de un alto funcionario que huye de apasionarse por las cuestiones de sus subordinados.

Y los mineros le miraban ya con desconfianza, preguntándose qué clase de hombre sería, qué interés tenía en mentir y qué sacaba él de provecho poniéndose así entre ellos y los verdaderos propietarios. Tal vez fuera un intrigante, puesto que, estando pagado como un obrero, sabía vivir con tanto lujo.

Esteban se atrevió a intervenir nuevamente.

—Es malo, señor director, que no podamos defender nuestro pleito en persona. Explicaríamos mejor las cosas, y encontraríamos razones, que por fuerza escaparían a usted... ¡Si siquiera hubiera alguien a quien pudiéramos dirigirnos!

El señor Hennebeau no se incomodó. Al contrario, sonrió tranquilamente.

—¡Ah, amigos! Esto se complica desde el momento en que no tenéis confianza en mí. Entonces será necesario ir allá abajo.

Los mineros habían seguido con la vista su gesto vago, su mano extendida hacia uno de los balcones del salón. ¿Dónde sería "allá abajo"? Sin duda París. Pero no lo sabían con seguridad: aquello se refería a un lugar lejano y terrorífico, a una región inaccesible y sagrada, donde estaba aquel Dios desconocido colocado en su tabernáculo. Jamás podrían verle; no hacían más que sentirle como una fuerza que desde lejos pesaba sobre aquellos diez mil obreros de Montsou y, cuando el director hablaba, no era más que el oráculo por boca del cual se expresaba aquella fuerza oculta.

El desánimo se apoderó de ellos; el mismo Esteban hizo un gesto como para decirles que lo mejor era marcharse; mientras el señor Hennebeau daba un golpecito amistoso en el hombro de Maheu, y le preguntaba cómo estaba Juan.

—Dura ha sido la lección y, sin embargo, es usted uno de los que quieren que se hagan a la ligera los trabajos de apuntalamiento... Espero acabaréis por comprender que una huelga sería un desastre para todos. Antes de una semana se morirían de hambre... ¿Y qué vais a hacer?... ES verdad que cuento con vuestra prudencia, y espero que el lunes, a más tardar, volveréis al trabajo.

Salieron todos del salón, uno detrás de otro, con la espalda encorvada y sin contestar una palabra a aquella esperanza de verlos sometidos. El director, que los acompañó hasta la puerta, tuvo necesidad de resumir el resultado de la entrevista: la Compañía, por una parte, mantenía su nueva tarifa; por otra ellos pedían aumento de cinco céntimos por cada carretilla. Desde luego, y a fin de que no se hiciesen ilusiones les manifestó su temor de que el Consejo de Administración se negaría a aceptar su ultimátum.

—Reflexionad, antes de cometer una tontería —añadió el director, intranquilo ante aquel obstinado silencio.

En el vestíbulo, Pierron saludó con mucha humildad, mientras Levaque hacía alarde de ponerse la gorra antes de salir, Maheu iba a decir algo en son de despedida, cuando Esteban le tocó de nuevo con el codo. Y todos salieron de la casona en medio de aquel silencio amenazador, alterado sólo por el estrépito de la gran puerta de dos hojas, que cerraron al salir ellos.

Cuando el señor Hennebeau entró otra vez al comedor, encontró a sus convidados silenciosos e inmóviles delante de las copas de licor. En dos palabras explicó la entrevista a Deneulin, que puso la cara más apretada de lo que la tenía. Luego, mientras el director tomaba el café, ya frío, trataron los demás de hablar de otra cosa. Pero los de Grégoire fueron los primeros que volvieron a la conversación de la huelga asombrada de que no hubiese una ley que prohibiera al obrero abandonar el trabajo. Pablo tranquilizaba a Cecilia, asegurándole que estaba esperando a los gendarmes.

Por fin, la señora de Hennebeau llamó al criado.

—Hipólito —le dijo— antes de que pasemos al salón, abra usted los balcones para que se renueve el aire.

III

Transcurrieron quince días, y el lunes de la tercera semana, las listas que se enviaban al director indicaban nueva disminución en el número de obreros que asistían al trabajo. Aquella mañana contaban con que terminaría la huelga. Pero la obstinación de la Compañía en no ceder, exasperaba a los mineros. Ya no estaba en huelga solamente la Voreux, Créve–coeur, Miron y La Magdalena; en La Victoria y Feutry Cantel no bajaba ni la cuarta parte de los obreros, y hasta en Santo Tomás se notaban los efectos del movimiento huelguista. Poco a poco iba éste generalizándose. En la Voreux se notaba una tranquilidad de muerte. En los alrededores, alguna que otra carretilla abandonada, los depósitos de carbón intactos, y los de madera pudriéndose, presentaban su espectáculo tristísimo. En el embarcadero del canal se había quedado un lanchón a medio cargar, amarrado a un poste, y balanceándose en la superficie de las turbias aguas; y sobre la desierta plataforma, una carreta desenganchada agitaba desesperadamente sus portillas a impulsos del viento. Los edificios, sobre todo, invadidos por el silencio más completo, daban espanto. No se caldeaba la máquina de extracción más que por las mañanas. Los mozos de cuadra bajaban con el pienso de los caballos; en el fondo sólo trabajaban los capataces, convertidos otra vez en obreros; para cuidar de evitar los desperfectos de las galerías abandonadas; después, desde las nueve, el servicio se hacía por escalas, dejando quieto el ascensor. Y entre todos aquellos síntomas de muerte no se oía más que el resoplar de la bomba, último resto de vida de la mina, la cual hubieran anegado las aguas, si dejara de trabajar.

Enfrente al otro lado de la llanura, el barrio de los Doscientos Cuarenta parecía muerto también. El gobernador de Lille lo había visitado; patrullas de gendarmes a caballo habían recorrido los caminos de los alrededores; pero ante la calma perfecta de los huelguistas, gobernador y soldados se habían visto en la necesidad de retirarse. Jamás habían dado los obreros ejemplo más grande de sensatez. Los hombres, para no ir a la taberna, se pasaban los días en la cama, las mujeres, que no tomaban, se puede decir, nada más que café, tenían menos ganas de chismorrear que de costumbre y menos deseo de pelearse; y hasta los grupos de chiquillos, que parecían comprender lo que pasaba, hacían gala de su prudencia, y para no producir ruido correteaban descalzos y se daban de cachetes sin chillar. Era la consigna, repetida y circulando de boca en boca: ante todo y sobre todo, ser prudentes.

Sin embargo, un continuo entrar y salir de vecinos animaba la casa de Maheu. Esteban, a título de secretario, había distribuido los tres mil francos de la Caja de Socorros entre las familias más necesitadas; además, se habían recibido algunos cientos de francos, producto de varias suscripciones. Pero todos los recursos estaban ya agotados; los obreros carecían de fondos para sostener la huelga, y el hambre asomaba su cabeza amenazadora. Maigrat, después de haber prometido que durante una quincena vendería a crédito, se había vuelto atrás bruscamente a los pocos días, negándose a dar ni una migaja de pan siquiera. Ordinariamente recibía órdenes de la Compañía; tal vez ésta desearía cortar la huelga de una vez, privando de víveres a los obreros. El tendero, además obraba siempre a su antojo, como dueño absoluto; daba o negaba la mercancía, según la cara de la muchacha que enviaban las familias a comprar en su casa; y precisamente a los Maheu era a quien más se negaba a complacer, con cierto furioso rencor, como para castigarles de no haberle entregado a Catalina. Hacía, pues, una semana que estaban viviendo del producto de las distribuciones. Pero ahora, que ya no había un cuarto en Caja, ¿cómo componérselas para tener pan? Para colmo de desventura helaba mucho; las mujeres veían disminuir sus montones de carbón, pensando que cuando se concluyera no les darían otro en las minas, si sus maridos no volvían al trabajo. De modo, que no sería sólo morirse de hambre; habría que morir también de frío.

En casa de Maheu se carecía de todo. Los Levaque comían todavía, gracias a una moneda de veinte francos que les había dado Bouteloup. En cuanto a los Pierron, tenían como siempre dinero; pero por aparecer tan desgraciados como los demás, de miedo que les pidiesen prestado, compraban a crédito en casa de Maigrat, que hubiera sido capaz de darles toda la tienda, a poco que la mujer de Pierron se hubiera mostrado complaciente. Desde el sábado, muchas familias se acostaban sin haber comido en todo el día. Y ante los terribles días que iban a empezar, no se oía ni una queja; todos cumplían la consigna con un valor y una resignación a toda prueba. Todos tenían en Esteban confianza absoluta; una fe religiosa, sólo comparable a la que sienten por sus ídolos los pueblos fanáticos.

Puesto que él les había prometido la era de la justicia, estaban dispuestos a sufrir lo que fuese necesario para conquistar la dicha universal. El hambre soliviantaba los ánimos; jamás el horizonte de miseria de aquellos infelices se había visto iluminado con un rayo de esperanza más radiante. Cuando sus ojos, turbados por la debilidad, se entornaban, entreveían la ciudad ideal de sus sueños; pero en un momento próximo casi inmediatamente, con su población de hermanos, su edad de oro, de trabajo y de descanso repartidos por igual entre todos, no había nada capaz de quebrantar la fe de que iban al fin a penetrar en ella. Los fondos de la Caja se habían agotado; la Compañía no cedería; cada día, cada hora que pasase, agravaría la situación, y conservaban, sin embargo, toda su esperanza, y despreciaban todas sus desventuras del momento. Contaban con que, cuando ya la tierra se fuese a abrir para tragárselos, sobrevendría un milagro cualquiera. Aquella fe reemplazaba al pan y calentaba los estómagos. Tanto los Maheu como los demás, cuando habían digerido demasiado deprisa sus sopas hechas con agua clara, se entregaban al éxtasis de una vida mejor, que no dejaba martirios y sufrimientos más que para los brutos.

Esteban había llegado a ser el jefe indiscutible. En las conversaciones de las veladas, era el oráculo, con más razón, cuanto más estudiaba. Porque seguía leyendo con verdadero fervor, y recibía muchas más cartas que antes, se había suscrito también a El Vengador, un periódico socialista que se publicaba en Bélgica, y aquel diario, el primero que entraba en el barrio, había hecho que los compañeros todos tuvieran a Esteban una consideración extraordinaria, casi respetuosa. Su creciente popularidad le emborrachaba produciéndole satisfacciones íntimas, de las que jamás tuviera idea. Mantener una correspondencia seguida, discutir acerca de la suerte de los trabajadores con personajes importantes de fuera de Montsou, ser consultado por todos los obreros de la Voreux, sobre todo, convertirse en un centro, sentir que la masa de obreros se movía a su capricho, era un continuo motivo de orgullo para él, antiguo modesto maquinista, minero oscuro después. Subía un escalón, y, sin sentirlo, entraba en aquella clase media tan aborrecida, con satisfacciones de inteligencia y de bienestar que no quería confesarse ni a sí mismo siquiera. No tenía más que un disgusto: la conciencia de su falta de instrucción, de su insuficiencia, que le intimidaba en cuanto se veía frente a frente de un señor de levita. Por eso seguía instruyéndose, devorando cuantos libros y papeles impresos caían en sus manos; pero la falta de método hacía que la asimilación fuese muy lenta, reinando tal confusión, en él, que acababa por no saber cosas que ya había comprendido. Así es, que en ciertos ratos de bien pensar, experimentaba diversas inquietudes al discutir consigo mismo la responsabilidad que echara sobre sus hombros: temía no ser el hombre apropiado para llevar a cabo todo aquello a buen término; acaso habrían necesitado un abogado, un sabio capaz de pronunciar discursos y de obrar cuando llegase el caso, sin comprometer a los compañeros. Pero de pronto se tranquilizaba, poco menos que indignado. ¡No, no; nada de abogados! ¡Todos eran unos canallas, que aprovechaban su ciencia para explotar al pueblo! Saliera como saliese, los obreros debían manejar por sí mismos sus negocios, y de nuevo acariciaba su papel de jefe popular: Montsou a sus pies; allá a lo lejos, París; y ¿quién sabía? Acaso la diputación algún día, la tribuna de la Cámara, desde donde haría polvo a la clase media con sus magníficos discursos, los primeros pronunciados por un obrero en el Parlamento.

Desde hacía algunos días, Esteban se hallaba perplejo. Pluchart escribía cartas y más cartas, ofreciéndose a ir a Montsou para enardecer el celo de los huelguistas. Era preciso organizar una reunión, que presidiría el famoso maquinista, porque había en el fondo de aquel proyecto la idea de explotar la huelga en beneficio de la Internacional, haciendo que se alistasen en ella todos los mineros a quienes aún inspiraba desconfianza la tal Asociación. Esteban temía el escándalo; pero así y todo, hubiese permitido la visita de Pluchart, si Rasseneur no se hubiese opuesto enérgicamente a tal intervención. A pesar de su influencia, el joven tenía por fuerza que contar con el tabernero, cuyos servicios eran mucho más antiguos, y el cual no dejaba de tener numerosos partidarios. Así, que vacilaba sin saber qué responder a Pluchart.

Precisamente el lunes, a eso de las cuatro, recibió otra carta de Lille, estando solo con la mujer de Maheu en la sala de su casa. Maheu, cansado de no hacer nada, había ido a pescar; si tenía la suerte de coger algún pescado bueno en el canal, lo venderían y podrían comprar pan. El viejo Buenamuerte y el tunante de Juan acababan de salir para dar un paseo; mientras Alicia, que pasaba muchos ratos en el campo cogiendo berros, se había llevado a los pequeños. Sentada junto a la lumbre, que ya no se atrevía a avivar demasiado, la mujer de Maheu, con el corpiño desabrochado y con un pecho fuera, daba de mamar a Estrella.

Cuando el joven acabó de leer la carta, la mujer le preguntó: —¿Buenas noticias? ¿Enviarán dinero?

Él contestó con un gesto negativo, y ella replicó:

—Esta semana no sé lo que vamos a hacer.. En fin, por algún lado vendrá. Cuando se tiene razón, ¿no es verdad?, se tienen ánimos y se acaba por ser los más fuertes.

Ya se había hecho partidaria decidida de la huelga. Mejor hubiera sido obligar a la Compañía a que hiciese justicia sin abandonar ellos el trabajo. Pero puesto que estaba declarada la huelga, no se debía volver a las minas hasta tanto que se satisficieran las justas reclamaciones de los obreros. En este punto, la buena mujer se mostraba de una energía inquebrantable. ¡Antes morir, que hacer como si no se tuviera razón, teniéndola!

—¡Ah! —exclamó Esteban—. ¡Si viniera un cólera que nos desembarazase de todos esos infames explotadores!

—No, no —respondió la mujer de Maheu— no hay que desear la muerte a nadie. No conseguiríamos nada tampoco, porque aparecerían otros... Yo lo único que pido es, que éstos entren en razón, y sean más sensatos, y espero que lo hagan, porque, después de todo la gente no es tan mala como dicen... Ya sabéis que no soy partidaria de vuestra política.

En efecto, la mujer de Maheu censuraba de ordinario la violencia de sus discursos, y los encontraba demasiado batalladores. Que uno quisiera que. le pagasen el trabajo como era debido, estaba bien; pero ¿a qué ocuparse de otras cosas, y de los burgueses, y del gobierno? ¿A qué mezclarse en asuntos ajenos, cuando no podía uno esperar nada bueno de aquella intervención? Y si la mujer de Maheu le apreciaba, a pesar de todo, era porque no se emborrachaba, y porque le daba puntualmente sus cuarenta y cinco francos por el pupilaje. Cuando un hombre tenía buena conducta, se le podían perdonar todas sus faltas.

Esteban habló entonces de la República, que debía dar pan a todo el mundo. Pero la mujer de Maheu meneaba la cabeza con ademán incrédulo, porque se acordaba del 48, un año de perros que les había dejado en cueros a ella y a su marido en los primeros tiempos de su matrimonio. Se extasiaba narrando lo que habían sufrido, con voz monótona y los ojos fijos en la pared, mientras su hija Estrella, sin soltar el pecho, se quedaba dormida sobre sus rodillas: y Esteban, absorto también, miraba aquel pecho enorme cuya blancura mate contrastaba con el color amarillento del semblante.

—¡Ni un céntimo —murmuraba ella—; ni una miga de pan que llevarse a la boca, y todas las minas cerradas! ¡En fin; la muerte de los pobres, lo mismo que ahora!

Pero en aquel momento se abrió la puerta, y ambos interlocutores se quedaron mudos de sorpresa al ver entrar a Catalina. Desde su fuga con Chaval no había vuelto a presentarse en el barrio. Su turbación era tan grande, que olvidó cerrar la puerta, y se quedó temblorosa en el umbral de la misma. Indudablemente esperaba encontrar sola a su madre, y la presencia del joven le impedía decir lo que había ido pensando por el camino.

—¿Qué vienes a hacer aquí? —gritó la mujer de Mahèu, sin levantarse de la silla—. No quiero verte más. ¡Vete enseguida!

Entonces Catalina hizo un esfuerzo para encontrar palabras. —Mamá... te traigo café y azúcar.. Para los niños... Siempre estoy pensando en ellos...

Y al mismo tiempo sacaba del bolsillo una libra de café y otra de azúcar, y la ponía sobre la mesa. La huelga de la Voreux la atormentaba, porque ella seguía trabajando en Juan Bart, y no había hallado más medio que aquél para ayudar a sus padres, con el pretexto de cuidar a sus hermanitos. Pero su buen corazón no conmovió a su madre, la cual replicó:

—En vez de traernos chucherías, te podías haber quedado en casa para ayudarnos a ganar el pan.

Y la pobre mujer la insultó, lanzándole al rostro todo lo que hablaba contra ella desde hacía un mes. ¡Escaparse con un hombre, amancebarse a los dieciséis años, teniendo una familia que la quería! ¡Ni la última bribona, ni la hija más desnaturalizada hubiese hecho otro tanto! Se podía perdonar una falta; pero una madre jamás olvidaba una canallada semejante. ¡Y si la hubiera tenido sujeta, vamos, menos mal! Pero, no; era libre como el aire, y no se le exigía sino que fuese a dormir por las noches a su casa.

—¡Vamos a ver!, ¿qué demonios tienes en el cuerpo a tu edad?

Catalina, inmóvil, junto a la mesa, escuchaba a su madre con la cabeza baja. Un estremecimiento nervioso agitaba aquel cuerpo endeble de niña más que de mujer, y la pobre trataba de contestar con frases entrecortadas:

—¡Oh! ¡Si fuese cuestión mía nada más! ¡Cómo si esta vida me divirtiera!... Es él. Cuando quiere una cosa, no tengo más remedio que querela también, ¿verdad? Porque, ya ves... él es más fuerte... ¿Acaso sabe una como se enredan las cosas? En fin, lo hecho, hecho está y no hay quien lo deshaga. Lo mismo da. Ahora lo que necesito es que se case conmigo.

La infeliz se defendía sin sublevarse contra la autoridad materna con la pasiva resignación de las muchachas que conocen el trato íntimo de un hombre antes de tiempo y sazón. ¿No era aquella la ley común? Ella no había soñado jamás otra cosa: un atentado brutal detrás de unos matorrales, un hijo a los dieciséis años, y luego la miseria en su casa, si su querido consentía en casarse.

Y no experimentaba vergüenza, ni temblaba ante la idea de que su madre la tratase como a una infame en presencia de aquel joven; y, sin embargo, al verse delante de él, se desesperaba y se sentía oprimida de un modo singular.

Esteban se había levantado y aparentaba estar avivando la lumbre de la estufa para facilitar una explicación entre madre e hija. Pero sus miradas se encontraron, él la encontró pálida, ojerosa, bonita, sin embargo, y experimentó cierto sentimiento extraño, en el cual no entraba para nada su antiguo rencor, que había desaparecido por completo; no deseaba sino que fuese feliz con aquel hombre a quien ella había preferido. Sintió en aquel instante deseos de ocuparse de su felicidad, de ir a Montsou y exigir al otro que la tratara con miramiento. Pero ella no vio más que lástima en sus miradas; indudablemente la despreciaba mucho. Entonces el corazón le dio un vuelco tan grande, que se sintió sofocada, y no halló palabras con que excusarse.

—Eso es; mejor haces en callar —replicó la mujer de Maheu, implacable—. Si vienes a quedarte, entra; si no, lárgate enseguida, y da gracias a que tengo las manos ocupadas con tu hermana, porque si no, ya te hubiera tirado algo a la cabeza.

En aquel momento Catalina recibió en la parte posterior un puntapié terrible, cuya violencia la aturdió de sorpresa y de dolor. Era Chaval, que acababa de entrar por la puerta entreabierta, después de haberla observado un instante desde la calle.

—¡Ah, bribona! —gritó—. Te he seguido, porque suponía que venías aquí a que te hicieran carantoñas. Y tú las pagas trayendo café con dinero mío.

La mujer de Maheu y Esteban, estupefactos, no se movían. Con un gesto furibundo, Chaval empujó a Catalina hacia la puerta.

—¿Saldrás de una vez? ¡Condenada ... !

Y al ver que la joven se refugiaba en un rincón, la emprendió con su madre.

—¡Bonito modo es ése de estar guardando la casa, mientras la pérdida de tu hija se marcha allá arriba con un hombre!

Al fin había cogido a Catalina por una muñeca, y sacudiéndola fuerternente, la arrastraba hacia la calle.

Al llegar a la puerta se volvió otra vez a la mujer de Maheu, que parecía clavada en su silla, y había olvidado abrocharse el corpiño. Estrella se había quedado dormida con la nariz pegada a él, y el enorme pecho pendía desnudo y libre como la ubre de una vaca de leche.

—¡Cuando no está aquí la hija, buena es la madre para sustituirla! —gritó Chaval como última injuria—. ¡Anda, anda; enséñale la carne, que no le disgusta al canalla de tu huésped!

Esteban quiso salir detrás de su compañero. Sólo el miedo de armar un escándalo en el barrio le había contenido para no arrancarle a Catalina de las manos. Pero, a su vez, se sentía ahora acometido por la rabia, y los dos hombres se encontraron frente a frente, con los ojos inyectados en sangre. Era el estallar de un odio antiguo, unos celos largo tiempo contenidos. Había llegado el momento de matarse.

—¡Cuidado! —rugió Esteban rechinando los dientes—. Cuidado, porque te arranco la lengua!

—¡Prueba a hacerlo!

Se miraron aún durante algunos segundos tan de cerca, que el aliento de cada cual caldeaba el rostro del contrario. Catalina, suplicante por evitar la riña, cogió a su querido por la mano, y le rogó que se fuera con ella. Y arrastrándolo casi, huyó del barrio, sin volver la cabeza atrás.

—¡Qué bruto! —murmuró Esteban, cerrando la puerta vio lentamente y agitado de tal manera por la cólera, que tuvo que sentarse.

La mujer de Maheu no se había movido. Hizo un gesto significativo, y hubo un momento de silencio pesado y embarazoso, precisamente por las cosas que callaban. A pesar de sus esfuerzos, volvía sin querer la vista hacia el seno de la mujer de Maheu, hacia aquel pedazo de carne blanca, cuya vista le trastornaba ahora. Verdad es que ella tenía cuarenta años, y estaba deforme como buena hembra que había procreado mucho; pero aún había muchos que la deseaban. Sin apresurarse, se había cogido el pecho con las dos manos, y lo encerraba en el corpiño. Un botón color d rosa se obstinaba en quedarse fuera; lo apretó con el dedo, y abrochó enseguida los botones del vestido.

—Es verdad que tengo mis defectos; pero jamás he tenido ése...

Luego, con acento de franqueza, añadió, sin quitar los ojos del joven: —No me han tocado más que dos hombres; uno cuando tenía quince años; y luego mi marido. Si mi marido me hubiese abandonado como el primero, no sé qué hubiese sido de mí; y si desde que nos casamos le he sido fiel siempre, no hago alarde de ello, porque, al fin y al cabo, no han abundado las ocasiones de faltarle... Pero digo la verdad, lo que es; y no hay muchas vecinas que pueden decir otro tanto. ¿No es cierto?

—Sí que lo es —respondió Esteban levantándose.

Y salió a la calle mientras ella se decidía a avivar el fuego, después de colocado a Estrella, dormida, entre dos sillas. Si su marido había pescado algo y lo vendía, tendrían qué comer.

Era de noche, una noche fría y desapacible, y Esteban caminaba en la oscuridad, preso de profunda tristeza.

Ya no sentía cólera contra el hombre ni compasión por la pobre muchacha maltratada. La escena brutal a que acababa de asistir se borraba haciéndole pensar en la realidad terrible de los sufrimientos de la miseria. Pensaba en aquellas casas sin pan, en aquellas mujeres, en aquellos niños, que se acostarían sin comer; en todo aquel pueblo, luchando heroicamente y muerto de hambre. Y las dudas que a veces le asaltaban acerca de la razón de su conducta, surgían de nuevo en la melancolía del crepúsculo; y le atormentaban con más furor que nunca. ¡Qué terrible responsabilidad asumía! ¿Debía aconsejarles aún la resistencia, cuando ya nadie tenía ni dinero ni crédito? ¿Cuál iba a ser el desenlace terrible del drama, si no llegaban recursos de ninguna parte, si el hambre comenzaba a cebarse en ellos y les quitaba valor? Bruscamente tuvo la visión del desastre: chiquillos que morirían y madres que sollozaban mientras los hombres obligados por la horrenda necesidad volvían al trabajo. Continuaba caminando al azar, tropezando con los pedruscos en medio de la oscuridad, y torturado por la idea de que si la Compañía resultaba más fuerte que ellos, tendría la culpa de las desdichas de sus camaradas.

Cuando levantó la cabeza se vio a las puertas de la Voreux. La masa sombría de sus edificios le parecía aún más grande por efecto de la oscuridad crepuscular. En medio de la desierta llanura, que la rodeaba, obstruida por las grandes sombras inmóviles, parecía un trozo de fortaleza abandonada. En cuanto la máquina de extracción se detenía, el resto de vida que se notaba en sus muros se escapaba, y a aquella hora de la noche nada la animaba, ni una voz, ni la luz de un farol.

Si los obreros tenían hambre la Compañía se arruinaba. ¿Por qué había de ser ella la más fuerte en aquella guerra sin cuartel entre el trabajo y el capital? En todo caso, la victoria le costaría muy cara. Luego contarían las bajas que cada cual hubiera tenido en la batalla. De nuevo le dominaba el deseo ardiente de la lucha; la necesidad afanosa de acabar con la miseria, aunque fuese a costa de la vida. Lo mismo daba morir de una vez que vivir muriendo de hambre y a causa de las injusticias que cometían con ellos. Recordaba sus lecturas mal digeridas, ejemplos de pueblos que habían quemado sus ciudades para destruir al enemigo, vagas historias de madres que salvaban a sus hijos de la esclavitud rompiéndoles el cráneo contra el suelo, de hombres que preferían morir de inanición a comer una sola migaja del pan de los tiranos. Y todo aquello le exaltaba: una feroz alegría se elevaba por encima de su profunda tristeza, y rechazaba la duda, avergonzándose de aquel momento de cobardía. Y en aquel despertar de su ardiente fe, ráfagas de orgullo y de soberbia le animaban, halagándole la esperanza de ser jefe, de verse obedecido hasta el sacrificio de la vida, de ensalzar su poder y su influencia, para disfrutar de ellos ampliamente el día del triunfo. Ya se imaginaba una escena grandiosa, en la cual se negaba a aceptar el poder, y lo ponía en manos del pueblo, después de haberlo tenido entre las suyas.

Pero volvió a la realidad, estremeciéndose al oír la voz de Maheu, que había estado de suerte, pescando una trucha soberbia, por la que le dieron tres francos. Ya tenían que comer. Entonces dijo a su amigo que volviese solo a casa que pronto estaría allí; y entrando en La Ventajosa, se sentó frente a Souvarine. Aguardó a que se marchara un parroquiano que estaba en otra mesa, para decir a Rasseneur, sin ambages ni rodeos, que iba a escribir a Pluchart para que fuese a Montsou. Estaba resuelto; quería organizar una reunión, porque la victoria le parecía segura si los mineros del pueblo se adherían en masa a la Internacional.

IV

La reunión se organizó en el salón de la Alegría, de que era empresaria la viuda Désir, y se convino en celebrarla el jueves, a las dos de la tarde. La viuda, indignada ante las infamias que se hacían con sus hilos, como ella llamaba a los obreros, lo estaba mucho más desde que veía que nadie visitaba su taberna. Jamás se habían visto huelguistas con menos sed: hasta los borrachos se encerraban en sus casas por miedo de faltar a la consigna de ser prudentes hasta la exageración. Así es que Montsou, tan alegre los días de fiesta, estaba triste y desierto desde que comenzara la huelga. Al pasar por la taberna de Casimiro y por el cafetín del Progreso, no se veían más que las pálidas caras de los dueños, interrogando el camino: los establecimientos de Montsou, desde el café Lenfant hasta el de Tison, sin exceptuar el de Piquette y el de la cabeza cortada, estaban lo mismo. Solamente en la taberna de San Eloy, frecuentada por capataces, se vendía algo: las cupletistas del Volcdn, faltas de admiradores, no trabajaban porque no iba nadie a oírlas, a pesar de haber bajado el precio de la entrada de diez céntimos a cinco, en vista de lo mal que andaban los tiempos. El país entero parecía hallarse de duelo.

—¡Caramba! —exclamaba la viuda Désir, golpeándose con las manos ambas rodillas—. ¡La culpa la tienen los gendarmes! ¡Qué me lleven presa si quieren; pero necesito hacerles rabiar para vengarme!

Para ella, todas las autoridades, todos los superiores eran gendarmes; era una palabra de desprecio general, con la cual designaba a todos los enemigos del pueblo. Por lo tanto, aceptó gustosa lo que Esteban le proponía: su casa entera le pertenecía a los mineros: cedería gratuitamente el salón de baile, y puesto que la ley lo exigía, ella misma firmaría las invitaciones, aparte de que le tenía sin cuidado contrariar la ley, ya que los gendarmes, que la hacían respetar eran los causantes de todo. Al día siguiente, el joven la llevó para que las firmase unas cincuenta cartas que había hecho copiar a los vecinos que sabían escribir; y aquellas cartas fueron enviadas a los demás mineros, por conducto de hombres de entera confianza. Oficialmente, el objeto de la reunión era seguir discutiendo acerca de la huelga; pero, en realidad, se esperaba a Pluchart, contando con que pronunciaría un discurso para convencer a todos de que se alistaran en la Internacional.

El jueves por la mañana Esteban experimentó cierta inquietud, viendo que no llegaba Pluchart, el cual había prometido por telégrafo que estaría en el pueblo el miércoles por la noche. ¿Qué sucedería? Le desesperaba pensar que no podría hablar con él antes de la reunión. A las nueve se encaminó a Montsou, suponiendo que acaso el famoso maquinista habría llegado allí sin detenerse en la Voreux.

—No, no he visto a su amigo —respondió la viuda Désir—; pero todo está dispuesto; venga a verlo.

Le condujo al salón de baile. El decorado era el mismo que de costumbre: dos guirnaldas de flores contrahechas colgadas del techo, y enlazadas por una corona de flores también, y las estatuas representando santos adornaban las paredes. El tabladillo de los músicos había sido reemplazado por una mesa y tres sillas, y la sala estaba llena de filas de bancos colocados como las butacas de un teatro.

—¡Perfectamente! —exclamó Esteban.

—Ya sabe usted —replicó la viuda— que está en su casa. Hablen todo lo que quieran... Como vengan los gendarmes, para entrar tendrán que pasar por encima de mí.

El joven a pesar de su inquietud no pudo menos de sonreír al mirarla y ver a aquella mujer, en la que nunca se había fijado, tan robusta, y con un par de pechos tan monstruosos, que los brazos de un hombre apenas habrían podido abarcar uno de ellos; por lo cual se decía en el pueblo que de los seis amantes de la semana, entraban de servicio cada día dos, para repartiese el trabajo.

Pero Esteban se distrajo pronto viendo entrar a Rasseneur y a Souvarine, y cuando la viuda les dejó solos a los tres en la sala, el minero exclamó:

—¡Hola! ¿Estáis ya aquí?

Souvarine, que había trabajado aquella noche en la Voreux, porque los maquinistas no estaban en huelga, acudía a la reunión por pura curiosidad.

En cuanto a Rasseneur, desde dos días antes parecía hallarse preocupado y sin ganas de broma. Su fisonomía había perdido la sonrisa que le era habitual.

—Todavía no ha venido Pluchart —le dijo el joven.

—No me extraña, porque no le espero.

—¿Cómo?

Entonces el tabernero se decidió, y mirando al otro cara a cara, le dijo con ademán resuelto:

—Pues si quieres saberlo, te diré que es porque yo también le he escrito rogándole que no viniese... Sí; opino que debemos arreglar nuestros asuntos sin acudir a personas extrañas.

Esteban, fuera de sí, temblando de cólera, mirando fijamente a su camarada, repetía tartamudeando:

—¡Has hecho eso! ¡Has hecho eso!

—Sí, y he hecho perfectamente. Bien sabes que tengo confianza plena en Pluchart, porque es un hombre de empuje, al lado del cual se puede estar... Pero, la verdad, ¡me río de vuestras ideas! ¡Lo que yo deseo es que traten mejor al obrero! La política, el gobierno, y todas esas cosas, me tienen sin cuidado. He trabajado en las minas durante veinte años, y he sufrido tanto allí de miseria y de fatiga, que he jurado hacer todo lo que pueda para aliviar la suerte de esos infelices que trabajan en ellas; y ahora estoy convencido de que con esas historias y esas tonterías que hacéis, no sólo no conseguiréis nada en favor del obrero, sino que empeoraréis, la situación... Cuando la necesidad le obligue a volver al trabajo, le tratarán todavía peor que antes, para vengarse de la huelga; la Compañía se ensañará contra él, y le castigará como se castiga a un perro que se ha escapado y que luego vuelve a la casa... Eso es lo que quiero evitar. ¿Lo oyes?

Y levantaba la voz, y se acercaba a su interlocutor con aire insolente y provocativo. Su carácter de hombre prudente y razonable en el fondo, se traducía en palabras que acudían fáciles a sus labios, y casi con elocuencia. ¿Acaso no era una estupidez querer cambiar el mundo en un momento, poner al obrero en el lugar del capitalista, y repartir el dinero como quien reparte una manzana? Se necesitarían miles de años para realizar todo eso, si alguna vez había de verse realizado. ¡Se reía él de esos milagros! El partido más prudente que podía tomarse, cuando no quería uno romperse la crisma, era el de caminar con rectitud, exigir las reformas posibles, y, en una palabra, mejorar la condición de los trabajadores. Así, que él se contentaba con arrancar a la Compañía algunas concesiones, porque si se obstinaban en exigírselo todo de una vez, se morirían de hambre.

Esteban le había dejado hablar; pues era tal su indignación, que no encontraba frases con que contestarle. Cuando pudo hablar, exclamó:

—¡Maldita sea!... ¿Es que tú no tienes sangre en las venas?

Hubo un momento en que estuvo a punto de abofetearle; y para no ceder a la tentación, comenzó a dar paseos por la sala, golpeando los bancos para desahogarse.

—Pero, hombre, cerrad la puerta siquiera —dijo Souvarine,— no hace falta que los demás oigan lo que decís.

Y después de cerrarla por sí mismo, se sentó tranquilamente en una de las sillas de la presidencia. Había liado un cigarrillo, y miraba a sus dos amigos con ademán tranquilo y una sonrisa burlona.

—Aunque te enfades, no adelantarás nada —replicó Rasseneur juiciosamente—. Yo creía que tenías mejor sentido, y me pareció muy prudente que recomendases la calma a nuestros amigos, y que interpusieras tu influencia para que guardasen una actitud digna; pero ahora resulta que tú mismo quieres lanzarles a una aventura descabellada.

A cada paseo que daba Esteban por entre los bancos, se acercaba a Rasseneur, lo cogía por los hombros, lo zarandeaba, y le gritaba con la cara casi pegada a la suya:

—¿Quién te ha dicho que no quiero orden y calma, ahora lo mismo que antes? Sí, yo les he impuesto la disciplina; sí, yo sigo aconsejándoles que no se muevan; pero por eso, ¿he de permitir que se burlen de nosotros y nos atropellen?... Feliz tú, que puedes tener tanta sangre fría... Yo tengo ratos en que me vuelvo loco.

Aquello era, por su parte, una confesión. Se reía de sus antiguas ilusiones de neófito, de su sueño casi religioso de una ciudad donde pronto iba a reinar la más estricta justicia, entre hombres que se tratarían como verdaderos hermanos. Aquello de cruzarse de brazos y esperar, era un medio como otro cualquiera de contribuir a que los hombres siguieran devorándose como lobos hasta el fin de los siglos. ¡No!, era necesario agitarse, tomar parte activa, porque, de lo contrario, la injusticia actual seguiría eternamente: los ricos vivirían siempre a costa de los pobres. No se perdonaba la tontería de haber dicho otras veces que era necesario desterrar la política de la cuestión social, porque, cuando lo decía, no sabía una palabra de lo que luego había estudiado. Ahora sus ideas se hallaban maduras, y se vanagloriaba de tener un sistema. Sin embargo, lo explicaba mal, con frases en cuya confusión había algo de todas las teorías que, consideradas primero como buenas, habían ido siendo abandonadas sucesivamente. En la cúspide de todo aquello quedaba en pie la doctrina de Carlos Marx, de que el capital era el resultado de la expoliación, y que el trabajo tenía el derecho de entrar a poseer aquella riqueza robada.

Pero las cosas se embrollaban cuando de aquellas teorías pasaba a un programa práctico. Primeramente se había enamorado del sistema Proudhon, la quimera del crédito mutuo, de una vastísima sociedad de cambio, que suprimiera los intermediarios; luego había sido partidario de las sociedades cooperativas de Lasalle, subvencionadas por el Estado, que transformarían poco a poco el mundo en una sola ciudad industrial, hasta el día en que se sintió desilusionado ante la dificultad de la intervención, y empezó a ser partidario de un colectivismo en el que todos los instrumentos de trabajo quedasen en manos de la colectividad. Su grito de combate durante la huelga, su lema, era: "La mina, para el minero". Indudablemente esto era muy vago, y Esteban continuaba sin saber cómo realizar aquel sueño, atormentado aún por los escrúpulos de su sensibilidad y de su razón, que no le permitían sostener las afirmaciones absolutas de los sectarios. Lo único que decía, era que consideraba ante todo necesario apoderarse del todo Después, ya sabrían lo que debía hacerse.

—Pero, ¿qué demonio te sucede? ¿Por qué te pasas a los burgueses? —continuó diciendo con violencia, encarándose con el tabernero— ¿No decías tú mismo que esto tenía que reventar?

Rasseneur se puso un poco colorado.

—Sí, lo he dicho. Y si revienta, verás que no soy un cobarde, ni me he de quedar atrás... Pero lo que yo no quiero es ser de esos que se sacrifican a los demás por crearse una posición.

Esteban, a su vez, pareció un poco turbado.

Ninguno de los dos gritó más; pero ambos se sintieron mordidos por la envidia y por la sorda rivalidad que entre ellos reinaba hacía tiempo. En el fondo, ésa era la causa de sus desavenencias, la razón de que uno se lanzase a las exageraciones revolucionarias, mientras el otro se las echaba de excesivamente comedido, obligados ambos a ello, a su pesar, por el fatalismo de las circunstancias. Y Souvarine, que los escuchaba con discreta curiosidad, dejó ver en su afeminado semblante cierta expresión de silencioso desprecio, ese desprecio del hombre dispuesto a sacrificar su vida en la oscuridad, sin tener siquiera la aureola del martirio.

—¿Eso lo dices por mí? —preguntó Esteban–—. ¿Tienes envidia?

—¿Envidia de qué? —respondió Rasseneur—. Yo no me las doy de gran hombre, ni trato de fundar una sección de la Internacional en Montsou para hacerme secretario de ella.

El otro quiso interrumpirle; pero el tabernero añadió, sin detenerse: —¡Sé franco alguna vez! A ti te tiene sin cuidado la Internacional; lo que tú quieres es ser nuestro jefe, y dártelas de señor, estableciendo correspondencia con el famoso Consejo federal del Norte.

Hubo un momento de silencio, después de lo cual Esteban, muy pálido, contestó:

—¡Está bien!... ¡Y yo, que creía no tener nada que reprocharme! Todo lo he consultado siempre contigo, porque sabía que has luchado aquí mucho tiempo antes que yo. Pero ya que no puedes soportar que nadie esté a tu lado, en lo sucesivo obraré por mí mismo y sin tu ayuda... Por de pronto, te advierto que la reunión se hará aunque Pluchart no venga, y que los amigos se adherirán a la Internacional, a pesar tuyo.

—¡Oh! Eso de adherirse está todavía por ver... Será preciso convencerles de pagar la cuota.

—De ningún modo. La Internacional concede largos plazos a los obreros en huelga. Pagaremos cuando podamos, y en cambio ella nos socorrerá.

Rasseneur no pudo contenerse al oír aquello.

—¡Pues bien; lo veremos!... Vendré a la reunión, y hablaré. No te dejaré catequizar a los amigos, y les explicaré cuales son sus verdaderos intereses. Veremos a quien siguen: si a mí, a quien conocen hace treinta años, o a ti, que has venido a revolucionar todo esto en unos cuantos meses... Bueno, bueno: guerra sin cuartel... Veremos quien vence a quien.

Y salió del salón cerrando la puerta con estrépito. Las guirnaldas de flores contrahechas se balancearon, y los cuadros con estampas de santos golpearon las paredes. Luego el salón volvió a quedar silencioso y tranquilo.

Souvarine seguía fumando, sin alterarse, al otro lado de la mesa. Esteban, después de dar unos cuantos paseos por entre los bancos, empezó a hablar, como si su amigo no estuviera allí. ¿Era suya la culpa si se separaba de aquel hipócrita para aliarse a él? Y negaba que hubiera buscado la popularidad, diciendo que no sabía ni cómo había sido aquello; la buena amistad de los del barrio, la confianza que inspiraba a los amigos, eran indudablemente las causas de la influencia que ejercía sobre ellos. Le indignaba que le acusaran de arrastrar a todos a un precipicio por ambición personal, y se golpeaba fuertemente el pecho para protestar de su fraternidad y de su desinterés.

De pronto se detuvo delante de Souvarine, y exclamó: —Mira, si supiese que por mí iba a correr una gota de sangre de un compañero nuestro, ahora mismo emigraba a América.

El ruso se encogió de hombros, y de nuevo una sonrisa singular contrajo sus labios.

—¡Oh! ¡La sangre!... ¿Qué importa que corra? ¡Buena falta le hace a la tierra!

Esteban se calmó; y, cogiendo una silla, fue a sentarse enfrente de él al otro lado de la mesa. Aquella cara afeminada, cuyos ojos melancólicos adquirían a veces una expresión de ferocidad salvaje, ejercía sobre él cierta influencia misteriosa, que no sabía explicarse. Poco a poco, y a pesar de que su amigo no hablaba, quizás por eso mismo se iba quedando absorto.

—Vamos a ver —preguntó—: ¿qué harías tú en mi caso? ¿No tengo razón en querer salir de esta inactividad?... ¿No es verdad que lo mejor es entrar en esa Asociación?

Souvarine, después de lanzar una bocanada de humo de su cigarrillo respondió con su frase favorita:

—Sí; una tontería... Pero, en fin, siempre es algo... Por algo se ha de empezar. Además, la Internacional marchará por el buen camino. Ya se está ocupando de ello...

—¿Quién?

—¡Él!

El ruso pronunció estas palabras a media voz, con cierto aire de fervor religioso, y dirigiendo una mirada a Oriente. Hablaba del maestro, de Bakunin, el exterminador.

—Sólo él puede dar el golpe —añadió— pues todos esos sabios que tú admiras son un atajo de cobardes... Antes de tres años, la Internacional estará obedeciendo sus órdenes, habrá destruido la sociedad vieja.

Esteban prestaba gran atención. Ardía en deseos de instruirse, de comprender ese culto de la destrucción, sobre el cual el ruso no pronunciaba nunca más que palabras vagas, como si quisiera conservar secretos sus misterios.

—Bien... Pero explícame al menos qué quieres hacer.

—Destruirlo todo... Que no haya más naciones, ni gobiernos, ni propiedades, ni Dios, ni culto.

—Comprendo; pero ¿qué se conseguirá con eso?

—La sociedad primitiva y sin forma; un mundo nuevo; otra vez el principio de todo.

—¿Y los medios de acción? ¿Con cuáles contáis?

—Con el fuego, con el veneno, con el puñal. El bandido es el verdadero héroe, el vengador del pueblo, el verdadero revolucionario en acción, sin frases aprendidas en los libros. Es necesario que una serie de atentados horrendos espante a los poderosos y despierte al pueblo.

Y a medida que hablaba Souvarine, iba adquiriendo una expresión terrible, feroz. El éxtasis en que se hallaba le hacía levantarse de su asiento; de sus ojos azules salía una llamarada mística, y con sus delicados dedos, contraídos, agarrados al filo de la mesa, parecía querer hacerla pedazos. Esteban, asustado, le miraba, pensando en las historias cuya vaga confidencia le había hecho el ruso; en las minas cargadas de dinamita debajo del palacio del Zar; en los jefes de la policía muertos a puñaladas; en una querida de Souvarine, la única mujer a quien había amado, ahorcada en Moscú una mañana de mayo, mientras él, confundido entre la multitud, la besaba por última vez con los ojos.

—No, no —murmuraba Esteban, haciendo un gesto como para rechazar aquellas visiones abominables—: nosotros no estamos todavía en ese caso. ¡El asesinato, el incendio! ¡Jamás! Eso es monstruoso, eso es injusto; todos los camaradas se levantarían como un solo hombre para ahogar al culpable.

Y seguía no comprendiendo ni palabra de aquello, porque su razón rechazaba la terrible pesadilla de aquel exterminio general. ¿Qué haya después? ¿De dónde surgirían los pueblos nuevos? Ante todo exigía una respuesta a esas preguntas.

—Explícame tu programa. Nosotros, sobre todo, queremos saber adónde vamos.

Entonces Souvarine, que se había puesto a fumar otra vez, contestó con su tranquilidad acostumbrada:

—Todo razonamiento sobre el porvenir es un crimen, porque impide la destrucción y detiene o se opone a la marcha de la revolución.

Esto hizo reír a Esteban, a pesar del estremecimiento nervioso que le produjo aquella respuesta dada con una perfecta calma. Por lo demás, confesó que no dejaba de haber mucho bueno en todo aquello, y que poco a poco se iría lejos. Pero no podía hablar de semejantes cosas a sus amigos, porque sería dar la razón a Rasseneur, y lo que necesitaba en aquellos momentos era ser práctico.

La viuda Désir les propuso que almorzasen. Ambos aceptaron, y pasaron a la sala de la taberna, separada del salón de baile por un tabique de madera que podía quitarse y ponerse fácilmente. Cuando acabaron de almorzar, era la una. La inquietud y la ansiedad de Esteban iban en aumento; decididamente Pluchart faltaba a su palabra. A eso de la una y media empezaron a llegar los delegados, y tuvo que salir a recibirlos, para evitar que la Compañía enviase espías. Examinaba atentamente todas las papeletas de invitación, y miraba a cada uno de los hombres que entraban; muchos penetraron sin papeleta; bastaba que él los conociese, para que les abriera la puerta. Al dar las dos, vio llegar a Rasseneur, que se quedó fumando su pipa junto al mostrador, charlando, como si no tuviese prisa. Aquella calma irónica acabó de exasperarle, tanto más cuanto que habían acudido algunos burlones por entretenerse, tales como Zacarías, Mouque hijo, y otros; a todos estos les tenía sin cuidado la huelga; satisfechos con no trabajar y sentados en una mesa, se gastaban en cerveza los últimos cuartos que les quedaban, burlándose de los compañeros que, de buena fe, acudían a la reunión.

Transcurrió otro cuarto de hora. Souvarine, que había estado fuera un momento, entró diciendo que la gente se impacientaba. Entonces Esteban, desesperado, hizo un gesto resuelto, y ya iba a salir detrás del maquinista, cuando la viuda Désir, que estaba asomada a la puerta de la calle, exclamó de pronto:

—¡Ya está aquí ese señor que esperabais!

Todos se precipitaron a la calle. Era Pluchart, en efecto.

Llegaba en un coche arrastrado por un caballo. De un salto echó pie a tierra, luciendo su levita, tan mal llevada, que le daba todo el aspecto de un obrero con traje prestado.

Hacía cinco años que no trabajaba en su oficio y que no pensaba más que en cuidarse, en peinarse sobre todo, y en darse tono con sus triunfos oratorias; pero su aspecto era muy ordinario y, a pesar de sus esfuerzos, las uñas de sus manos, comidas por el hierro, no crecían como él hubiera deseado. Era muy activo y recorría las provincias sin descanso, haciendo la propaganda de sus ideas.

—¡Ah, no me guardéis rencor! —dijo, para evitar que le hicieran preguntas—. Ayer por la mañana di una conferencia en Prouilly, y por la tarde tuve una junta en Valencay. Hoy, entrevista con Sauvagnat en Marchiennes... Al fin he podido tomar un carruaje. Estoy extenuado; ya veis cómo tengo la voz... una ronquera espantosa. Pero en fin, eso no importa, y, de todos modos hablaré.

Ya iba a entrar en la Alegría, cuando se detuvo.

—¡Caramba! ¡Se me olvidaban los títulos de socio! —dijo.— ¡Estaríamos listos!

Volvió al carruaje, y sacó de él una caja de madera negra, que se llevó debajo del brazo.

Esteban, contento, caminaba junto a él, mientras Rasseneur, consternado, no se atrevía ni a darle la mano. El otro se la estrechó con efusión, y apenas si aludió ligeramente a su carta. ¡Vaya una idea que había tenido! ¿Por qué no celebrar aquella reunión? Los obreros debían reunirse siempre que pudieran. La viuda Désir le invitó a que tomase algo; pero él, agradeciéndolo, se negó a aceptar nada. ¡Era inútil! No necesitaba beber para pronunciar discursos. Lo único que decía, era que tenía mucha prisa, porque aquella noche pensaba llegar a Joiselle para celebrar una conferencia con Legoujeux. Todos entraron juntos en la sala de baile. Maheu y Levaque, que llegaron un poco tarde, se apresuraron a reunirse a los demás, y la puerta quedó cerrada con llave para no ser interrumpidos, lo cual hizo que los más bromistas rieran de la precaución. Zacarías y Mouque hijo, sobre todo, tuvieron jocosas ocurrencias.

En el salón cerrado, donde aún se percibían las emanaciones del último baile, un centenar de obreros esperaban sentados en las filas de bancos. Empezaron a cuchichear y volver la cabeza, mientras los recién llegados tomaban posesión de la mesa presidencial. Todos miraban a aquel señor de Lille cuya levita había causado gran sorpresa y cierto malestar.

Pero enseguida, y a propuesta de Esteban, se constituyó la mesa. Él iba pronunciando nombres propios, y los demás levantaban la mano en señal de aprobación.

Pluchart fue nombrado presidente; luego designaron como asesores a Maheu y a Esteban. Hubo el consiguiente ruido de sillas mientras los de la presidencia se instalaron en su puesto, y todos miraban al presidente, que había desaparecido un momento detrás de la mesa para colocar en el suelo la caja que llevaba debajo del brazo, y que no abandonaba desde su entrada en el salón.

Cuando se hubo sentado en su sitio, pegó un puñetazo en la mes para reclamar la atención, y enseguida comenzó a decir con voz sonora:

—Ciudadanos...

Se abrió una puertecilla que había detrás de la mesa, y tuvo que interrumpirse. Era la viuda Désir que acababa de dar la vuelta por la cocina y que entraba con seis vasos de cerveza puestos en una bandeja —No os molestéis —dijo—. Cuando se habla se tiene sed.

Souvarine, sentado cerca de la presidencia, tomó la bandeja de manos de la tabernera, y la colocó en una esquina de la mesa. Pluchart pudo continuar; pero su discurso fue solamente para dar gracias por la buena acogida que le habían dispensado los mineros de Montsou, acogida que le conmovía, y para presentarles sus excusas por el retraso, hablando de su cansancio y de que tenía la garganta mala. Luego concedió la palabra al ciudadano Rasseneur, que la tenía pedida. Éste se había colocado junto a la mesa. Una silla, cogida por el respaldo para apoyarse en él, le servía de tribuna. Estaba muy nervioso y tuvo que toser varias veces para poder decir con voz enérgica:

—Camaradas...

Una de las razones de su influencia sobre la gente de las minas era su facilidad de palabra, merced a la cual podía estarles hablando horas enteras sin cansarse. No gesticulaba, y hablaba incesantemente con una eterna sonrisa, con la misma inflexión de voz, hasta que su auditorio, animado, por decirlo así, le gritaba: "Sí, sí, es verdad; tienes razón". Pero aquel día, desde las primeras palabras comprendió que había en el público gran hostilidad. Así, que procedió con la mayor prudencia. No discutí más que la continuación de la huelga, con la esperanza de ser aplaudido antes de entrar a hablar de la Internacional.

Indudablemente la dignidad y la honra se oponían a ceder a las exigencias de la Compañía; pero ¡cuántas miserias! ¡Qué porvenir tan terrible les esperaba si era necesario obstinarse todavía mucho tiempo! Y sin declararse explícitamente partidario de la sumisión, hacía esfuerzos para entibiar los entusiasmos, describía las cosas de los obreros pereciendo de hambre, y preguntaba con qué medios contaban los partidarios de la resistencia. Tres o cuatro amigos suyos trataron de aplaudirle lo cual acentuó la silenciosa frialdad con que le oían casi todos, la desaprobación, casi la cólera producida por algunas de sus afirmaciones. Entonces, desesperando de ganar el terreno perdido en la opinión, vaticinó a los obreros consecuencias terribles, grandes desgracias, si no dejaban dominar sus imprudentes provocaciones llegadas de tierra extranjera. Todos se habían puesto de pie, gritaban, le amenazaban, y se oponían a que siguiese hablando, puesto que los insultaba, tratándolos como si fueran niños incapaces de saber lo que les convenía. Y él, bebiendo trago tras trago de cerveza, seguía hablando, a pesar del tumulto, y gritaba con todas sus fuerzas que no había nacido todavía quien le obligase a faltar a su deber.

Pluchart se había puesto de pie también, y como no había campanilla pegaba puñetazos en la mesa, y repetía con voz ronca:

—¡Ciudadanos!... ¡Ciudadanos!

Al fin consiguió que reinase un poco de calma, y la asamblea, consultada al efecto, retiró la palabra a Rasseneur. Los delegados que habían representado a las minas en la entrevista con el director, animaban a los otros, dominados todos por el hambre e influidos por las ideas nuevas, que sin embargo no acertaban a comprender bien. Era un voto prejuzgado.

—¡A ti te importa poco, porque comes! —rugió Levaque, enseñando el puño a Rasseneur.

Esteban se había inclinado por detrás del presidente, acercándose a Maheu para tratar de calmarlo, porque estaba también furioso con aquel discurso; mientras Souvarine, sin decir palabra, inmóvil, contemplaba aquella escena, luciendo en sus miradas cierta expresión despectiva para todos.

—Ciudadanos —dijo Pluchart— permitidme que tome la palabra.

Reinó el silencio más profundo y habló. Su voz salía de la garganta ronca y penosamente; pero él estaba acostumbrado a eso; porque hacía años que estaba paseando su laringitis con su programa propagandista. Poco a poco iba hinchando la voz, que arrancaba efectos patéticos. Con los brazos abiertos hablaba, acompañándose de cierto movimiento de hombros, y uno de los rasgos característicos de su extraña elocuencia era la manera enfática de terminar los períodos, cuya monotonía acababa por convencer.

Su discurso versó sobre la grandeza y los beneficios de la Internacional, que los ejercía principalmente en las localidades recién conquistadas por ella. Explicó el objeto que perseguía la Asociación, y que no era otro que la emancipación de los trabajadores; mostró la grandiosa estructura de aquella Asociación; abajo, el municipio, más arriba la provincia, después la nación, y allá, en la cúspide, la humanidad. Sus brazos se agitaban lenta y acompasadamente, como si fuera colocando uno encima de otro los cuerpos de edificios de la catedral inmensa del mundo futuro. Luego habló de la administración interior; leyó sus estatutos, habló de los congresos, indicó los grandes adelantos que estaba realizando, el agrandarse del programa, que, habiéndose limitado a discutir los jornales, trataba ahora nada menos que de la liquidación social, para concluir con el sistema de pagar jornales. Ya no habría más nacionalidades; los obreros del mundo entero, unidos en la común necesidad de justicia, barrerían la podredumbre burguesa, y fundarían al fin la sociedad libre, en la cual el que no trabajase no comería.

Un movimiento de entusiasmo agitó todas las cabezas. Algunos gritaron:

—Eso es, eso es lo que queremos.

Pluchart, cuya voz ahogaban los aplausos frenéticos, seguía hablando. Se trataba de la conquista del mundo en menos de tres años. Y hablaba ya de los pueblos conquistados. De todas partes llovían adhesiones. Jamás religión alguna había tenido tantos fieles en tan poco tiempo. Después, cuando fuesen los amos, dictarían leyes al capital, y a su vez los obreros lograrían tener la sartén cogida del mango y a sus explotadores rendidos a sus pies.

—¡Sí, sí!... ¡Así queremos!

Con el ademán reclamaba el silencio, porque iba a tocar la cuestión de las huelgas. En principio, las desaprobaba; eran medios demasiado lentos, que agravaban la mala situación de los obreros. Pero, y mientras no pudiera hacerse nada mejor, cuando eran inevitables, había que hacerlas, porque tenían la ventaja de atacar el capital también, y la de perjudicarle. Y en ese caso, presentaba a la Internacional como una providencia para los huelguistas, y citaba ejemplos: en París, cuando la huelga de los broncistas, el capital había cedido enseguida a todo lo que pedían, asustados al saber que la Internacional estaba dispuesta a enviarles ayudas; en Londres, la Asociación había salvado a los trabajadores de una mina, pagando los gastos de viaje, para volver a su patria, a unos belgas llamados por el propietario. Bastaba con adherirse, para hacer temblar a las Compañías, porque los obreros entraban en el gran ejército de los trabajadores, decididos a morir los unos por los otros, antes que continuar siendo esclavos de la sociedad capitalista.

Grandes aplausos interrumpieron al orador, el cual se enjugaba la frente con el pañuelo, negándose a beber un vaso de cerveza, que le ofrecían con insistencia. Cuando quiso seguir hablando, nuevos aplausos le interrumpieron.

—¡Ya está! —dijo rápidamente Esteban—. Ya tienen bastante... ¡Pronto!... ¡Vengan los nombramientos!

Se había agachado detrás de la mesa, y se levantó con la caja de madera en la mano.

—Ciudadanos —añadió, dominando el ruido de voces y aplausos—, aquí están los nombramientos de individuos de la Internacional. Que vuestros delegados se acerquen, y se les entregarán, para que ellos los distribuyan... Luego arreglaremos todo lo demás.

Rasseneur quiso protestar otra vez. Por su parte Esteban se agitaba, empeñado en pronunciar un discurso él también. Siguió una confusión terrible. Levaque daba puñetazos en el aire, como si estuviera batiéndose con alguien. Maheu, en fin, hablaba sin que nadie pudiese oír lo que decía. Y Souvarine, exaltado, daba puñetazos también sobre la mesa, para ayudar a Pluchart a obtener orden y silencio. Del suelo salía una nube espesa de polvo, el polvo de los últimos bailes, emponzoñando el aire con el olor fuerte de las mujeres y de los mozos de las minas.

De pronto se abrió la puertecilla de que antes hablamos, y apareció la viuda Désir, gritando con todas sus fuerzas:

—¡Callad, por Dios!... ¡Ahí están los gendarmes!

Era que llegaba el inspector de policía del distrito, algo tarde, para levantar acta y disolver la reunión. Le acompañaban cuatro gendarmes. Ya hacía cinco minutos que la viuda Désir los entretenía en la puerta, diciéndoles que ella estaba en su casa, y que tenía el derecho de reunir a los amigos que quisiera. Pero al fin la habían dado un empujón, y ella corrió para avisar a sus hijos.

—Marchaos por aquí —añadió luego—. Hay un bribón de gendarme guardando el patio. Pero eso no importa; porque por ahí se sale a la calle... ¡Daos prisa!

Ya el inspector golpeaba la puerta con su bastón; y como no abrían, amenazaba echarla abajo. Indudablemente alguien había hecho traición, porque la autoridad gritaba que la reunión era ¡legal, puesto que habían entrado muchos mineros sin la invitación del ama de la casa.

En el salón el tumulto iba en aumento. Era imposible marcharse de aquel modo, sin haber votado siquiera en pro ni en contra de la continuación de la huelga. Todos se empeñaban en hablar a la vez. Por fin el presidente tuvo la idea de que se votase por aclamación. Los brazos se levantaron, y los delegados declararon que ellos se adherían en nombre de los compañeros ausentes. De aquel modo se hicieron miembros de la Internacional los diez mil mineros de Montsou.

Empezó la desbandada al fin. La viuda Désir, a fin de proteger el movimiento de retirada, se apoyaba contra la puerta, que ya los gendarmes empezaban a derribar con las culatas de sus fusiles. Los mineros, saltando por encima de los bancos, salían rápidamente a la calle por la puerta de la trastienda. Rasseneur fue uno de los primeros en desaparecer, y Levaque lo siguió, olvidándose de los insultos que le dirigiera y soñando con que le convidase a cerveza para reponerse. Esteban, después de apoderarse de la caja negra que llevaba Pluchart, esperaba con éste, con Maheu y con

Souvarine a que se fueran todos, porque creían que su deber les mandaba salir los últimos. Ya se iban, cuando al fin saltó la cerradura, y el inspector se halló cara a cara con la viuda Désir, cuyos enormes pechos formaban todavía una barricada.

—¡Ya ve que no ha conseguido gran cosa con destrozarme la casa! Ya ve que no hay nadie.

El inspector, que era un hombre tranquilo, a quien aburrían las escenas dramáticas, se limitó a decir que la iba a llevar a la cárcel. Pero no cumplió su amenaza, y se retiró con los cuatro gendarmes, para dar parte a sus superiores, en tanto que Zacarías y el hijo de Mouque, regocijados con el chasco que sus amigos habían dado a la autoridad, se reían de la fuerza armada en sus mismas barbas.

Esteban, cargado con la caja, corría por la calle seguido de sus amigos. De pronto se acordó de Pierron, y preguntó por qué no se le había visto allí; y Maheu, sin dejar de correr, le contestó que estaba enfermo de una enfermedad que no inspiraba cuidado: el miedo de comprometerse. Quisieron detener a Pluchart; pero éste se negó, diciendo que se iba a Joiselle, donde Legoujeux estaba esperando órdenes, y que no le era posible complacerlos. Entonces se despidieron de él, sin detenerse nadie en aquella carrera desenfrenada por las calles de Montsou. Entre unos y otros se cruzaban palabras entrecortadas por la velocidad de la carrera. Souvarine, gozoso por la derrota de Rasseneur, decía que aquello marchaba al fin por el buen camino.

Esteban y Maheu sonreían satisfechos, seguros como estaban ya del triunfo; cuando la Internacional les enviase ayudas, la Compañía sería quien les suplicase por Dios que volvieran al trabajo.

Y en aquel acceso de esperanza íntima, en aquel galopar de zapatos burdos que dejaban su huella en el lodo de la carretera había algo más, algo sombrío y salvaje: una violencia decidida, cuyo soplo iba a conmover todos los barrios de un extremo a otro de la comarca.

V

Transcurrieron otras dos semanas. Se estaba en los primeros días de enero; un frío extraordinario tenía acobardada a la gente de toda la llanura. Y ¡desde luego! la miseria aumentaba, y los barrios de obreros perecían de hambre, casi sin fuerzas para luchar más. Tres mil francos enviados por la Internacional de Londres, no habían dado ni para comer dos días. Luego, nada más habían recibido, nada más que promesas vagas, cuya realización parecía cada vez más lejana. Aquella esperanza perdida abatía a todo el mundo, y les quitaba el valor. ¿Con quién habían de contar, si hasta los mejores amigos, sus hermanos, los abandonaban? Se sentían perdidos en medio de aquel invierno cruel, aislados en el centro del mundo.

Un martes faltaron todos los recursos en el barrio de los Doscientos Cuarenta. Esteban se había multiplicado inútilmente con los delegados: se iniciaban nuevas suscripciones en las ciudades próximas, hasta en París; se hacían cuestaciones y se organizaban conferencias; pero la opinión pública, interesada al principio en los sucesos, iba haciéndose indiferente, al ver que la huelga se prolongaba de un modo indefinido, y sin escenas dramáticas, en medio de la más perfecta tranquilidad. Aquellas insignificantes limosnas apenas daban lo suficiente para socorrer a las familias más pobres. Las otras habían vivido empeñando las ropas y perdiendo poco a poco todo cuanto tenían en la casa. Todo iba trasladándose a poder de los prestamistas; la lana de los colchones, los utensilios de cocina, y hasta los muebles más necesarios. Por un momento se habían creído salvados por los comerciantes de Montsou, casi arruinados por Maigrat, que habían ofrecido vender a crédito con objeto de arrebatarle la clientela, y durante una semana, Verdonck, el de la tienda de comestibles, los dos panaderos Carouble y Smelten tuvieron, en efecto, sus tiendas a disposición de todo el mundo, pero se les acabó el dinero, y no pudieron seguir fiando. Los usureros se regocijaban, porque de todo aquello resultó un aumento en las deudas, que por largo tiempo debían ahogar a los mineros. Pero todo había concluido ya; no había crédito posible, ni un cacharro viejo que vender, ni más recurso que acostarse en un rincón, y morirse allí de hambre como un perro. Esteban hubiera vendido de buena gana su sangre. Había cedido en provecho de los demás su sueldo de secretario, y había estado en Marchiennes a empeñar su pantalón y su levita de paño negro, con objeto de que se pudiese comer en casa de los Maheu. No le quedaba más que las botas, que conservaba para poder andar mucho, según decía. Su desesperación era que la huelga se hubiese declarado demasiado pronto; es decir, antes de que la Caja de socorros contara con los fondos suficientes. En eso veía la causa única del desastre; porque los obreros triunfarían seguramente cuando lograran reunir ahorros bastantes para resistir. Y recordaba las palabras de Souvarine, asegurando que la Compañía deseaba promover la huelga para que los mineros agotaran el fondo de ayudas con que contaban.

Ver que toda aquella pobre gente se moría de hambre le tenía fuera de sí, y prefería salir a rendirse en largos paseos por el campo. Una tarde, cuando volvía a su casa, al pasar por Réquillart había encontrado a orillas del camino a una pobre vieja desmayada. Sin duda se moría de inanición; la levantó del suelo y empezó a llamar a una muchacha que veía al otro lado de la empalizada de que se hallaba rodeado el antiguo emplazamiento de la mina.

—¡Hola! ¿Eres tú? —dijo, al reconocer a la Mouquette—. Ayúdame, y a ver si puedes darle algo que beber.

La Mouquette, llorando de conmiseración, entró rápidamente en la barraca donde vivía, y salió enseguida con un frasco de ginebra y un poco de pan. La ginebra resucitó a la pobre vieja, quien, sin hablar una palabra, mordió un pedazo de pan con verdadera ansiedad. Era la madre de un minero; vivía en un barrio cerca de Cougny, y se había caído allí en medio del camino, volviendo de Joiselle, donde había procurado inútilmente que una hermana suya le prestase unos cuartos. Cuando se hubo comido el pan, se marchó aturdida y dando las gracias. Esteban se había quedado a la puerta de la casa de la Mouquette.

—¿Qué? ¿No entras a tomar una copa? —le preguntó ésta alegremente.

Y viendo que vacilaba añadió:

—Entonces es que sigues teniéndome miedo.

Él, animado por su sonrisa, la siguió: la acción que acababa de realizar con aquella pobre vieja le enternecía. La joven no quiso recibirle en el cuarto de su padre, y se lo llevó al suyo, donde sirvió dos copitas de ginebra. La habitación estaba muy limpia y Esteban la cumplimentó por ello. Además, parecía que la familia no tenía falta de nada: su padre seguía trabajando de mozo de cuadra en la Voreux; y ella, por no estarse sin hacer nada, se había dedicado a lavandera, ganando treinta sueldos todos los días. Aunque le gustaban los hombres, no era una holgazana ni una perdida.

—Oye —murmuró ella de repente, levantándose y cogiéndole por la cintura—: ¿por qué no quieres quererme?

Esteban se echó a reír, al ver el aire picaresco y casi coquetón con que le había interrogado.

—Pero si te quiero mucho —respondió.

—No, no como yo desearía... Sabes que me muero de ganas. ¡Anda! ¡Estaría yo tan contenta!

Y era verdad, porque se lo estaba rogando desde hacía seis meses. Esteban la miraba, mientras la joven se estrechaba contra él, abrazándole convulsa, con la cara levantada y retratándose en ella una expresión tal de amoroso deseo, que Esteban se sentía conmovido. Su rostro abultado no tenía nada de bello, con aquel color amarillento peculiar a todos los mineros; pero sus ojos brillaban de un modo delicioso, y de sus carnes salía un encanto, un temblor de deseo, que la hacían apetitosa. Entonces, ante aquel entregarse tan humilde, tan ardiente, Esteban no se atrevió a resistir. —¡Ah! Sí quieres, ¿verdad? —balbuceó ella entusiasmada— ¡Dime que sí!

Y se entregó a él con tal torpeza, con tal desvanecimiento de virgen, que no parecía sino que era la primera vez que caía en brazos de un hombre. Luego, al separarse, ella fue quien dejó desbordar su agradecimiento, besándole las manos y llorando de satisfacción. Esteban se avergonzó un poco de su buena fortuna. No era cosa de alabarse por haber poseído a la Mouquette. Al salir de allí se prometió no contar a nadie la aventura.

Y, sin embargo, experimentaba por ella verdaderos sentimientos de amistad, porque era buena muchacha.

Cuando regresó a su casa, las noticias graves que recibió le hicieron olvidar por completo su amorosa aventura. Circulaban rumores de que la Compañía estaba dispuesta a transigir, si iba otra comisión de obreros a visitar al director; por lo menos, los capataces lo habían dicho así. La verdad era que en la lucha entablada, la mina sufría todavía más que los mineros. En una y otra parte la intransigencia estaba produciendo verdaderos desastres; mientras el trabajo se moría de hambre, el capital, a su vez, se arruinaba. Cada día de huelga le costaba centenares de miles de francos. Toda máquina que se detiene es una máquina muerta. El material y las herramientas se estropeaban, el dinero parado desaparecía como agua derramada en la arena. Concluida la escasa existencia de carbón almacenado, la clientela hablaba de hacer sus pedidos a Bélgica, y aquello constituía una verdadera amenaza. Pero lo que más asustaba a la Compañía, y que ésta ocultaba cuidadosamente, eran los desperfectos continuos que sufrían las galerías y las canteras. Los capataces no daban abasto; ya no había gente a quien echar mano para apuntalar y revestir, y los puntales crujían y se venían abajo por todas partes. Pronto los destrozos fueron de tal naturaleza, que se necesitaría muchos meses para arreglar todo aquello antes de comenzar de nuevo los trabajos de extracción.

Aunque estas cosas no podían estar ocultas, Esteban y los delegados titubeaban en dar paso alguno con el director, sin saber a punto fijo las intenciones de la Compañía. Dansaert, a quien preguntaron, no quería contestar; según él todos lo lamentaban, y se haría todo lo posible porque el conflicto se arreglase; pero no precisaba nada. Entonces decidieron ir a ver al señor Hennebeau, para que toda la razón estuviese de parte de ellos; porque no querían que se les acusara de haberse negado a que la Compañía aprovechara una ocasión de reconocer y confesar sus yerros. Pero juraron no ceder en lo más mínimo, y mantener su ultimátum, que era lo justo.

La entrevista se verificó el martes por la mañana, el día precisamente en que el barrio entero se estaba muriendo de hambre. Aquella entrevista fue menos cordial que la primera. Maheu llevó la palabra para decir que los compañeros les enviaban a saber si aquellos señores habían decidido algo nuevo. Al principio, el señor Hennebeau afectó sorpresa, contestando que no había recibido orden alguna, y que la situación no podía variar mientras los obreros continuaran en su actitud rebelde. Aquella rigidez autoritaria produjo un efecto desastroso; de tal modo, que, aun cuando hubieran ido con propósitos conciliadores, aquella manera de recibirlos les hubiera decidido a obstinarse en su actitud. Luego, el director quiso buscar una fórmula de avenencia, basándola en que los mineros cobrasen aparte el trabajo de apuntalar, y que la Compañía les pagase los dos céntimos que se habían rebajado en cada carretilla. Añadió, por supuesto, que eso lo había decidido por cuenta propia, porque nada le habían dicho de París; pero que suponía podría obtener aquellas concesiones. Los delegados se negaron a semejante solución, y reincidieron en sus exigencias: continuar con el antiguo sistema, y aumentar los cinco céntimos que pedían en cada carretilla. Entonces confesó que estaba autorizado para negociar con ellos, y les aconsejó que aceptasen, en nombre de sus mujeres y de sus hijos, que iban a perecer. Pero ellos, pertinaces y tozudos, contestaron que no, que no, y que no. La entrevista terminó con frialdad.

El señor Hennebeau cerró la puerta con estrépito. Esteban, Maheu y los demás se marcharon, haciendo sonar los tacones de su calzado burdo en las losas de la calle, con la rabia silenciosa de los vencidos a quienes se pone en el último trance.

A las dos de la tarde, las mujeres del barrio hicieron otra nueva tentativa acerca de Maigrat. Era la única esperanza, el único recurso: conmover a aquel hombre y arrancarle la esperanza de que les daría que comer, fiándoles una semana más. La idea fue de la mujer de Maheu, que a menudo confiaba demasiado en el buen corazón de las gentes. Consiguió que la Quemada y la mujer de Levaque la acompañaran. La mujer de Pierron, en cambio, se excusó diciendo que no se atrevía a dejar solo a su marido, cuya enfermedad no acababa de curarse. Otras mujeres se agregaron a nuestras tres conocidas, y formaron un grupo de dieciocho o veinte.

Cuando los burgueses de Montsou las vieron llegar ocupando todo a lo ancho de la carretera, sombrías y amenazadoras, menearon la cabeza con expresión de temor. Todos cerraban las puertas, y una señora escondió los cubiertos y las alhajas que tenía en la casa. Era la primera vez que se las veía en esa actitud, y ya se sabe que cuando en asuntos de semejante naturaleza toman parte las mujeres, la cosa va por mal camino. En casa de Maigrat hubo una escena muy violenta. Primero las hizo entrar en son de burla, fingiendo creer que iban a pagarle lo que le debían, añadiendo que habían tenido muy buena idea en ponerse de acuerdo para llevarle todas a la vez el dinero, ya que le iba haciendo falta. Luego, cuando la mujer de Maheu tomó la palabra, hizo como que se sulfuraba. ¿Estaban burlándose de él? ¿Querer que les fiase más? ¿Había de arruinarse por ellas? ¡No, no más; ni una patata, ni una migaja de pan! Y les decía que fuesen a entenderse con el tendero Verdonck, y con los panaderos Carouble y Smelten, puesto que ahora se proveían en sus casas. Las mujeres le escuchaban con aire de temerosa humildad, excusándose por molestarle otra vez, y tratando de adivinar en su semblante si le iban conmoviendo. Entonces él empezó a echarlo a broma, y puso la tienda a disposición de la Quemada, si consentía en ser su amante. Tan acobardadas estaban, que todas reían oyendo aquellas chanzas groseras; y la mujer de Levaque llegó a decir que ella estaba dispuesta a aceptar la proposición hecha a su vecina. Pero Maigrat se cansó, y las echó a la calle, y viendo que insistían suplicándole, maltrató a una. Las otras, ya fuera de la tienda, le insultaban, mientras la mujer de Maheu, con los brazos extendidos en un acceso de vengativa indignación, pedía que lo matasen, jurando que un hombre semejante no debía vivir.

La vuelta al barrio fue verdaderamente lúgubre. Los hombres miraban a las mujeres que volvían con las manos vacías. Cuestión resuelta: tendrían que acostarse sin tomar ni un bocado de pan; y el porvenir para los días subsiguientes les parecía más negro aun, porque en él no brillaba ni el más ligero rayo de esperanza. Como todos lo habían querido, nadie hablaba de rendirse. Aquel exceso de miseria les hacía obstinarse más y más, silenciosos como fieras perseguidas, resueltas a morir en sus madrigueras antes que entregarse. ¿Quién se habría atrevido a ser el primero en hablar de sumisión? Juraron resistir con todos sus compañeros, y resistirían, del mismo modo que en el fondo de la mina se ayudaban cuando había un hundimiento y alguno estaba en peligro. Era natural porque tenían una buena escuela para aprender a resignarse; bien podía uno no comer en ocho días, cuando desde la edad de doce años se sufría lo que ellos sufrían en su trabajo ordinario; y su fraternal desinterés se duplicaba así, por virtud de ese espíritu de cuerpo, de ese orgullo propio del hombre que se envanece de su oficio, y que, acostumbrado a luchar todos los días con la muerte, sabe imponerse sacrificios.

En casa de los Maheu la velada fue espantosa. Todos callaban, sentados delante de la estufa donde ardía la última paletada de carbón. Después de haber desocupado los colchones, puñado a puñado, habían resuelto, dos días antes, vender por tres francos el reloj de la sala; y la habitación parecía muerta desde que no la animaba el continuo tic—tac de la péndola. En la casa no quedaba más que aquella cajita de cartón color rosa antiguo regalo de Maheu a su mujer, y que ésta tenía en más estima que una joya. Las dos únicas sillas buenas habían desaparecido también, y el viejo Buenamuerte y los chiquillos tenían que apretarse bien para caber sentados en un banquillo traído del jardín. El triste crepúsculo que iba llegando, parecía aumentar el frío.

—¿Qué vamos a hacer? —repetía la mujer de Maheu, acurrucada en un rincón junto a la lumbre.

Esteban, de pie, contemplaba los retratos del Emperador y de la Emperatriz pegados a la pared.

Hacía mucho tiempo que los hubiese arrancado de allí, a no ser por la familia, que se lo prohibía porque adornaba la habitación. Pero en aquel momento murmuró apretando los dientes:

—¡Y pensar que no podremos obtener ni un cuarto de esos canallas que nos ven morir de hambre!

—Si me dieran algo por la caja esa... —replicó la mujer muy pálida, y después de titubear un rato.

Pero Maheu, que estaba sentado en el filo de la mesa, con las piernas colgando y la cabeza inclinada sobre el pecho, se incorporó bruscamente, y dijo:

—¡No, no quiero!

Su mujer se había levantado con trabajo, y daba vuelta a la habitación. ¿Era posible verse reducidos a semejante miseria? En el aparador no había ni un mendrugo de pan, ni nada que vender en la casa, ¡Ni ninguna idea para obtener dinero! ¡Pronto se quedarían hasta sin lumbre! Se enfadó con Alicia, a quien enviara aquella mañana a los alrededores de la mina, con objeto de llevarse algún carbón de desecho, y la cual había vuelto con las manos vacías, diciendo que los vigilantes no lo permitían.

—¿Y ese granuja de Juan —exclamó la madre—, dónde andará?... Debía haber traído hierba, y al menos pastaríamos como los animales. ¡Ya veréis cómo no viene! Anoche tampoco estuvo aquí a dormir. Yo no sé qué demonios hace; pero el muy bribón parece que no tiene hambre.

—Acaso —dijo Esteban— pedirá limosna por ahí.

La buena mujer cerró los puños y agitó Curiosamente los brazos. —Si eso fuera verdad... ¡Mis hijos mendigar! Preferiría matarlos y matarme yo enseguida.

Maheu se había vuelto a sentar encima de la mesa, Leonor y Enrique, extrañando que no se comiese, empezaban a llorar, mientras que el abuelo Buenamuerte, silencioso y cabizbajo, se pasaba filosóficamente la lengua por el cielo de la boca para engañar el hambre. Nadie volvió a decir palabra; todos observaban aquella agravación de sus males: el abuelo tosiendo y escupiendo, y con su reumatismo que iba convirtiéndose en una hidropesía; el padre, asmático y con las rodillas hinchadas, a causa de la humedad; la mujer y los chicos, maltratados por las escrófulas y la anemia hereditarias.

Todo aquello era evidentemente consecuencia del oficio; no se quejaban sino cuando faltaba que comer y la gente se moría de hambre; y ya en el barrio iban cayendo como moscas.

Aquella situación era imposible, y se necesitaba hacer algo. ¿Qué harían, Dios santo?

Entonces, en medio de la semioscuridad del crepúsculo, cuya tristeza hacía más lóbrega la sala, Esteban, que se encontraba dubitativo, adoptó una postura resuelta.

—Esperadme —dijo—. Voy a ver si en una parte...

Y salió. Se había acordado de la Mouquette, la cual tendría pan, y se lo daría. Le contrariaba verse obligado a ir de nuevo a Réquillart, porque ella volvería a besarle las manos con su aire de esclava enamorada; pero era imposible dejar a sus amigos en aquel apuro, y si las circunstancias lo exigían, estaba resuelto a ser de nuevo complaciente con ella.

—También yo voy a ver si puedo... —dijo a su vez la mujer de Maheu—. Así no podremos estar.

Volvió a abrir la puerta, porque el joven acababa de salir, y la cerró dando un portazo, dejando a los demás inmóviles y mudos, a la débil luz de un cabo de vela que Alicia acababa de encender. Al salir, se detuvo un instante; luego entró decidida en casa de los Levaque.

—Oye: el otro día te presté un pan. ¿Puedes devolvérmelo?

Pero se detuvo, porque lo que veía no era nada tranquilizador, y en la casa se notaba más miseria aún que en la suya propia. La mujer de Levaque, con los ojos entornados, contemplaba la lumbre casi apagada, mientras su marido, casi borracho, dormía con la cabeza apoyada en la mesa. Bouteloup retrepado en una silla contra la pared, no abandonaba su aire de buen muchacho, y aunque parecía sorprendido por no tener que comer, no se mostraba enfadado de que los demás se hubieran comido todos sus ahorros.

—¡Un pan! ¡Ay, querida! —respondió la mujer de Levaque—. ¡Y yo que iba a pedirte que me prestaras otro!

En aquel momento su marido, medio dormido, empezó a quejarse; ella, golpeándole Curiosamente la cara contra la mesa, gritó:

—¡Calla, granuja! ¡Así revientes! ¿No era mejor que, en vez de hacer que te convidasen a beber, hubieras pedido unos cuartos a cualquier amigo para traer pan a tu casa?

Y la infeliz continuó lamentándose y maldiciendo su estrella, con las frases soeces que acostumbraba a usar. La casa estaba muy sucia, y de todos los rincones exhalaba un olor insoportable, porque decía la de Levaque que le importaba poco que todo se lo llevase el demonio. Su hijo, el granujilla de Braulio, había desaparecido también desde por la mañana, muy temprano, y ella, como loca, gritaba que tanto mejor si no volvía, porque de aquel modo se ahorraba tener que darle de comer. Luego dijo que se iba a acostar, porque al menos en la cama no tendría frío, y dio un codazo a Bouteloup, diciendo:

—¡Ea, vamos! ¡Arriba!... Ya no hay lumbre, y no hay para qué encender una vela, si no hemos de ver más que los platos vacíos... ¿Vienes, Luis? Te digo que me voy a la cama; allí tendremos menos frío. Este maldito borracho, que se hiele ahí si quiere.

Cuando la mujer de Maheu se vio en la calle, cruzó resueltamente los jardinillos para dirigirse a casa de los Pierron. Oyó reír; llamó, y hubo un momento de silencio. Tardaron lo menos dos minutos en abrir la puerta.

—¡Hola! ¿Eres tú? —dijo la mujer de Pierron, afectando sorpresa—. Creí que era el médico.

Y sin aguardar a que le respondiera, continuó hablando y señalando a Pierron, que estaba sentado junto a la lumbre.

—Nada, no quiere ser bueno —dijo—. La cara no es mala; pero por dentro anda la procesión, y como necesita calor a todo trance, quemamos todo lo que encontramos a mano.

Pierron, en efecto, tenía muy buen aspecto; estaba gordo y colorado aunque se quejaba continuamente, para fingirse enfermo. Además, la mujer de Maheu, al entrar, había notado un marcado olor a guisado de conejo, y estaba segura de que habían escondido la fuente, sobre todo cuando, además de las migas de pan que había en la mesa, vio una botella de vino que habían dejado sin duda olvidada encima del aparador.

—Mamá ha ido a Montsou —añadió la mujer de Pierron—, a ver si Ie dan un pan. Estamos impacientísimos esperándola.

Pero se quedó confundida porque, siguiendo las miradas de la vecina, también las suyas tropezaron con la botella de vino. Pronto se repuso, y contó una historia para justificar el tenerla, diciendo que los señores de la Piolaine se la habían dado para el enfermo.

—Ya sé que son muy caritativos —dijo la mujer de Maheu—: los conozco.

Su corazón se quejaba de que cuanto menos necesitados, más favorecidos somos por la suerte en este mundo. ¿Por qué no habría visto a los señores de la Píolaine en el barrio? Tal vez hubiera podido sacarles algo con qué comer un par de días.

—Pues venía —dijo al fin— para ver si estabais menos apurados que nosotros... y si podías darme un poco de pan, con la condición de devolvértelo, por supuesto.

La mujer de Pierron contesto exaltándose:

—Nada, hija mía. Ni una migaja de pan... Si mamá no vuelve pronto, es porque no ha logrado lo que iba buscando, y nos tendremos que acostar sin cenar. No tenemos ni un mendrugo.

En aquel momento se oían sollozos que salían del sótano, y la mujer de Pierron se incomodó y empezó a pegar puñetazos en la puerta. Era la bribona de Lidia, a quien tenía encerrada, según dijo, para castigarla porque se iba a la calle y no volvía en todo el día. No había manera de domarla.

La mujer de Maheu, sin embargo, seguía allí, de pie, inmóvil y sin decidirse a marchar. El colorcito que se notaba en la sala baja la consolaba y la idea de que allí se comía aumentaba su dolor de estómago, producido por el hambre. Era evidente que habían encerrado a la niña, y hecho salir a la vieja, para comerse tranquilamente su plato de conejo. ¡Ah! —Menudas cosas ocurren, cuanto peor conducta tiene una mujer, mejor van sus negocios!

—¡Adiós, buenas noches! —dijo de pronto.

Y salió a la calle; pero, en vez de irse a su casa, la mujer de Maheu dio una vuelta por los jardines, porque no se atrevía a entrar. Mas ¿a dónde ir? ¿A qué llamar a ninguna puerta, si todos estaban, como ellos, muertos de hambre?

Al pasar por delante de la iglesia, vio una sombra que caminaba rápidamente por la acera. Una esperanza vaga le hizo apresurar el paso, porque había conocido al cura de Montsou, el padre Joire, que los domingos decía misa en la capilla del barrio de los obreros: sin duda saldría de la sacristía, e indudablemente había ido a sus negocios por la noche, para que no le vieran los mineros.

—Señor cura, señor cura —tartamudeó la mujer de Maheu cuando estuvo cerca de él.

Pero el cura no se detuvo.

—Buenas noches, hija mía, buenas noches —contestó, acelerando más el paso.

La mujer de Maheu se vio, sin saber cómo, a la puerta de su casa otra vez, y como las piernas se negaban a sostenerla, volvió a entrar en ella.

Nadie se había movido. Maheu continuaba sentado en el pico de la mesa, cada vez más abatido. El viejo Buenamuerte y los chiquillos se apretaban unos contra otros en el banco, para tener menos frío. La vela había estado ardiendo, y quedaba ya tan poco de ella, que muy pronto estarían a oscuras. Al oír abrir la puerta los chicos volvieron la cabeza; pero viendo que su madre no llevaba nada en las manos, se pusieron a mirar el suelo, conteniendo el deseo de llorar, por miedo que les regañasen. La mujer de Maheu se había sentado en una silla, junto a la lumbre que se apagaba. Nadie le preguntó; el silencio continuaba. Todos habían comprendido, y consideraban inútil cansarse en hablar; ya no tenían más que una esperanza, esperanza vaga: la vuelta de Esteban, que quizás sería más afortunado que su amiga.

Cuando Esteban entró, vieron que llevaba en un trapo una docena de patatas cocidas, pero frías ya.

—Esto es todo lo que he encontrado —dijo.

Y es que en casa de la Mouquette tampoco había pan, por lo cual le dio lo que tenía para comer ella, metiéndolo a la fuerza en aquel trapo, y besándole mil veces con cariñoso entusiasmo.

—Gracias —contestó a la mujer de Maheu, que le ofrecía su parte—: yo he comido allí.

Mentía, y no podía menos de contemplar, con aire sombrío a los niños que se abalanzaban a las patatas con verdadera ansia. El padre y la madre también se contenían para dejarles más parte; en cambio, el viejo tragaba cuanto podía. Fue necesario quitarle una patata para dársela a Alicia. En tres minutos la mesa quedó limpia. Miráronse unos a otros, porque todavía tenían mucha hambre.

Entonces Esteban dijo que había recibido noticias importantes. La Compañía, irritada por el tesón de los obreros, iba a despedir para siempre a los más comprometidos en la huelga. Decididamente se declaraba la guerra sin cuartel. Y otro rumor más grave circulaba: el de que había conseguido de muchos mineros que volviesen al trabajo; al día siguiente La Victoria y Feutry Cantel debían tener todas las brigadas completas, y en Mirou y en La Magdalena contaban ya con la tercera parte de los trabajadores.

Los Maheu se exaltaron.

—¡Maldita sea! —gritó el padre—. ¡Si hay traidores entre nosotros, es preciso darles su merecido.

Y puesto en pie, cediendo a la influencia de los sufrimientos físicos y morales:

—¡Vamos mañana por la noche al bosque! —gritó—. Puesto que nos prohiben que nos reunamos en la Alegría, en medio del bosque estaremos más cómodos.

Aquel grito había despertado al viejo Buenamuerte, que dormitaba después de atracarse de patatas.

Aquel era el antiguo grito de combate, la contraseña de los mineros de otro tiempo, cuando se reunían para organizar la resistencia contra los soldados del rey.

—¡Sí, sí, a Vandame! —dijo a su vez—. Yo soy de los que van, si se celebra la reunión allí.

La mujer de Maheu hizo un gesto enérgico.

—¡Iremos todos! ¡Así se acabará con estas injusticias y con estas traiciones! —exclamó.

Esteban decidió que se diera cita a todos los barrios de obreros para el día siguiente por la noche. Pero la lumbre se había acabado como en casa de Levaque, y la vela se apagó bruscamente. Ya no había carbón ni petróleo, y fue necesario que subieran a acostarse a tientas y transidos de frío. Los dos chiquillos lloraban.

VI

Juan, ya curado, podía andar; pero sus piernas habían quedado tan mal, que cojeaba de las dos y andaba como los patos, si bien no dejaba de correr con la misma habilidad y ligereza que antes.

Aquella tarde, a la hora del crepúsculo, Juan estaba al acecho en el camino de Réquillart, acompañado de sus inseparables Braulio y Lidia. Se había emboscado detrás de una empalizada, enfrente de una tiendecilla de comestibles, colocada en el borde del sendero. Una vieja, casi ,ciega, tenía allí para vender tres o cuatro sacos de lentejas y algunas sardinas, todo negro de polvo; pero lo que Juan miraba con maliciosa atención e intenciones nada buenas, era una bacalada que había colgada en la puerta. Ya dos veces había enviado a

Braulio para cogerla; pero las dos veces se lo había impedido algún transeúnte que se asomaba por el recodo del camino. ¡Qué demonio de importunos! ¡No podía uno dedicarse en paz a sus negocios!

Apareció un señor a caballo, y los tres chiquillos se ocultaron de nuevo detrás de la empalizada al reconocer al señor Hennebeau. A menudo, desde que comenzara la huelga, se le veía así por los caminos, paseando solo por en medio de los barrios que habitaban los obreros sublevados, haciendo alarde de valor, para cerciorarse por sí mismo de la situación.

Y jamás oyó silbar una piedra; no tropezaba sino con hombres que le saludaban de no muy buena gana, aunque respetuosamente, o con parejas amorosas que se reían de la política e iban a gozar placeres en la soledad del campo. Él, sin acortar el trote de su yegua, volviendo la cabeza para no interrumpir a nadie, pasaba por allí, sintiendo, sin saber por qué, que su corazón se henchía de deseos en aquel país del amor libre. Vio perfectamente a los chicos echados sobre Lidia, y sintió que los ojos se le humedecían a su pesar, mientras, recto en la silla, militarmente abrochado hasta el cuello, desaparecía por el otro lado del camino.

—¡Maldita suerte! —dijo Juan— No acabaremos nunca... ¡Anda, Braulio, tira de la cola!

Pero en aquel momento aparecieron dos hombres, y el chiquillo contuvo un juramento, cuando oyó la voz de su hermano Zacarías, contando a Mouque que le había quitado a su mujer una pieza de cuarenta sueldos que tenía cosida en la falda. Los dos, que iban riéndose, cogidos amigablemente del brazo, se detuvieron un momento, trazando planes para el otro día.

—¿Pero se van a estar ahí hasta la noche? —dijo Juan exasperado—. En cuanto oscurezca, la mujer descolgará la bacalada, y adiós mi dinero.

Pasó otro hombre en dirección a Réquillart. Zacarías se marchó con él: y al pasar por delante de la empalizada, el chiquillo les oyó hablar de la reunión en el bosque;— habían tenido que aplazarla hasta el día siguiente, para tener tiempo de avisar en todos los barrios.

—¿Habéis oído? —murmuró el niño, hablando con sus dos compañeros—. ¿Habéis oído? Mañana es el gran día. Iremos, ¿no es verdad? Nos escaparemos por la tarde.

Y como al fin, en aquel instante no había nadie en la carretera, ordenó a Braulio que fuese a robar la bacalada.

—¡Valiente! ¿Eh? Tira pronto de ella, y mucho cuidado, porque la vieja tiene una escoba en la mano.

Felizmente, la noche estaba muy oscura. Braulio dio un salto, y se cogió a la bacalada, rompiendo la cuerdecilla que la sujetaba a un clavo, y enseguida echó a correr, seguido por Juan y Lidia, como alma que lleva el diablo. La tendera, asombrada, salió de la tienda sin comprender lo que pasaba, y sin poder distinguir el grupo, que desapareció corriendo en la oscuridad.

Aquellos granujas acabaron por ser el terror de la zona. Poco a poco la habían ido invadiendo como una horda salvaje. Al principio se habían contentado con los alrededores de la Voreux, revolcándose en los montones de carbón, de donde salían completamente tiznados, y jugando al escondite entre los montones de tablones, por donde se perdían como en el fondo de un bosque virgen. Luego habían tomado por asalto la plataforma, y cada día ensanchaban el campo de sus operaciones; corrían los campos, comiendo raíces y frutos, bajaban a la orilla del canal a pescar peces, y viajaban hasta el bosque de Vandame. Pronto toda la inmensa llanura les pertenecía.

Y la verdadera causa que les hacía recorrer la zona desde Montsou a Marchiennes era la afición al merodeo. Juan era el capitán en todas aquellas expediciones; dirigía su tropa sobre tal o cual presa, devastando las plantaciones de cebollas, y las huertas, y los jardines. En aquellos alrededores se empezaba a hablar de los mineros en huelga y de una partida de ladrones bien organizada. Un día obligó a Lidia a que robase a su misma madre, haciendo que le llevase dos docenas de las cosquillas que vendía, y la niña a pesar de haber recibido una paliza soberbia, no le había descubierto, porque temblaba ante la autoridad absoluta. Y lo malo era que él se quedaba con la mejor parte. Braulio tenía también que entregarle el botín, y se daba por muy contento cuando el capitán no le abofeteaba y guardaba para sí la parte que le correspondía a él.

Hacía algún tiempo que Juan abusaba de su autoridad. Pegaba a Lidia como se pega a una mujer legítima, y se aprovechaba de la credulidad de Braulio para mezclarle en aventuras desagradables; era feliz, burlándose de aquel muchachote, más fuerte y robusto que él, que de un solo puñetazo le habría roto la cabeza. Los despreciaba a los dos; los trataba como a esclavos, y les decía que su querida era una princesa, ante la cual no eran dignos de presentarse. Y, en efecto, hacía ocho días que desaparecía bruscamente por la esquina de una calle o en el recodo de un camino, después de darles orden, con la cara feroz, de que se volvieran enseguida a su casa. Claro está que, antes, se guardaba el botín.

Lo mismo sucedió aquella noche.

—Dámela —dijo arrancando la bacalada de manos de su compañero, cuando los tres se detuvieron en un recodo de la carretera, cerca de Réquillart.

Braulio protestó.

—Quiero mi parte, ¿oyes? Porque yo la he cogido.

—¿Eh? ¿Cómo? —exclamó Juan—. Tendrás parte si te la doy; pero no será esta noche. Será mañana, si queda algo.

Pegó un empujón a Lidia, y los cuadró uno al lado del otro, como si fuesen soldados.

Luego, pasando por detrás de ellos:

—Ahora os vais a estar ahí cinco minutos, sin volver la cara... y cuidado, porque si os volvéis os comerán las fieras... Enseguida os vais a casa, y cuidado con que Braulio te toque, Lidia, porque yo lo sabré, y habrá palos.

Y se desvaneció en la oscuridad, con tanto cuidado, que no se oyeron ni sus pisadas.

Los otros dos permanecieron inmóviles durante los cinco minutos que había mandado, sin atreverse a mirar hacia atrás, temerosos de recibir un bofetón misterioso. Poco a poco entre ellos dos había nacido un afecto entrañable, a causa del terror que ambos tenían a su capitán. Él siempre pensaba en abrazarla estrechándola fuertemente en sus brazos, como veía hacer a otros, y ella también hubiera querido que lo hiciese, porque tenía verdadero afán de ser acariciada con cariño, y no como lo hacía Juan. Pero cuando se marcharon, ni uno ni otro se atrevieron, aún cuando la noche estaba oscura, ni a darse siquiera un beso: caminaron uno junto a otro, conmovidos y desesperados a la vez, pero temerosos de que, si se tocaban, el capitán les daría una paliza.

A aquella misma hora Esteban entraba en Réquillart. El día antes la Mouquette le había suplicado que volviera y volvía, irritado consigo mismo, pero con cierta inclinación, a pesar suyo, hacia la moza, que le adoraba como si fuese un dios. Iba con el propósito de romper con ella. La vería y le explicaría que no debía perseguirle más, para no dar que hablar a las gentes. Los tiempos eran malos' y era poco honrado andar buscando placeres cuando todos los amigos, y ellos mismos, estaban muriéndose de hambre. No la encontró en su casa, y decidió esperarla entre las ruinas de la antigua mina.

Entre los escombros esparcidos por todas partes, se abría el pozo de entrada, medio obstruido: un madero puesto en pie que sostenía un pedazo del antiguo techo, tenía el aspecto de un aparato de suplicio, junto al oscuro agujero; dos árboles habían crecido allí, como si salieran del abismo que se abría en lo que fue pozo de bajada. Aquel rincón tenía un aspecto de salvaje abandono, de entrada a un precipicio, interceptada por maderas de desecho.

Por ahorrarse gastos superfluos, la Compañía estaba desde hace diez años queriendo cegar el pozo de la mina; pero esperaba para ello a instalar un ventilador en la Voreux, porque el foco de ventilación de los dos pozos, que comunicaban, estaba colocado al pie de Réquillart, cuyo antiguo pozo servía de chimenea.

Por prudencia, a fin de que se pudiera subir y bajar, había dado orden de que se tuvieran en buen estado las escalas hasta una profundidad de quinientos veinticinco metros; pero, a pesar de lo mandado, nadie se ocupaba en ello; las escalas se pudrían de humedad y ya en algunos peldaños era preciso, para bajar, cogerse a las raíces de uno de los árboles y dejarse ir a la ventura en la oscuridad.

Esteban esperaba pacientemente al pie de un árbol, cuando sintió un ligero ruido entre las ramas. Pensó sería una culebra que se escabullía, asustada. Pero la luz de un fósforo vino a sorprenderle, y se quedó estupefacto al ver que, a pocos pasos de distancia, Juan encendía una vela y desaparecía por la boca del pozo.

Se sintió presa de una curiosidad tan grande, que sin encomendarse a Dios ni al diablo, se metió por el mismo agujero: el chiquillo había desaparecido; una débil claridad, producida por la vela que aquel llevaba en la mano, le guiaba. Por un instante titubeó: pero luego se dejó caer como 'había hecho el otro, agarrándose a las raíces del árbol, y después de temer al bajar de un salto los quinientos metros de altura, acabó por sentir bajo sus pies un peldaño de la escalera.

Y empezó a bajar con cuidado. Juan no debía de haber oído nada, porque Esteban seguía viendo debajo de él la luz que descendía, mientras que la sombra del chiquillo danzaba por las paredes del pozo. La escala continuaba bajando; pero era dificilísimo el descenso, pues unas veces tropezaba con peldaños que resistían bien y otras con peldaños que, medio podridos, crujían bajo su peso; y a medida que bajaba, el calor iba haciéndose sofocante: un calor de horno que salía del foco de ventilación, poco activo por fortuna desde que comenzara la huelga, pues en tiempo de trabajo no se hubiera podido hacer aquella excursión sin exponerse a tostarse.

—¡Maldito granuja! —murmuraba Esteban medio sofocado—. ¿Dónde demonios irá?

Dos veces estuvo a punto de caerse. Sus pies resbalaban en los húmedos peldaños de madera. ¡Si al menos hubiese tenido una luz como el chiquillo! Pero sin ella se golpeaba contra las paredes a cada instante, guiado como iba solamente por la vela que el muchacho llevaba en la mano, y que iba desapareciendo rápidamente.

Habían bajado ya veinte escalas, y el descenso continuaba. Desde entonces se puso a contarlas: "Veintiuna, veintidós, veintitrés", y seguían bajando, bajando sin cesar.

Sentía en la cabeza un calor terrible, que iba aumentando por momentos. Al fin llegó a un empalme de escalas, y vio que el chiquillo echaba a correr por una galería.

Treinta escalas significaban unos doscientos diez metros de bajada.

—¿Irá ahora a pasearse por ahí? —pensó Esteban—. Seguro que va a calentarse en la cuadra.

Pero allí, a la izquierda, la galería que conducía al establo se hallaba cerrada por los escombros de un desprendimiento. Empezó otra excursión más difícil y más peligrosa. Multitud de murciélagos, asustados, revoloteaban en la semioscuridad, e iban a pegarse al techo de la galería.

Tuvo que apresurar el paso para no perder de vista la luz, andando por la galería tras el muchacho; solamente que por los sitios por donde éste pasaba con facilidad, gracias a su ligereza de serpiente, él no podía atravesarlos sin arañarse. Aquella galería, como todas las de la mina abandonada, se había estrechado considerablemente y seguía estrechándose todos los días a causa de los hundimientos; en algunos sitios se había convertido en un verdadero agujero, que pronto habría de cerrarse por sí mismo. En aquellas circunstancias, los pedazos de maderas rotas se convertían en un verdadero peligro, porque le amenazaban con desgarrarle las carnes, o con atravesarle de parte a parte, si tropezaba con uno de improviso. Así es que caminaba con precaución, de rodillas o arrastrándose boca abajo, y andando a tientas en la oscuridad. Bruscamente le sorprendió un grupo de ratas, que le corrieron por todo el cuerpo, de la nuca a los pies, en un arranque de pánico.

—¡Maldita sea ... ! ¿Habremos llegado ya? —murmuró casi sin poder respirar, y con un terrible dolor de riñones.

Habían llegado, en efecto. Al cabo de un kilómetro de camino, la galería se ensanchaba un poco, e iba a desembocar en un trozo de la mina que estaba en buen estado de conservación. Era el antiguo pie del pozo de subida, y estaba abierto en la roca viva, pareciendo una gruta natural. Tuvo que detenerse, pues veía a pocos metros de distancia al muchacho, que acababa de poner la vela entre dos piedras, y que se instalaba allí con la tranquilidad de quien se encuentra en su casa. Una instalación completa trocaba aquel trozo de galería en una habitación confortable. En el suelo, en un rincón, había paja extendida, que formaba una cama relativamente cómoda, y sobre unos pedazos de madera vieja, que servían de mesa, había un poco de todo: pan, velas, tarros de ginebra; era aquello una verdadera cueva de ladrones, donde se había ido acumulando el botín de muchas semanas, botín inútil, porque se veía allí hasta jabón y betún, robados por el gusto del hurto nada más. Y el muchacho, solo, en medio dèl producto de sus rapiñas, tenía el aire de un bandido egoísta, que no quisiera hacer a nadie partícipe de su alegría.

—Oye, niño; ¿te estás burlando de la gente? –exclamó Esteban cuando hubo descansado un momento—. ¿Te parece a ti que se puede tolerar que tú te atraques a lo grande, cuando los demás nos morimos de hambre?

Juan, asustado, estaba temblando. Pero, al conocer a Esteban, se tranquilizó enseguida.

—¿Quieres comer conmigo? —acabó por decir—. ¿Eh? Te daré un pedazo de bacalao asado... Ahora verás.

No había dejado la bacalada que llevaba en la mano, y empezó a quitarle el pellejo con un cuchillo nuevo, uno de esos cuchillos puñales con mango de hueso que llevan inscrita alguna divisa. En el de aquél se leía la palabra "Amor".

—Bonito cuchillo tienes —observó Esteban.

—Regalo de Lidia —respondió Juan, olvidando añadir que Lidia lo había robado por orden suya a un mercader de Montsou, que tenía su puesto ambulante frente a la taberna de la Cabeza cortada.

Luego, sin dejar de raspar el pellejo, continuó diciendo:

—Se está bien en mi casa, ¿no es verdad? Se está más calentito que allá arriba, y huele mucho mejor.

Esteban tomó asiento, deseando hacerle hablar. Ya no tenía rabia; al contrario, experimentaba cierta simpatía y cierto interés hacia aquel granuja tan atrevido y tan industrioso: además, disfrutaba de cierto agradable calor en aquella caverna; la temperatura no era demasiado elevada tampoco, y se agradecía más, porque fuera de allí los fríos de diciembre se ensañaban particularmente con los mineros, que carecían de defensa contra él. A medida que el tiempo pasaba, iban desapareciendo de las galerías los gases nocivos, y el grisú había desaparecido por completo. No se notaba allí más que el olor a las maderas viejas en fermentación, un olor muy sutil a éter. Aquellos trozos de madera tenían, además, un aspecto agradable, una palidez amarillenta, como la del mármol, adornada de caprichosas labores blanquecinas que semejaban delicados bordados de seda y aljófar. Otros maderos aparecían cubiertos de hongos, y todos ellos estaban poblados de mariposas blancas de moscas y arañas, todo un pueblo de insectos, que jamás había visto la luz del sol.

—¿De modo que no tienes miedo? —preguntó Esteban.

Juan le miró con asombro.

—¿Miedo de qué? ¿Pues no estoy solo?

Ya había acabado de raspar el bacalao. Encendió lumbre con unos pedazos de madera, y empezó a asarlo. Luego cortó un pan en dos pedazos. El regalo era terriblemente salado; pero, así y todo, muy a propósito para estómagos fuertes.

Esteban aceptó la parte que le ofrecía.

—Ya no me extraña que engordes mientras nosotros adelgazamos. ¿Sabes que es una bribonada?... ¿No piensas en los demás?

—Toma, ¿por qué los demás son tan tontos?

—Después de todo, haces bien en esconderte, porque si tu padre supiera que robas, seguro que te ponía como nuevo.

—Por qué, ¿no nos roban a nosotros los burgueses? Tú lo estás diciendo siempre. Este pan que le he quitado a Maigrat, nos lo había robado él antes.

El joven, con la boca llena, guardó silencio, verdaderamente confundido. Le miraba con atención, contemplando aquellos ojos verdes, aquellas orejas enormes, aquel aspecto de aborto degenerado, oscuro de inteligencia, pero de una astucia instintiva extraordinaria. La mina, que lo había producido, acabó de completarlo, rompiéndole las dos piernas. —¿No traes aquí a Lidia algunas veces? —le preguntó Esteban.

Juan sonrió desdeñosamente.

—¡A esa niña! —contestó—. ¡No, por cierto!... Las mujeres son muy charlatanas.

Y siguió riendo, lleno de inmenso desdén hacia Braulio y Lidia. Jamás se había visto dos chiquillos más estúpidos. El recuerdo de que a aquella hora se encaminaban a sus casas muertos de hambre y de frío, mientras él se comía la bacalada al calor de un fuego, le hacía desternillarse de risa. Luego, añadió, con la gravedad de un filósofo:

—Vale más hacer las cosas solo, porque siempre está uno de acuerdo.

Esteban había acabado de comerse el pan. Bebió un trago de ginebra. Por un momento creyó que no sería corresponder mal a la hospitalidad de Juan cogerle por una oreja y llevárselo a su casa, prohibiéndole merodear más, y amenazándole con decírselo todo a su padre si volvía a las andadas. Pero, al ver aquel escondite confortable, acudía a su mente una idea: tal vez lo necesitara para él o para los amigos, si las cosas tomaban un giro desagradable. Hizo que el chico le prometiese solemnemente no faltar a dormir en su casa, como le sucedía algunas veces desde que había descubierto aquel retiro, y, cogiendo una vela, se marchó, dejándole que arreglase tranquilamente su vivienda.

La Mouquette se impacientaba esperándole, sentada en un madero, a pesar del mucho frío que hacía. Cuando le vio, saltó a su cuello; y cuando le dijo que no debían volver a reunirse, sintió como si le clavaran un puñal en el corazón. ¡Dios mío! ¿Por qué? ¿No le quería ella bastante? Esteban, para no caer en la tentación de entrar en su casa, se la llevaba hacia la carretera, explicándole, lo más dulcemente que podía, que le comprometía ante los compañeros, y que comprometía, por tanto, la causa política, que a todo trance era necesario defender. Ella no entendía qué relación podían tener sus amores con la política.

Luego pensó que se avergonzaba de ella, lo cual no la ofendió, porque era natural, y se conformó con todo, y hasta llegó a prestarse a que le diera un bofetón en público, para que todos comprendieran que habían reñido. Pero quiso que le prometiese que la vería un ratito de vez en cuando. Desesperada, le suplicaba y le rogaba, jurando esconderse para que nadie los viese juntos, y que en cada entrevista no le entretendría más que cinco minutos. Él, muy conmovido, se negaba a todo. Era un sacrificio necesario. Al separarse, quiso ella darle un beso. Poco a poco, fueron llegando hasta las primeras casas de Montsou, y estaban abrazados estrechamente a la luz de la luna, cuando una mujer pasó junto a ellos dando un salto de sorpresa, como si hubiera tropezado con una piedra.

—¿Quién es? —preguntó Esteban con inquietud.

—Es Catalina —respondió la Mouquette—. Vendrá de Juan—Bart.

La mujer en cuestión se alejaba, con la cabeza baja, las piernas temblorosas y el andar cansado. Y el joven la miraba, desesperado de haber sido visto por ella, y con el corazón dolorido por un remordimiento cuya causa no se explicaba. ¿Acaso no vivía ella con otro hombre? ¿Acaso no le había impuesto la misma pena allí mismo, en el camino de Réquillart, entregándose a otro? Y, sin embargo, le desolaba haberle devuelto el sufrimiento.

—¿Quieres que te diga una cosa? —murmuró la Mouquette con lágrimas en los ojos, cuando perdieron de vista a Catalina—. No me quieres porque quieres a otra.

Al día siguiente, amaneció el cielo sereno y hermoso; era uno de esos magníficos días de invierno, fríos, pero despejados. Juan se había ido de su casa a la una; mas tuvo que esperar a Braulio detrás de la iglesia y por poco tuvieron que marcharse sin Lidia, a quien su madre había vuelto a encerrar en el sótano. Acababa de sacarla de su encierro, colgándole una cesta al brazo, y diciéndole que, si no volvía con ella llena de berros, la volvía a encerrar toda la noche, para que se la comiesen las ratas. Así es que, llena de miedo, quería ante todo ir a coger berros. Juan la disuadió de su idea: luego verían lo que había de hacer.

Desde muchos días antes andaba dándole vueltas a Polonia, la coneja de Rasseneur. Precisamente al pasar por la puerta de la taberna vio al animalito, que andaba correteando por allí. La cogió de un salto por las orejas, la metió en la cesta que llevaba Lidia, y los tres salieron al galope, gozándose de antemano en lo que iban a divertirse haciendo correr a la coneja por el llano.

Pero se detuvieron para ver a Zacarías y a Mouque, que, después de haber bebido un jarro de cerveza con otros dos amigos, se disponían a jugar una partida de toña. Se jugaban una gorra nueva y un pañuelo colorado para el cuello, depositados en casa de Rasseneur. Los cuatro jugadores, dos a dos, señalaron para la primera parte de la partida la distancia que había entre la Voreux y la finca Paillot, unos tres kilómetros próximamente; y Zacarías ganó, porque apostó a recorrer la distancia en siete viajes de la toña lanzada al aire, mientras que el hijo de Mouque no se comprometía a hacerlo en menos de ocho. Pusieron la toña en el suelo, con una de las puntas al aire. Cada cual empuñó su correspondiente palo sujeto a la muñeca por un cordel. Al dar las dos, arrancaron. Zacarías, manejando magistralmente su pala, lanzó la toña a más de cuatrocientos metros a través de los sembrados de remolacha, porque estaba prohibido jugar en las calles del pueblo y en la carretera, a causa de haber ocurrido algunas desgracias ya. Mouque, que tampoco era manco, lanzó la suya a unos ciento cincuenta metros. Y la partida continuó, dando palos a la toña, siempre corriendo, sin cuidarse de los rasguños que los pedruscos les hacían en los pies.

Al principio, Juan, Braulio y Lidia habían galopado detrás de los jugadores, entusiasmados con los buenos golpes y las peripecias del juego. Luego se acordaron de la pobre Polonia, que daba saltos en la cesta; y dejando a los jugadores en medio del campo, sacaron a la coneja, deseosos de ver si corría mucho. El pobre animal salió como disparado; ellos se lanzaron en su persecución, y aquello fue una cacería salvaje Por espacio de una hora, en medio de gritos desaforados para asustar al animal. Si la coneja no hubiera estado preñada, seguro que no la habrían podido alcanzar.

Iban ya sin aliento cuando voces desaforadas les hicieron volver la cabeza. Acababan de ponerse delante de los jugadores y Zacarías había estado a punto de romper la cabeza a su hermano. Los jugadores estaban, en la cuarta partida: desde la finca Paillot habían corrido a los Cuatro Caminos; de los Cuatro Caminos a Montoire, y entonces habían de recorrer en seis golpes la distancia que hay entre Montoire y el Prado de las Vacas.

Aquello representaba una carrera de dos leguas y media, en una hora; habían bebido cerveza en la taberna Vincent y en el cafetín de los Tres—Sabios. Mouque esta vez tenía la mano. No le faltaban más que dos jugadas, y su triunfo parecía seguro, cuando Zacarías, bromeando como de costumbre, dio un golpe tan hábil en uso de su derecho, que la toña cayó en un foso muy profundo. El compañero de Mouque no pudo sacarla de allí, y aquello fue un desastre. Los cuatro gritaban; la partida se hacía muy reñida, porque estaban iguales, y era necesario volver a empezar. Desde el Prado de las Vacas hasta la punta de Verdes Hierbas, no había menos de dos kilómetros, y apostaron a recorrerles en cinco golpes. Cuando llegaran allí, refrescarían en casa de Lerenard.

Pero Juan acababa de tener una idea. Los dejó marchar, y luego, sacando del bolsillo un cordel, lo ató a la pata izquierda de la pobre Polonia, y la diversión fue grande; la coneja corría delante de los tres galopines estirando las patas y haciendo tales contorsiones para huir de aquel tormento, que los chiquillos no se habían reído tanto en su vida. Luego la ataron por el cuello para que corriese; y como el animalito estaba cansado, la arrastraron unas veces sobre el lomo, otras sobre la barriga, como fuera un cochecillo de juguete. La broma duraba ya más de una hora; pobre animal estaba reventado, cuando tuvieron que cogerla precipitadamente para meterla en la cesta y esconderse detrás de unos matorrales mientras pasaban los jugadores, con los cuales habían tropezado de nuevo. Zacarías, Mouque y sus dos compañeros se sorbían los kilómetros como suele decirse, sin darse más tiempo de reposo que el estrictamente necesario para echarse al coleto un jarro de cerveza en las tabernas que se señalaban como término de cada partida. Desde Verdes Hierbas habían corrido a Buchy, luego a la Cruz de Piedra, y después a Chamblay. La tierra, endurecida por la escarcha, crujía bajo sus pies, que no cesaban de correr detrás de la toña, la cual rebotaba en el suelo; el día era muy a propósito, porque, como la tierra estaba dura, se podía correr sin miedo de hundirse en los surcos levantados por el arado: no había más peligro que el de romperse las piernas. En el aire seco, los golpes del palo sobre la toña resonaban como tiros. Las fornidas manos empuñaban los palos con furor, y hacían tanta fuerza con el cuerpo como si trataran de matar a un buey de un puñetazo: y todo esto durante horas y horas, de un extremo a otro de la llanura, saltando vallas, salvando fosos, cruzando senderos y sembrados. Precisaba tener para aquel ejercicio buenos pulmones y músculos de acero. Los mineros se entregaban con furor a esas carreras, que servían para desentumecerles los miembros.

Algunas veces recorrían así ocho o diez leguas; pero esto mientras eran jóvenes, porque a los cuarenta años no había quien jugase a la toña.

Dieron las cinco, la hora del crepúsculo. Convinieron en jugar otra partida hasta el bosque de Vandame, para ver quién se llevaba la gorra y el pañuelo, y Zacarías, que, como de costumbre, se reía de todas aquellas cosas de política, dijo que sería gracioso llegar allí en el momento de la reunión, para lo cual se habían dado cita los mineros de todos los alrededores. Juan, desde que saliera de su casa, seguía recorriendo los campos por entretenerse y esperar la hora de acudir a la reunión. Con ademán indignado amenazó a Lidia, que, llena de remordimientos y de miedo, hablaba de volver a la Voreux, a fin de coger los berros que le encargara su madre: pero ¿cómo habían de privarse de aquel espectáculo? ¡Pues apenas si tenía gracia ir a oír lo que dijesen los viejos! Empujó a Braulio; propuso para que el camino se hiciese más corto y más entretenido soltar a Poloy perseguirla a pedradas; su proyecto secreto era matarla de una pedrada, porque le habían dado ganas de llevársela y comérsela tranquilamente en su escondite de Réquillart. La pobre coneja emprendió de nuevo vertiginosa carrera, con las narices abiertas y las orejas echadas atrás: la piedra le peló el lomo, otra le cortó el rabo; y, a pesar de la oscuridad, e iba en aumento, la hubieran matado, a no ver en un claro, a la entrada del bosque, a Esteban y a Souvarine que estaban charlando. Se abalanzaron sobre el animal, lo volvieron a meter en la cesta, y casi al mismo tiempo aparecieron Zacarías, Mouque y los otros dos, después de terminada su partida. Todos acudían a la cita.

Y no era sólo por la carretera: por los caminos, por los senderos todos, iban llegando desde el oscurecer multitud de sombras silenciosas que se dirigían al bosque. Todas las casas de los barrios de obreros se quedaban sin gente, pues hasta las mujeres y los chiquillos dejaban sus hogares, como si fueran a dar un paseo. Los caminos estaban oscuros, y no se distinguía aquella multitud que caminaba en silencio hacia el mismo punto; se presentía, sin embargo, y era fácil comprender que los mismos deseos e iguales emociones la animaban. Por todas partes oíase un rumor vago y confuso de voces que indicaba la presencia de la muchedumbre.

El señor Hennebeau, que precisamente a aquella hora volvía a su casa, cabalgando en su yegua, prestaba oídos al misterioso rumor. Había encontrado varias parejas amorosas que se paraban lentamente, como para disfrutar al aire libre de aquella serena noche de invierno. Eran enamorados que con los labios en los labios de su pareja, iban buscando la satisfacción de sus amorosos deseos detrás de las vallas o al pie de los árboles. ¿Acaso no estaba acostumbrado a tales encuentros de aquellos desdichados que iban en busca del único placer que no cuesta dinero? Y el señor Hennebeau se decía que aquellos imbéciles hacían mal en quejarse de la vida. Pues, ¿no disfrutaban a su antojo la dicha de amar y ser amados? De buena gana se hubiera resignado él a estar medio muerto de hambre, a cambio de empezar de nuevo a vivir con una mujer que, enamorada, se le entregase con toda su alma, al pie de cualquier árbol. Su desgracia no tenía consuelo, y era motivo para que envidiase a aquellos miserables. Con la cabeza baja regresaba a su casa, al paso corto de la yegua, desesperado por la influencia de aquellos rumores de besos y suspiros que se oían en la oscuridad.

VII

Los mineros se habían dado cita en el Llano de las Damas, una vasta planicie abierta por la tala de maderas a la entrada del bosque de Vandame. Se extendía aquélla en suave pendiente, y estaba rodeada de árboles gigantescos, cuyos troncos rectos y regulares, formaban todo alrededor una especie de columnata blanca; algunos árboles gigantescos yacían en tierra, mientras allá, a la izquierda, otros, aserrados ya, se hallaban cuidadosamente colocados, en disposición de que los cargaran para llevárselos. El frío se había hecho más intenso desde la hora del crepúsculo; los pedazos de corteza de árbol crujían bajo los pies. A flor de tierra estaba muy oscuro; pero las copas de los árboles se destacaban sobre el fondo azul del cielo, en donde la luna llena, subiendo en el horizonte, no tardaría en venir a apagar las estrellas.

Tres mil mineros aproximadamente habían acudido a la cita; formaban una abigarrada muchedumbre de hombres, mujeres y chiquillos, que invadía poco a poco la planicie; y el mar de cabezas se extendía hasta más allá de los árboles que aún no habían sido cortados. De la multitud salía un murmullo colosal, parecido al ruido de una tempestad lejana.

Allá, en lo alto de la pendiente, se hallaba Esteban, acompañado de Rasseneur y Souvarine. Estaban disputando, y sus voces se oían al otro extremo de la planicie. Junto a ellos, algunos otros escuchaban la conversación: Maheu, en un sombrío silencio; Levaque, apretando los puños; Pierron, volviéndose de espaldas y lamentando no haber podido pretextar por más tiempo una enfermedad que no existía; también estaban allí el tío Buenamuerte y Mouque padre, sentados el uno junto al otro sobre el tronco de un árbol, con aire ensimismado. Más allá se veía a los aficionados a tomárselo todo en broma: Zacarías, el hijo de Mouque, y algunos otros, que habían ido sólo para divertirse; y a su lado, formando perfecto contraste con ellos por su actitud recogida, como si estuvieran en la iglesia, las mujeres, casi todas agrupadas. La mujer de Maheu, silenciosa como su marido, meneaba la cabeza al oír los sordos juramentos de la Levaque. Filomena tosía mucho, pues su bronquitis crónica había empeorado desde que comenzara el invierno. Solamente la Mouquette reía con toda su alma, al ver el modo que tenía la Quemada de tratar a su hija, a quien insultaba de mala manera, llamándola tunanta, porque se atracaba de conejo, mientras los demás se morían de hambre, y porque estaba vendida a los burgueses a causa de la cobardía de su marido. Y sobre el montón de maderos simétricamente colocados, se había subido Juan, ayudando a Lidia para que hiciera otro tanto, y obligando a Braulio a que los siguiera.

La disputa nacía que Rasseneur deseaba proceder en regla para que se eligiera una mesa y un presidente, según costumbre. Su derrota en la reunión de la Alegría le tenía furioso, y se había jurado a sí mismo buscar el desquite, esperando reconquistar su legítima influencia cuando no se viera entre delegados de la Internacional, sino frente a frente con sus amigos los mineros. Esteban consideraba estúpida la idea de elegir presidencia ni mesa en medio de aquel bosque. Debían usar procedimientos salvajes, puesto que se les acosaba como a lobos.

Viendo que la disputa se eternizaba, acudió a la multitud, y, subiéndose en el tronco de un árbol, gritó con voz fuerte:

—¡Compañeros! ¡Compañeros!

Los murmullos de aquella muchedumbre se ahogaron en un suspiro general, mientras Souvarine imponía silencio a las protestas de Rasseneur. Esteban seguía hablando con voz tonante:

—¡Compañeros, puesto que se nos prohíbe hablar; puesto que nos envían gendarmes para atacarnos como si fuésemos bandoleros, en este sitio tenemos que ponernos de acuerdo!

Una tempestad de gritos y de exclamaciones contestó a estas primeras palabras:

—Sí, sí, el bosque es nuestro, y tenemos derecho a hablar aquí cuanto queramos... ¡Habla!

Entonces Esteban permaneció un momento inmóvil sobre el tronco del árbol. La luna, muy baja en el horizonte, no alumbraba sino las copas más altas, y la multitud, que poco a poco había ido quedando en silenciosa calma, continuaba envuelta en tinieblas. Él, en lo oscuro también, se destacaba, sin embargo, allá en lo alto de la pendiente.

Levantó un brazo con lento ademán y empezó su discurso; pero su voz no rugía ya: había tomado el tono frío de un simple mandatario del pueblo dando cuentas a éste de su gestión.

En una palabra: pronunciaba el discurso que había interrumpido el inspector de policía en la reunión del salón de la viuda Désir y comenzaba haciendo rápidamente la historia de la huelga, afectando una elocuencia científica: hechos, y nada más que hechos. Primeramente explicó que la huelga le repugnaba: los mineros no la habían querido; era la compañía la que la había provocado con sus nuevas tarifas y sus exigencias injustas. Luego recordó el primer paso dado por los delegados en casa del director, la mala fe del Consejo de Administración, sus tardías confesiones cuando por segunda vez visitaron a Hennebeau, devolviéndoles los diez céntimos que habían tratado de robarles. Tal era la situación en aquel momento; explicó por partidas sueltas en qué se había gastado el dinero que tenían en la Caja de Socorro; indicó el empleo dado a las ayudas recibidas; excusó con afectuosas frases a la Internacional, a Pluchart y a los otros, porque realmente no podían hacer todo lo que deseaban, hallándose solicitados por mil asuntos diferentes, hijos de su tarea de conquistar el mundo entero. La situación, pues, iba empeorando de día en día; la Compañía echaba a la calle a muchos de ellos, amenazando con llevar obreros de Bélgica; además intimidaba a los pusilánimes, y había conseguido que algunos obreros volvieran a las minas.

Todo esto lo decía con monótona voz, como si quisiera aumentar con el tono la importancia de aquellas desagradables noticias, añadiendo que había vencido el hambre, que la esperanza estaba muerta, que la lucha había llegado a su último extremo. Y bruscamente concluyó, sin mudar de tono:

—En estas circunstancias, compañeros, urge que adoptéis una resolución esta noche misma. ¿Queréis que la huelga continúe? Y en este caso, ¿qué pensáis hacer para vencer a la Compañía?

La contestación fue un silencio tan profundo, como si sólo hubiera hablado con el cielo estrellado. La muchedumbre, a la cual no se veía, continuaba silenciosa en la oscuridad, ante aquellas palabras que la conmovían en sus adentros.

Pero Esteban continuó, variando de tono. Ya no era el secretario de la Asociación el que estaba hablando: era el jefe de un movimiento popular, el tribuno, el apóstol que predicaba lo que él creía verdad. ¿Habría algunos cobardes que faltasen a su palabra? ¡Cómo! ¡Habrían pasado durante un mes todo género de penalidades para volver a agachar la cabeza, Y volver a trabajar de nuevo como si nada hubiera sucedido! ¿No era mejor morirse de una vez, pero procurando antes sacudir aquella infame tiranía del capital, que mataba de hambre al trabajador? ¿No era estúpido someterse siempre cuando llegaba el momento del hambre, hasta que el hambre lanzaba otra vez a los más tranquilos a la sublevación?

Y hacía el retrato de los mineros explotados por la Compañía, soportando todos los desastres de la crisis; reducidos a no comer apenas Porque las necesidades de la competencia producirían una baja en los precios. ¡No! La nueva tarifa no era aceptable, porque encerraba una economía disimulada, que consistía en robar a cada uno una hora de trabajo todos 'los días. Era demasiado; todos estaban hartos, y había llegado el momento de que los miserables, acosados hasta el último extremo, se hicieran justicia de una vez.

Esteban, al concluir, se quedó con los brazos levantados. La muchedumbre se estremeció ante aquella palabra de justicia, y rompió en aplausos y en voces de:

—¡Justicia!... ¡Ya es hora!... ¡Justicia!

Poco a poco Esteban se entusiasmaba. No tenía la palabra fácil de Rasseneur. A veces le faltaban frases, y tenía que esforzarse para decir lo que pensaba ayudándose con un movimiento de hombros. Pero por ese mismo esfuerzo encontraba a menudo imágenes familiares de extraordinaria energía, con las cuales se apoderaba de su auditorio mientras que sus actitudes de minero en el trabajo, sus codos recogidos para lanzar luego con fuerza los puños hacia adelante, ejercían también una influencia extraordinaria sobre sus compañeros. Todos lo decían: era pequeño, pero se hacía escuchar.

—Los jornales son una forma de la esclavitud —continuó con voz más fuerte—. La mina debe ser del minero, como el mar es del pescador, como la tierra es del labrador. .. ¡Oídlo bien!, la mina os pertenece a todos vosotros, que, desde hace un siglo, la estáis comprando con vuestros sufrimientos. Y a veces con vuestra vida.

Directamente, abordó las más arduas cuestiones de Derecho de las leyes especiales de Minas, de las cuales no comprendía una palabra. El subsuelo, lo mismo que el suelo debía pertenecer a la nación: era un privilegio odioso que el Estado concediera su explotación exclusiva a las Compañías, tanto más cuanto que, con respecto a Montsou, la pretendida legalidad de sus concesiones se complicaba con los tratados hechos en otro tiempo con los terratenientes. El pueblo de los mineros no tenía por lo tanto más que reconquistar su bienestar; y, extendiendo los brazos, señalaba a toda la comarca que se adivinaba al otro lado del bosque. En aquel momento la luna, que iba subiendo en el horizonte, le bañó en su luz. Cuando la multitud, todavía entre tinieblas, le vio así iluminado por los pálidos rayos del astro de la noche, y en actitud de distribuir la fortuna y el bienestar entre todos, comenzó a aplaudir frenéticamente otra vez.

—¡Sí, sí, tiene razón! ¡Bravo, bravo!

Entonces Esteban abordó su cuestión predilecta: la atribución de los instrumentos de trabajo a la colectividad, como decía él con fruición y ahuecando la voz. En él la evolución era ya completa: arrancando de la conmovedora fraternidad de los catecúmenos, de la precisión de reformar los jornales, llegaba a la idea política de suprimirlos. Desde el día de la reunión en casa de la viuda Désir, su colectivismo, todavía humanitaria y sin fórmula, se había acentuado con un difícil programa, del cual discutía científicamente cada uno de los artículos. En primer lugar, aseguraba que la libertad sólo podía ser obtenida por la destrucción del Estado. Luego, cuando el pueblo se apoderase del gobierno, empezarían las reformas: vuelta a la primitiva comunidad, sustitución por la familia igualitaria y libre de la familia moral y opresiva, absoluta igualdad civil, política y económica, garantía por la independencia individual, gracias a la posesión y al producto íntegro de los útiles de trabajo; y, finalmente, enseñanza profesional y gratuíta pagada por la colectividad. Aquello constituía una reforma completa y definitiva de la sociedad liberándola de su antigua podredumbre; combatía el matrimonio y el derecho de testar; reglamentaba la fortuna de cada cual; derrumbaba el monumento de los siglos pasados, siempre hablando con la misma entonación, con el mismo gesto, con el ademán propio del segador que siega las mieses maduras; y luego, con la otra mano, reconstruía, edificaba la humanidad del porvenir, edificio de verdad y de justicia, que se agrandaría en los albores del siglo XX. En aquel esfuerzo del cerebro vacilaba la razón y no quedaba en él sino la idea fija del sectario. Los escrúpulos de su sensibilidad y de su buen sentido desaparecían, y consideraba facilísima la realización de sus ideales; todo lo tenía previsto, y hablaba de ello como de una máquina que podría morirse en dos horas.

—¡Esta es la nuestra! —gritó con un acento de entusiasmo final—. ¡Ha llegado el momento de que tengamos en nuestras manos el poder y la riqueza!

La muchedumbre lanzaba frenéticos gritos de entusiasmo, que resonaron mucho más allá de los confines del bosque de Vandame. La luna alumbraba ya toda la planicie, y permitía ver el mar inmenso de cabezas que, arrancando del tronco donde se había subido Esteban, se extendía agitado hasta el lindero del bosque con la carretera. Y allí, al aire libre, bajo la influencia de aquel frío glacial, un pueblo entero, hombres, mujeres y chiquillos con las ' bocas abiertas, los ojos fosforescentes y el ademán airado, reclamaban con frenesí el bienestar y la fortuna que les correspondían. Ya nadie sentía frío: las ardientes palabras del minero les abrasaban las entrañas. Una exaltación verdaderamente religiosa les elevaba de la tierra; era la fiebre de esperanza que agitó a los primeros cristianos de la Iglesia, cuando aguardaban el próximo advenimiento de la justicia. Muchas frases oscuras habían escapado a su comprensión, porque no entendían los razonamientos técnicos, ni abstractos; pero esa misma oscuridad, ese mismo tecnicismo, ensanchaban el campo de las promesas y agrandaban las esperanzas. ¡Qué sueño! ¡Ser los amos, dejar de sufrir, disfrutar al cabo como los privilegiados de la fortuna!

—¡Eso es, vive Dios! ¡Llegó nuestro turno! ¡Mueran los explotadores!

Las mujeres, sobre todo, estaban muy exaltadas; la de Maheu abandonaba su calma habitual, acometida del vértigo del hambre; la de Levaque bramaba de furor; la vieja Quemada, fuera de sí, agitaba sus brazos sarmentosos; Filomena era presa de un golpe de tos, y la Mouquette, entusiasmada, echaba a voz en cuello expresivos piropos al orador, que era para ella un ídolo. Entre los hombres, Maheu, conquistado al cabo, lanzaba alaridos de furor, colocado entre Pierron, que se había echado a temblar, y Levaque, que hablaba sin detenerse; entre tanto, los aficionados a reírse de todo, Zacarías, el hijo de Mouque y sus compañeros, trataban aún de bromear; pero, a su pesar, se sentían poseídos de los sentimientos dominantes en la generalidad, bien que confesando solamente su asombro de que Esteban pudiese hablar tanto sin echar un trago. Pero nadie armaba tanto estrépito como Juan, el cual excitaba a Braulio y a Lidia y agitaba nerviosamente la cesta donde yacía Polonia.

Las aclamaciones no cesaban; Esteban gozó largo rato la embriaguez de su popularidad. Aquél era su poder, que tenía como materializado dentro de aquellos tres mil pechos, cuyos corazones hacía latir a su antojo con una sola palabra. Souvarine, que continuaba a su lado, había aplaudido sus propias ideas a medida que las iba reconociendo, satisfecho de los progresos anárquicos de su amigo, y bastante de acuerdo con su programa, salvo el artículo sobre enseñanza obligatoria, que consideraba un resto de estúpido sentimentalismo, porque la santa y saludable ignorancia era el baño en que debía acabar de purificarse la humanidad. Rasseneur, por su parte, encolerizado y desdeñoso, se encogía de hombros.

—¿Me dejarás al fin hablar? —gritó a Esteban. Éste bajó del árbol.

—Habla; veremos si te escuchan.

Ya Rasseneur, que había ocupado el mismo puesto, reclamaba el silencio con un gesto enérgico. El ruido no cesaba; su nombre corría de boca en boca, desde la de los que, hallándose más próximos, le habían reconocido, hasta las últimas filas de mineros congregados en el bosque; y nadie quería escucharle: era un ídolo caído en desgracia, cuyos antiguos adoradores no querían ni verle. Su elocuencia y su fácil palabra se calificaban ahora de insulsas y propias para acabar de desanimar a los cobardes. En vano habló un momento entre aquella gritería infernal; quiso pronunciar el discurso conciliador que había pensado; hablar de la imposibilidad de alterar la faz del mundo con unas cuantas leyes; de la necesidad absoluta de dejar a la evolución social que realizase lentamente su tarea: burláronse de él, le silbaron, y su derrota pasada aumentó en aquel momento, y se hizo irremediable. Acabaron por tirarle puñados de tierra, y una mujer gritó:

—¡Abajo ese traidor!

El tabernero explicaba que la mina no podía ser del minero, como sucedía en otros oficios y que era mucho mejor ver la manera de tener participación en sus beneficios, y de que el obrero se convirtiese en niño mimado de la casa dentro de las minas.

—¡Abajo ese traidor! —repitieron varias voces, mientras algunos empezaban a tirarle piedras.

Entonces cambió de color, y lágrimas de desesperación acudieron a sus ojos. Aquello era la ruina, el desmoronamiento de veinte años de glorioso compañerismo, que se hundía a impulsos de la ingratitud popular. Bajó del tronco de árbol con el corazón dolorido, y sin ánimo para seguir hablando.

Bueno: —¿Te ríes, eh? —murmuró dirigiéndose a Esteban— triunfador, no deseo sino que llegue a sucederte lo mismo.

Y como para eximirse de todo género de responsabilidades en los desastres que consideraba inminentes, se alejó de allí solo, por el desierto camino que conducía a la Voreux.

Continuaron las aclamaciones y el auditorio quedó sorprendido al ver en pie sobre el tronco del árbol al tío Buenamuerte, que se preparaba a hablar en medio del tumulto. Hasta entonces él y su amigo Mouque habían permanecido absortos, y, como siempre, profundamente pensativos, rememorando cosas antiguas. Sin duda acababa de sentirse acometido de una de esas crisis que alguna que otra vez removían en él de tal modo sus recuerdos que el pasado se desbordaba por su boca durante horas y horas.

En un momento reinó un profundo silencio; todos querían oír a aquel anciano, que, a la pálida luz de la luna, parecía un espectro, y como empezó a decir cosas y contar historias que no tenían relación inmediata con el debate, la curiosidad y el interés crecieron considerablemente. Hablaba de su juventud, contaba la muerte de dos tíos suyos, aplastados por desprendimientos ocurridos en la Voreux, y luego de la enfermedad del pecho que mató a su mujer. Pero todo eso no le había hecho abandonar su idea de que las cosas no iban bien, y tenía la franqueza de decirlo. Empezó a explicar que una vez se reunieron en aquel mismo sitio quinientos obreros, porque el Rey no quería disminuir las horas de trabajo; pero se detuvo, y comenzó a hablar de otra huelga: ¡había visto tantas! Todas se declaraban allí mismo, a la sombra de aquellos árboles: unas veces hacía frío, otras calor. En una ocasión llovió tanto, que fue necesario retirarse sin poder hablar. Y luego llegaban los soldados del Rey, y la cosa acababa a tiro limpio.

—Y, sin embargo, levantábamos la mano así y jurábamos no volver más a la mina... ¡Ah! Yo lo he jurado; sí, lo he jurado muchas veces.

La muchedumbre escuchaba con gran interés, poseída de un marcado malestar, cuando Esteban, que seguía atento los incidentes de aquella escena, subió al tronco de árbol y se colocó junto al anciano. Ansiaba de ver entre los de primera fila a Chaval. La idea de que Catalina debía estar allí, le había hecho estremecerse y sentir la necesidad imperiosa de hacerse aplaudir frenéticamente delante de ella.

—Compañeros, ya lo habéis oído; aquí tenéis a uno de nuestros camaradas más antiguos; mirad lo que ha sufrido y lo que sufrirán nuestros hijos, si no acabamos de una vez con los ladrones y con los verdugos del pueblo.

Fue terrible; jamás había hablado con tal violencia, con tal ensañamiento. Con un brazo sujetaba al viejo Buenamuerte, agitándolo como si fuese una bandera de miseria y de duelo cuya vista sola hiciera clamar venganza. Con frase rápida y enérgica se remontó hasta el primero de los Maheu; hizo la pintura de toda la familia gastada en la mina, explotada por la Compañía, y más muerta de hambre ahora, después de cien años de trabajo, que el primer día; y para formar el contraste, describía las familias de los consejeros de Administración, de los accionistas cubiertos de dinero, como si uno hubiese nacido para mantener a tales haraganes, como se puede mantener a una querida, rompiéndose el alma para que ella no haga nada. ¿No era horrible ver a todo un pueblo que, de generación en generación, perdía la vida y la salud en el fondo de una mina, para sobornar a los ministros, y para que otras familias, de generación en generación, disfrutasen de todas las delicias de la buena vida? Había estudiado las enfermedades del minero y las explicaba una a una con pormenores verdaderamente terribles: la anemia, las escrófulas, la bronquitis crónica, el asma que ahoga, los reumatismos que paralizan.

Aquellas míseras criaturas se veían echadas a las máquinas como si fueran combustible, encerradas como animales en sus establos en los barrios que la Compañía edificaba para ellas, y los propietarios las iban absorbiendo poco a poco, reglamentando la esclavitud, y todo hacía temer que pronto, si no atajaban el mal, se apoderarían de todos los trabajadores de las minas, de millones de brazos, para que hiciesen la fortuna de unos cuantos miles de haraganes despreciables. Pero afortunadamente el minero no era ya aquel ignorante de otras épocas, aquel bruto enterrado en las entrañas de la tierra, sino que todos los mineros formaban un poderoso ejército brotado de las profundidades de la mina, capaz de conquistar sus derechos.

Entonces se vería si, después de cuarenta años de servicios incesantes, se atrevían a ofrecer una pensión de ciento cincuenta francos a un pobre sexagenario, que escupía carbón y tenía las piernas hinchadas a causa de la humedad absorbida en la mina. ¡Sí! El trabajo pediría cuentas al capital, a ese dios impersonal, desconocido del obrero, acurrucado en alguna parte, en el misterio de su tabernáculo, desde el cual chupaba la sangre de los hambrientos que le hacían rico. ¡Se iría a buscarlo donde estuviese, se le vería a la roja llamarada de los incendios, y se ahogaría en ,sangre a aquel reptil inmundo, a aquel ídolo monstruoso, ahíto de carne humana!

Esteban calló, pero con el brazo extendido hacia el vacío seguía señalando a aquel enemigo invisible. Esta vez las aclamaciones de la muchedumbre fueron tan frenéticas, que los burgueses de Montsou las oyeron y miraron hacia Vandame llenos de inquietud, creyendo en un terremoto o en una tempestad terrible que se acercaba rápidamente. Las aves nocturnas, asustadas, abandonaron el bosque revoloteando, sin saber dónde ponerse.

Esteban quiso concluir en aquel momento.

—Compañeros, ¿cuál es vuestra resolución?... ¿Votáis por la continuación de la huelga?

—¡Sí, sí! —bramaron tres mil voces.

—¿Qué determinaciones tomáis?... Nuestra derrota es segura si hay traidores que vayan mañana a trabajar.

Las voces repitieron con su resoplido de tempestad: —¡Muerte a los traidores!

—Eso es que decidís recordarles su deber y su juramento... Pues oíd lo que podemos hacer: presentarnos en las minas, hacer comparecer a los traidores y demostrar a la Compañía que estamos todos de acuerdo y decididos a morir antes que a entregarnos.

—¡Eso es! ¡A las minas! ¡A las minas!

Desde que comenzara su discurso, Esteban buscaba con la vista a Catalina. Decididamente no estaba allí. Pero veía a Chaval, que hacía alarde de reírse de él, encogiéndose de hombros, devorado por la envidia, dispuesto a vender su alma al demonio por un poco de aquella popularidad.

—Y si hay espías entre nosotros, compañeros —continuó Esteban—, ¡que anden con cuidado, porque los conocemos!... Sí, veo por ahí mineros de Vandame que no han dejado de trabajar.

—¿Lo dices por mí? —pregunto Chaval con tono altanero.

—Por ti o por otro... Pero puesto que te das por aludido, te diré que deberías comprender que los que comen, no tienen nada que hacer aquí entre los que se mueren de hambre. Tú estás trabajando en Juan—Bart...

Una voz chillona le interrumpió:

—¿Que trabaja?... Tiene una mujer que trabaja por él.

Chaval, furioso exclamó:

—¡Maldita sea ... ! ¿Está acaso prohibido trabajar?

—Sí, —gritó Esteban—; está prohibido, cuando los compañeros sufren la miseria y el hambre por el bien general: es un egoísta y un canalla el que en tales circunstancias se pone del lado de los propietarios. Si la huelga hubiera sido general, hace mucho tiempo que seríamos los amos... ¿Acaso en Vandame ha debido bajar ni un solo hombre a las minas cuando los de Montsou están parados? El golpe de gracia sería que el trabajo se interrumpiera en toda la comarca, lo mismo en las minas del señor Deneulin que aquí... ¿Lo oyes? En Juan–Bart no hay más que traidores... Todos lo s de allí sois unos traidores.

Alrededor de Chaval la multitud empezaba a adoptar actitudes amenazadoras; algunos puños se levantaban, y varias voces se oían gritando: "¡Muera! ¡Muera!" Chaval, lleno de terror, estaba desnudado. Pero, en su afán de vencer a Esteban, se le ocurrió una idea, y gritó con toda la fuerza de sus pulmones:

—¡Oídme! ¡Id mañana a Juan—Bart, y veréis si trabajo!... Somos de los vuestros, y he venido aquí para decíroslo. Es menester apagar las máquinas, que los maquinistas se declaren en huelga. Si las bombas se detienen, ¡mejor! ¡El agua inundará las minas, y todo se irá al demonio!

A su vez recibió frenéticos aplausos, comparables con los que había oído Esteban. Unos oradores se fueron sucediendo a otros sobre el tronco de árbol, gesticulando en medio del tumulto, y formulando proposiciones salvajes. Era la locura de la fe, la impaciencia de una secta religiosa, que, cansada de esperar el prometido milagro se decidiera a provocarlo. Todas aquellas cabezas, calenturientas por efecto del hambre, lo veían todo de color rojo, y soñaban sangre y exterminio en medio de una gloria de apoteosis, de donde salía la felicidad universal. Y la luna tranquila bañaba de luz aquella horda de salvajes, y el espeso y silencioso bosque parecía repetir aquellos gritos de venganza.

Hubo grandes empujones; la mujer de Maheu se halló sin saber cómo al lado de su marido, y uno y otro, olvidando su buen sentido de siempre, trabajados por las terribles privaciones que venían sufriendo hacía meses, aprobaban con entusiasmo las palabras de Levaque, que a voz en grito pedía la cabeza de los ingenieros. Pierron había desaparecido Buenamuerte y Mouque hablaban a la vez diciendo con ademán violento cosas que nadie oía. En broma, Zacarías pidió la demolición de las iglesias, mientras el hijo de Mouque, que llevaba todavía en la mano el palo de jugar a la toña, golpeaba el suelo con él para armar más ruido. Las mujeres estaban furiosas, especialmente la de Levaque, que con los brazos en jarras reñía con su hija Filomena, a quien acusaba de estarse riendo de aquellas cosas tan serias; la Mouquette hablaba de correr a los gendarmes a puntapiés en la parte posterior, mientras la Quemada, que había dado una paliza a Lidia porque la encontró sin su cesta, seguía dando puñetazos al aire, dirigidos, según decía, contra todos los propietarios, a quienes le gustaría tener entre sus uñas. Por un momento, Juan se había quedado turbado, pues Braulio acababa de saber que un aprendiz había dicho a la señora Rasseneur que ellos eran los que robaron la coneja Polonia; pero cuando se tranquilizó pensando que soltaría la coneja a la puerta de la taberna, empezó a gritar más que antes, y abrió la navaja nueva que tenía, haciendo brillar la hoja a la luz de la luna. La salvaje gritería continuaba incesantemente, mientras Souvarine, impasible, sonreía con calma en medio de aquel tumulto.

—¡Compañeros! ¡Compañeros! —repetía Esteban, ronco ya de gritar tanto, a fin de conseguir un poco de silencio para que pudieran entenderse.

Por fin le escucharon.

—¡Compañeros!, mañana por la mañana, a Juan—Bart, ¿está convenido?

—¡Sí, sí, a Juan—Bart! ¡Mueran los traidores!

El huracán de aquellas tres mil voces rebasaba el bosque y llegaba hasta el pueblo de Montsou, llenando de espanto a sus pacíficos habitantes.

Germinal. Tomo I
se compuso con el tipo Garamond 12/15,
en el mes de noviembre de 2009, y se distribuirá
bajo IaP (impresión a pedido),
(info@e-libro.es).

Manufactured By: RR Donnelley
Breinigsville, PA USA
December, 2010